説話文学研究の海図

Essays on the 60th Anniversary of the Narrative Literary Society

説話文学会［編］

Sea Map of Setsuwa Literary Studies

説話文学会60周年記念論集

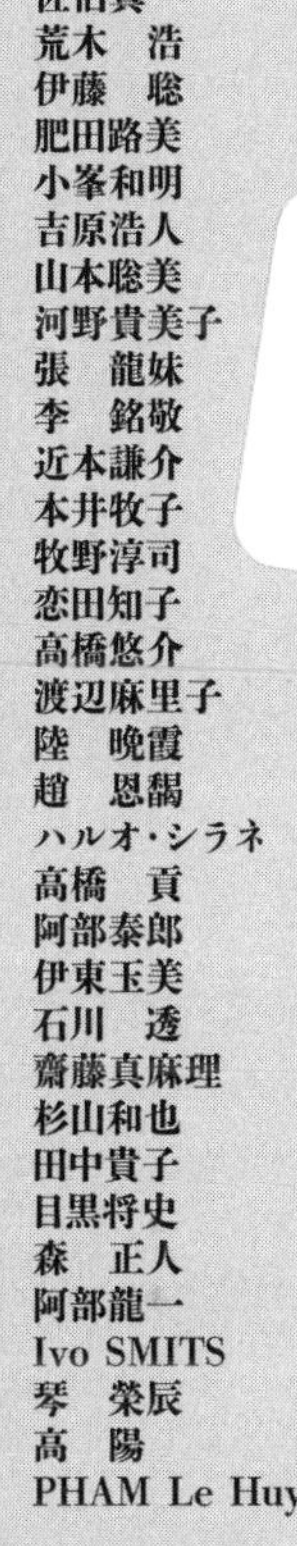

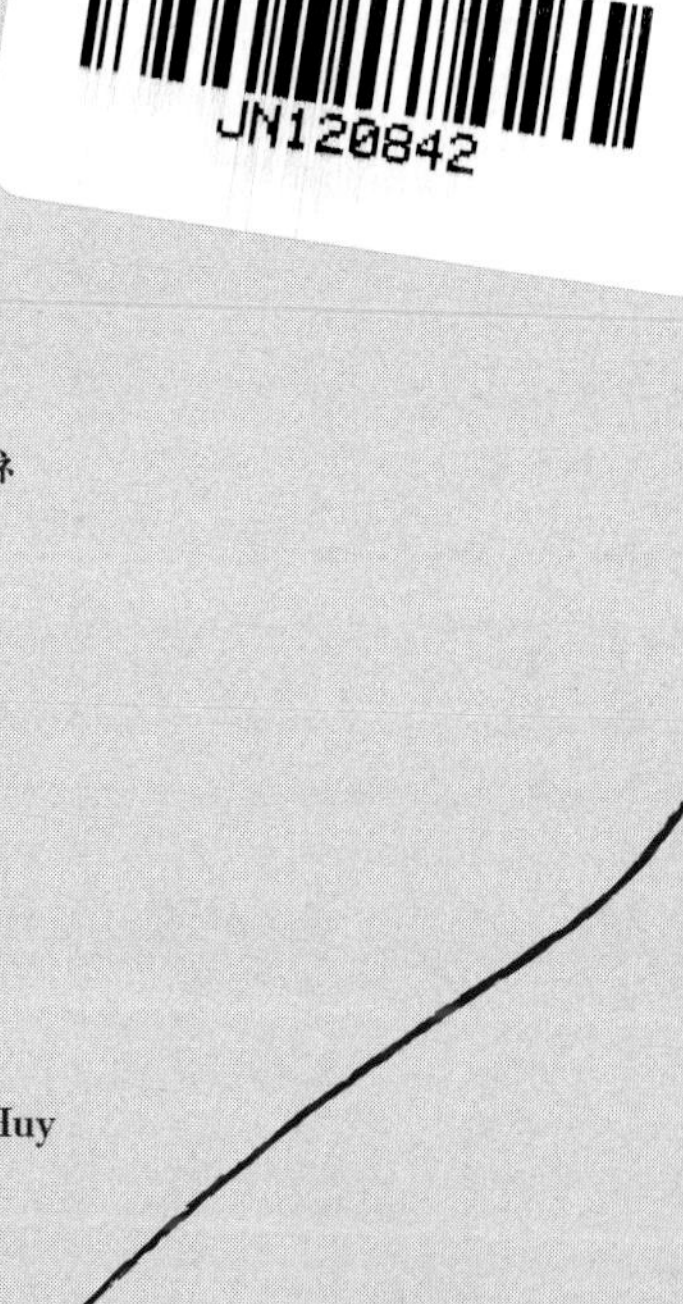

佐伯真一
荒木　浩
伊藤　聡
肥田路美
小峯和明
吉原浩人
山本聡美
河野貴美子
張　龍妹
李　銘敬
近本謙介
本井牧子
牧野淳司
恋田知子
高橋悠介
渡辺麻里子
陸　晚霞
趙　恩馤
ハルオ・シラネ
高橋　貢
阿部泰郎
伊東玉美
石川　透
齋藤真麻理
杉山和也
田中貴子
目黒将史
森　正人
阿部龍一
Ivo SMITS
琴　榮辰
高　陽
PHAM Le Huy

文学通信

目次

II シンポジウム　説話の文学・美術・宗教——『釈氏源流』を軸に

Ⅲ ラウンドテーブル 説話文学研究――つぎの六〇年に向けて

V エッセイ　説話文学会六〇周年に寄せて

はじめに

佐伯真一

一九六二年に創設された説話文学会は、二〇二二年に学会創設六〇周年を迎えた。六〇周年記念大会は、本来、二〇二二年に開かれるべきだったが、コロナ禍などの事情もあって、二〇二三年七月一日・二日に早稲田大学で開催された。

説話文学会では、近年、こうした節目に、学会の過去を振り返り、今後を展望する企画を行ってきた。五〇周年(二〇一二年)には記念大会を行い、その成果に基づいて『説話から世界をどう解き明かすのか』(笠間書院、二〇一三年)を刊行、五五周年行事としては北京特別大会を行い、その成果に基づいて『説話文学研究の最前線』(文学通信、二〇二〇年)を刊行した。本書はそれらを引き継いで、六〇周年記念大会の講演会・シンポジウム・ラウンドテーブルの内容を収録すると共に、説話文学会の六〇年を振り返り、今後を見据える目的で、大会とは別の企画として、座談会とエッセイを掲載した。

講演会は、**「説話の文学・美術・宗教」**と題して、荒木浩・伊藤聡・肥田路美の三氏にお話しいただいた。現在の説話文学研究は、「説話」という概念自体の拡大と共に、文学研究の学際化に伴って、美術史・宗教史等々との境界を越えつつある。三氏の講演から、その最前線の様相が伝わるであろう。次に**シンポジウム**では、前記『説話文学研究の最前線』の「ラウンドテーブル1」に続いて、中国の仏伝文学である『釈氏源流』をとりあげ、小峯和明・吉原浩人・山本聡美・河野貴美子の四氏、またコメンテーターとして張龍妹・李銘敬の二氏にお話しいただいた。これも国際的であることはもちろん、宗教史・美術史に関わる学際的な研究課題である。そして、**ラウンドテーブル**では、本井牧子・牧野淳司・恋田知子・高橋悠介の四氏に、説話集研究・軍記物語研究・説話と絵画・能楽研究の四つの分野に即して、現在の研究状況や課題について話していただいた。

次に、**座談会「説話研究の未来――一〇〇年後の研究はありうるか?」**では、ハルオ・シラネ、渡辺麻里子、陸晩霞、趙恩馤、小峯和明の各氏によって、説話文学研究の来歴と現状・未来について縦横に語り合っていただいた。最後に、学会創設期以来のベテランから若手まで一四名による**エッセイ**で、説話文学研究の在り方や可能性について、さまざまな立場から記していただいた。

これらの多様な企画により、説話文学研究が、どのような経緯を経てどのような現状にあるのか、そして今後どのような未来に向かっていこうとしているのか、さまざまな角度から御覧いただけることと思う。説話文学会は、六〇年の歴史の中で大きく方向性を変え、文学研究の中でも広く国際的・学際的方向に舵を取って進んできたといえるだろう。人文科学総体が危機を迎えているともいえる現在、その進路は果たして今後の指針となり得るのか、広汎な読者に問いたいと思う。

なお、六〇周年記念行事の企画と本書の編集は、六〇周年該当年度の事務局であった河野貴美子を中心に、その前後、二〇一七年度から二〇二四年度の事務局担当者である近本謙介・佐伯真一・伊東玉美を加えて、計四名が委員会を作って担当した。しかし、近本謙介氏は、記念大会の直前、二〇二三年二月に急逝された。委員会の中でも重要な役割を果たしていた近本氏の急逝は私たちにとって大きな悲しみであり打撃であったが、何とかその遺志を継いで本書の公刊にこぎ着けることとなった。本書の書名も、近本氏が残してくれたラウンドテーブル趣意文の「説話文学会の還暦にあたり、学会の越し方行末を見つめ、つぎの六〇年に向けての海図をできる限り描出してみたい」という一節によるものであることを記しておきたい。

Ⅰ 講演会

説話の文学・美術・宗教

〈裏返しの仏伝〉という文学伝統
――『源氏物語』再読と尊子出家譚から

荒木　浩

はじめに

今回の説話文学会は、六〇周年の記念大会ということで、早稲田大学を起点とする説話文学会の歴史について、ご案内がありました。『説話文学研究』第三〇号（一九九五年）の〔説話文学研究第三十号記念特集・回顧と展望〕をながめますと、一九六二年の「五月二日、早稲田大学、小野講堂」で開かれた「第一回の大会」の盛会に至る前年からの準備会の様子（同上所載、福田晃「説話文学会の発想――学会成立の頃を顧みて――」参照）を、まぶしい思いで想像します。私にも、本学会の折り返し地点にあたる三〇年前の一九九三年の四月二四日に、早稲田大学戸山キャンパスの新しい文学部棟で、『今昔物語集』の編纂原理」という、説話文学会例会のシンポジウムに参加した想い出があります。司会は池上洵一氏、パネリストは、前田雅之氏、竹村信治氏と私の三人でした。その内容は、前掲した『説話文学研究』の前号、第二九号（一九九四年）に「◆小特集　今昔物語集」として活字化されています。たまたま、文字通り説話文学会の始発から六〇年後に当たる昨年二〇二二年九月一七日にも、同じ戸山キャンパスで、木下華子氏、児島啓祐氏、プラダン・ゴウランガ・チャラン氏をパネリストとする、例会のシンポジウム「五大災厄のシンデミック――『方丈記』の時代」を担当しました（国際日本文化研究センター共同研究「ソリッドな〈無常〉／フラジャイルな〈無常〉――古典の変相と未来観」との共同開催）。質疑の時間に、故・近本謙介氏が貴重な発言をしてくださったのですが、パネルディスカッションで時間が一杯になり、うまく対話できなかったのが、今となっては悔やまれます。この日は、台風が直撃して記録的な大雨に見舞われ、シンポジウム終了後、研究交流などして移動の時間を待つ間に地下鉄の東西線が止まる、というハプニングにも遭遇しました。やむなくキャリーケースを転がしながら、運行する地下鉄の駅を求めて、独り一時間ほど雨の中を彷徨した記憶も残ります。学術的な議論の中身は、『説話文学研究』第五八号（二〇二三年）をご参照ください。

今日の講演会のテーマは、「説話の文学・美術・宗教」ということで、いろいろ思い描くこともありますが、ちょっと奇縁を感じまして、仏伝と『三宝絵』、そして尊子内親王の関係をめぐるお話をさせていただこうと思います。私の最近の個人的キーワードが、出合い――encounter（エンカウンター）と奇遇――synchronicity（シンクロニシティ）で、偶然の機縁が導く研究展開に、積極的に可能性を求めていこう、と思っているからです。今回は、たまたま昨年末以降に出合った本から発想したことをきっかけに、話を広げてみたいと考えた次第です。

一、『源氏物語』における仏伝の影響とその反転についての考察

今回の説話文学会では、『釈氏源流』という仏伝についてのシンポジウムもありました。たまたま私は、その基盤となる研究会の第一回目の日に、開催場所である北京の中国人民大学におり、参加させていただく僥倖を得まし

た。当時から、仏伝をめぐる日本古典文学の伝統について関心を抱いていたので、格好の邂逅であり、奇遇となりました。

いわゆる仏伝の文学史をめぐって、私はこれまでいくつかの論文を書きましたが、その中で、『源氏物語』をめぐって、「裏返し」という視点から論じた研究文脈があります。そのテーマで私が考えてきた論文や本の中から、中心的なものを挙げておくと以下のようになります。

1、『かくして『源氏物語』が誕生する』第六章「〈非在〉する仏伝――光源氏物語の構造」（笠間書院、二〇一四年）

2、「出産の遅延と二人の父――『原中最秘抄』から観る『源氏物語』の仏伝依拠――」（『国語と国文学』九五巻二号、二〇一八年一月）

3、『古典の中の地球儀』第6章「〈妊娠小説〉としての『源氏物語』とブッダ伝」（NTT出版、二〇二二年）

反転とか裏返しという言葉でブッダの伝記をめぐる日本文学史について考えるようになったのは1の論文がきっかけで、同論には「仏陀の反転としての光源氏」「裏返しの、非在する仏伝」というタームが用いられています。初出は『平安文学をいかに読み直すか』という論集（笠間書院、二〇一二年）への寄稿です。この企画は、それぞれが扱う対象を、あえて専門とはずらして書くというもので、私には『源氏物語』について論ずる場が与えられました。[▼1] ならばさらに反転を重ねて、非在する仏伝、という形で書いてみようと思いました。これは、ロラン・バルト『恋愛のディスクール・断章』（みすず書房、一九八〇年）が論じた、「不在」というキーワードに由来する発想です。

『源氏物語』の中には、光源氏をブッダになぞらえるような表現もあるのですが、彼はついに出家をしないまま、物語の表舞台から去っていきます。いわば最も非ブッダ的存在であるということで、非在する仏伝と光源氏物語の表象との関係について考えるようになりました。『源氏物語』における仏伝は、不在ではないが、非在しているのではないか。この発想を光源氏に投影してどう読むか。そうした視点で考察した論文を書き、後に改稿して『源氏物語』研究の単行書の一章となしたのが、1の論文です。

この段階では、どちらかというと私の問題意識優先で光源氏を捉えて論じていたのですが、中世以前の読者にも、『源氏物語』の中にブッダの伝記を見透かし、またずれを測定していた読書・受容環境があったのではないか、とも考えていました。その視点から『原中最秘抄』の言説を解読し、中世における『源氏物語』の仏伝依拠理解の様相を論じたのが、2の論文です。

以上と相前後して、ニュージーランドのオタゴ大学で「ダウンアンダー」をキーワードとする国際会議（国際日本文化研究センターの海外シンポジウム）で、発表することになりました。『源氏物語』の英訳を行った、オーストラリア国立大学のロイヤル・タイラー氏の門下生も参加する、ということで、斎藤美奈子氏の最初の論集『妊娠小説』の構想を『源氏物語』に遡及し、「〈妊娠小説〉としてのブッダ伝――日本古典文学のひながたをさぐる」と題して発表し（二〇一六年一一月）、論文化しました（二〇一八年三月。日文研オープンアクセスで公開中）。それを「古典の中の地球儀」というコンテクストの中に整理して書き下ろした論文が3になります。

二、今西祐一郎編注『源氏物語補作　山路の露・雲隠六帖　他二篇』「解説」摘記

こうした研究展開の中で本講演のテーマを考えていた二〇二二年の暮れに、今西祐一郎氏から同氏編注『源氏物語補作　山路の露・雲隠六帖　他二篇』（岩波文庫、二〇二二年一二月一五日）を拝受し、その「解説」から大きな触発を受けました。『源氏』の中世の読者が、その補作『雲隠六帖』を書いた時に、光源氏がまるでブッダのように出家する場面がある、という指摘が書かれていたからです。今西氏には、はやく『山路の露』と『雲隠六帖』の注解があります。▼2 また、今西氏の解説にも言及があるように、小川陽子氏が精緻な諸本研究を行い、注解も進められて

います[3]。しかし今回の解説は視点を変えて、仏伝の影響を懇切に説いていました。以下、今西氏の解説を、摘記して示しながら、その内容を考えたいと思います。なお【】で示した部分は荒木のキャプション的なまとめで、傍線も荒木による付加です。

【『雲隠六帖』が描く光源氏の出家】

…雲隠巻については、その存在の確証は見出されず、古く鎌倉時代の注釈書『原中最秘抄』（げんちゅうさいひしょう）に「雲隠は幻の次なり。しかるに根本よりこの巻なし」などと記され、巻名のみあって本文のない巻として認識されていた。

そこで『源氏物語』五十四帖に六巻（帖）を加えて「六十」という数を満たし、五十四帖には含まれない「雲隠」巻を補うべく作り出されたのが、『雲隠六帖』である。

『雲隠六帖』の第一、雲隠巻は、『源氏物語』の幻巻で出家が暗示され、匂宮巻の冒頭で「光隠れ給ひにし後」とその死が一言触れられるだけで語られることのなかった光源氏の出家と死への道程を語る。

紫上の死の翌年暮れ、「物思ふと過ぐる月日も知らぬまに年もわが世も今日や尽きぬる」という歌を詠んで、「ついたちのほどのこと、常よりことなるべくとおきてさせ給」うたという幻巻の末尾を、「かくて睦月の御心おきてなど、例よりもいと細やかにのたまひおきて」とそっくり繰り返して、雲隠巻は始まる。

その正月一日に、源氏は突如、昔の腹心惟光（これみつ）の子惟秀（これひで）と随身（ずいじん）だけを伴って、先に出家して西山に棲む兄朱雀院のもとへ赴く。しかもその途中で惟秀と随身を京に帰し、源氏は朱雀院のもとに滞在し、朱雀院の死後、紫上の死後十三年目に、出家し嵯峨野の柴生が谷で生を終えたという。

【光源氏の出家と仏伝】

この源氏の出家行は、釈迦の出家譚を摸している。仏典を踏まえて記された『今昔物語集』巻一の第四話「悉達（しつだ）太子、城を出でて山に入る語」によって示せば、三人の妻をもつ悉達太子は女人の不浄を目にし、夜明け前に車匿（しゃのく）という馭者を呼び出し揵陟（けんぢょく）という馬に乗って、太子の行動を訝しむ車匿に構わず、最初の師「跋伽（ばか）仙人」の棲む「苦行林」に至り、そこで付き随ってきた車匿に対して「汝一人ノミ我ニ随ヘリ。甚ダ難有（ありがた）シ。我レ聖（ひじり）ノ所ニ来レリ。汝速（すみやか）ニ揵陟ヲ具シテ宮ニ返（かへり）ネ」と言って、揵陟を返し、みずから剃髪し、山林での苦行を開始する。

車匿を途中で都に返すことをはじめ、車匿が都に返ってからの騒ぎなど、雲隠巻が釈迦出家譚に付合する箇所は少なくないが、今は省略に従う。このように、仏伝になぞらえて、『源氏物語』で語られなかった光源氏の死を、濃厚な仏教色で補い語ったのが雲隠巻である。（傍線は荒木。以下同）

右に示されるように「雲隠巻」の光源氏は、「惟光（これみつ）が子に惟秀（これひで）とて、御傍（かたは）ら去らず、影よりけに召し使うまつり給へるたゞ一人、御随身（みずいじん）をかべと、御前（ごぜん）ばかりにて、昔おぼゆる網代車（あじろぐるま）の穢（な）れたるに乗り」（岩波文庫）、先に出家して西山に住む朱雀院の元へ赴くのですが、その途次、随行者を帰し、一人になろうとする。ただし、彼はここでは出家しません。優婆塞の院と呼ばれる光源氏は、三年ほど経て朱雀院が亡くなり、明石の上なども失って、「対の上（紫の上）七年に巡り来（き）ぬ。御髪（みぐし）おろし給ひける」とようやく落飾。「それよりは仮初（かりそ）めにもこの院を出で給ふことなく」、ただ月ごとの比叡山参拝のみ、という行状でしたが、その後「今年は十三年目になりぬ。嵯峨の柴生（しばふ）が谷といふ所に、入定（にふぢやう）し給はんとて」決意を固め、紫の上の墓に参り、院を出て、独り死の旅へと向かうのです。

三、仏伝のなぞりとしての『源氏物語』補作の世界

「雲隠巻」の光源氏は、釈迦の出家譚を模して描かれている。この発見について先行研究をたどってみると、二〇一二年に、咲本英恵氏による「雲隠六帖「雲隠」考」（『名古屋大学国語国文学』一〇五）という論文があります。

同論は改稿を経て、咲本氏の単著『源氏物語の仏教的変容』第二章「雲隠巻の光源氏」（三弥井書店、二〇二三年）にまとめられました。本稿では、問題を絞って論じられた咲本氏初出稿をもとに、著書に収められた新稿を適宜対比しながら、その研究を参照していきます。

三―一、咲本論が示す『過去現在因果経』との対応関係

咲本氏初出稿は、おおむね次のように「雲隠巻」当該本文を示し（一部、新稿で補う）、番号を付して論述の便宜としています。

かくて正月の御心掟など、例よりもいと細かにのたまひをきてければ、人々も頼もしう見たてまつるに、一日①寅の一といふに②惟光の子にこれひでとて、御側ら去らず召しつかはせたまふをぞ只一人、御随身にて、又、おかべとて年比睦くし給ふ、御前はかり召し具して、昔おほゆる網代車のなれたるに、下簾かけて、「ただこもとに。人に物聞こゆべき」とて出給ふ。（略）「さて御車はいづちへか押し奉らん」と申に、③「山の御方へ（略）参りけるに、目およぶばかりになり給ひて、「我ははや、此世を離るべきためなりしが、二度都に帰り見ずば参り来よ、④さなくはこれより戻りね。深き山にも入なん」との給ふを、「いかでか。多くの中に選ばせ給ひて、召しくせられ参らせて、いづちへか罷り申べき。たとへ⑤虎臥す野辺、⑥鷲の深山なりとも、かしこけれども御もろともにこそ」と二人ながら申ければ「さもあらば、此車をばいづくにも捨て置け、④我は修行の始め、徒歩より行かん」とており給ひ、いまだ明けざるに、おはし着きたり。

この一連は、板本（流布本、一類本）を底本とする岩波文庫と異なり、二類本（別本）をもとにしているので内容に微差がありますが、[4]咲本氏の新稿によれば「光源氏は」、「「寅の一」（午前四時頃）」、「惟秀と岡部を呼び出して」、「朱

雀院のいる山に到着する」というプロットです。④の傍線が引かれた部分については、「供の二人に対し、京へ戻り、自分の出家のことを伝えるように言い、自分は車を降りて徒歩で山中に向かおうとする」エピソードだと説明されています。

そして咲本氏は、次のように『過去現在因果経』原文の釈迦出家譚を掲げ、

❶至於後夜。(略)皆悉惛臥。今者正是出家之時。爾時太子。即便自往至車匿所。以天力故。車匿自覚。而語之言。汝可為我被揵陟来。(略)❷捧馬四足。并接車匿。(略)諸天即便令城北門。(略)❸次行至彼跋伽仙人苦行林中。太子見此園林。(略)❹即便下馬撫背而言。所難為事。汝作已畢。又語車匿。(略)汝便可与揵陟倶還宮也。(『過去現在因果経』巻二)

「雲隠巻」先引部と比較して、「右の傍線部①〜④は、次の❶〜❹に見えるように、真夜中に車匿(奴卑)を起こし、揵陟(馬)とともに城を出ていく悉達太子の話と重なる。」(⑤は『金光明最勝王経』の「捨身飼虎」譚、⑥は霊鷲山のイメージを指す)と述べます。そして「悉達太子は、夜、人々が寝静まったころ、今が出家の機会と心得て、車匿を起こし揵陟という馬を引かせて跋伽仙人のいる山林へ向かう。到着すると馬から降り、車匿に、都へ帰って太子出家のことを伝えるように諭す」と解読し、「雲隠巻」が「光源氏を釈迦に擬えて描いている」ことを論じています。

ここで引用される『過去現在因果経』は、本田義憲氏の『今昔物語集仏伝の研究』(勉誠出版、二〇一六年)に詳述されるように、僧祐『釈迦譜』に受容され、今西氏が引く『今昔物語集』の仏伝に展開します。咲本氏は、仏伝のスタンダードとして同経を引き、『源氏物語』の続編である『雲隠六帖』劈頭の「雲隠巻」のあらすじを比較して、「雲隠巻」は光源氏を釈迦になぞらえて描いていると論じます。[5]

咲本氏の新稿では、『過去現在因果経』では、釈迦が供としたのは人と馬であり、行き先は林である。ゆえに、

光源氏が惟秀と岡部を供とし、西山へ向かったのとは厳密には合致しない」と述べながら、この部分を説話化した『今昔物語集』巻一第四を引いて、「『今昔物語集』では、跋伽仙人の苦行林は「山」と呼ばれ」「説話タイトルにも釈迦は「出城入山」したとある」。「また、太子の言葉を聞いて悲しみの涙を流す馬の犍陟は、まるで人間のようだ」。「わが国の中世仏教説話の中で、釈迦は、人と擬人化された馬とともに城を出て、修行場である山に入ったと語られた。雲隠巻の光源氏出六条院譚は、そういう釈迦出家譚の受容として解釈してよいのではないだろうか」とその類似をより詳細に述べていきます。

三―二、『海人の刈藻』の仏伝依拠が照らし出すこと――釈迦出家譚との距離

さらに咲本氏は、中世王朝物語の『海人の苅藻』、それから『苔の衣』にも同じような部分があると指摘しています。それを受けて『海人の刈藻』巻四の当該部分を、以下に掲げます。

［一五］新中納言16、文反故を焼き、家を出る

中納言は帰り給ひて、（中略）我が御方におはして、見苦しき反故ども破り給ふに、たびたび書き尽くし給ひし文のそのまま返りてうち置かれたるを引き破り給ふとて、

我のみぞ山路深くは尋ね行く人のふみ見ぬ道のしるべに

とて、続き落つる御涙を払ひつつ、火に入れ給へば、ほどなく昇りぬる煙も、「いつの折にか」とあはれにて、

藻塩草かくかき絶ゆる煙にも身をたぐへてぞ見るべかりける

などひとりごちつつ、文ども書き給ふ。

そののち、御随身なりつぎに御馬用意させて、「夜のうちに山へ」とぞのたまふ。心知らぬ舎人一人具して参る。やすらかにうち乗り給ひて出で給ふ。さすがにかきくらす心地し給ふ。「悉達太子の王宮を出で給ひし

には、父帝・耶輸陀羅女の御別れやおはしけん、これは大宮・若君の御名残ならん」とぞ推し量らるる。

明け果つるほどに、山におはし着きぬ。

（キャプションと引用は『中世王朝物語全集　海人の刈藻』笠間書院、以下同じ）

右に見える、文を焼く、という描写、また和歌に用いられた、山路、藻塩草、かく、煙などの表現は、『源氏物語』幻巻の光源氏の行動と歌を踏まえています。そのほか、傍線を引いた部分は、明示的に釈迦の出家を踏まえたところです。物語は次のように続き、出家譚が語られます。

［一六］新中納言⑯の置き手紙発見。人々の狼狽（本文略）

［一七］舎人が戻り、新中納言⑯の出家を告げる

殿も聞きおどろかせ給ひて、大将もろともに一条院へ参り給ふ。

昼つかた、御馬の引き返して参りけり。「いかにや」と尋ね給へば、「年ごろの聖の坊におはしまして、かねて契り給へるにや、さうなく御髪下ろして、御衣・袈裟などかけさせ奉り侍り。『なりつぎも帰り参れ』とのたまはせけれど、みづから頭下ろして、かれも候ふ。あはれにかたじけなかりしかば、『御ともに』と申し侍りしかど、『都に騒がせ給はんもかたじけなし。帰り参りて、ありさま申せ』とて泣くさま、かの車匿舎人が帰りけむ人の朝廷まで推し量られて、あはれなり。

ただ、こうして比べて見ると、「雲隠巻」の光源氏も『海人の刈藻』の新中納言も「釈迦の出家譚」によく似た描出でありながら、肝心の、随行する車匿と揵陟を返して独りになり、「みずから剃髪し、山林での苦行を開始」（今西解説）した、という要素を継承していないことが、逆によくわかります。

「雲隠巻」の光源氏が「その途中で惟秀と随身を京に帰し」(今西解説)、あるいは「供の二人に対し、京へ戻り、自分の出家之ことを伝えるように言い、自分は車を降りて徒歩で山中に向かおうとする」(咲本新稿)とそれぞれ解説される場面も、実際には、言葉だけです。先に咲本論の引用でみたように、二類本(別本)で光源氏は「二度都に帰り見ずば参り来よ、さなくはこれより戻りね」――二度と都に戻らないつもりならば着いてこい、さもなくば、この地点から帰れ――と二人に伝えます。二人は「かしこけれども御もろともにこそ」と懇願し、光源氏は「さもあらば」――それならば車を捨てよ。「我は修行の始め」歩いて行くと、その随行を黙認し、夜更けに朱雀院のもとに到着しました。

この時の光源氏の言葉は、板本では「我ははやこの世をなん離るべき。深き山にも入りたちて、薪(たきぎ)を樵(こ)り水を運びて仕へ給うける仏の行(おこな)ひ給ふといふ例(ためし)を勤め給ひなんと思ひ給へるには、仕うまつらん人も何せんに、これより帰りね」と変わります。仏の行いに倣う光源氏の想いは強調されますが、言及されたのは、当時の日本で広く信仰された大乗仏典『法華経』由来の常套句であり、結果的には『過去現在因果経』など、本来の仏伝とは距離を広げてしまった皮肉があります。

さらに板本では、「二人ながらうち泣きて」すがられた光源氏は、「仏も初め世を逃れて山に籠もり給ふには、五人の御許人(おもとびと)は従ひたてまつりけりと聞き給へられしとまで、さもこそあらめ」と語り、再び釈迦の言行を持ち出して「さもこそあらめ」と随行を容認していました。これを読むと、あたかも釈迦が俗人の随行者を伴って出家の旅を進めたかのように見えますが、この仏をめぐる「五人の御許人」とは、岩波文庫の解説に引く『三国伝記』巻一・一の説話では「五比丘」に相当します。その随行も釈迦出家時のことではなく、出家後の釈迦が「六年難行」する修行時のことと記述されています。板本が、釈迦本来の出家行とは異なって、光源氏の出家に随行者が伴われることの容認、もしくは正当化を、仏典を応用して意識的に行っていることがわかります。

一方『海人の刈藻』では、新中納言の出家を「さうなく御髪下ろして」と形象し、かろうじて釈迦との矛盾を縮めようとしています。もちろんそれは、独行の出家ではありません。傍線を引いたように、実際は「年ごろの聖」を戒師として落飾しているのです。

その代わりに『海人の苅藻』では、新中納言の出家に「御随身なりつぎに御馬用意させて」、「心知らぬ舎人一人具して参る」という随行者を描いていました。これは釈迦出城譚における車匿と犍陟という「擬人化された馬」のキャラクターを、「御随身なりつぎ」と「舎人」という二人の人間と、馬という三要素に分解して、再構成したものではないでしょうか。『今昔物語集』巻一第四の出家譚では、「此ノ犍陟ハ太子ノ御馬也、車匿ハ舎人也」と描いていました。そして『海人の苅藻』では「舎人」と馬を、帰還する報告者となしています。残された「なりつぎ」は、あたかも新中納言が果たせなかったブッダの伝説をなぞるかのように「みづから頭下ろし」、新中納言のもとにとどまる人と転じています。

とりあえず主人公の貴顕・新中納言をすみやかに出家させる。そして車匿のごとき随行者の一人をまるで釈迦の分身のように自分で落飾させて出家させ、仏伝とのアシンメトリーを総体的に統合する。そのことで、全体のドラマツルギーを担保していることがわかります。

「雲隠巻」の随行者容認正当化のプロットとともに、この『海人の苅藻』のアダプテーションは、「みずから剃髪して出家する釈迦の伝記のプロットが、その出家譚の要諦として色濃く意識されていたことを、しかし同時に、光源氏や新中納言をそのように描くことはできなかったことをともに示しており、重要です。ちなみに『苔の衣』も「苔衣大将は、随身よしするをつれ、馬で横川・比叡山に向か」います（引用は咲本新稿）。

このように、『源氏物語』に潜在する仏伝が、補作者によって光源氏の出家譚として具現化されようとする時、あるいは『源氏』亜流の物語に転用されようとする時、肝心の出家行の描出において、自ら落飾して苦行を開始した釈迦の出家のプロットとの違いが、際立たざるを得ません。准太上天皇の六条院・光源氏が、夜中に一人の侍者と馬に乗って、（あたかもブッダの迦毘羅衛城のごとき）日本一の豪邸を出て、道中で彼らを返して一人で髪を剃り、徒歩で単独の苦行を実現する……。そんなことは、当時の社会実現として、また王朝物語の大団円として、いかにもリアリティがないからです。

換言すれば、当時の貴族――あるいは釈迦のように王子や王の候補者たちの出家において、原始の釈迦のように出家することが深い憧れであった反面、自分で髪を剃って一人で出家する、という肝要のプロセスが、羨望しつつも果たし得ない、とても難しい要素であった、ということを示しているのではないかと思います。

三―三、仏伝における独行「自剃鬚髪」の意義

では逆に、釈迦の出家の中で、この要素はどのような位置づけを持つのか。『過去現在因果経』によって、少し確認しておきたいと思います。漢訳仏典の東アジアの仏伝では、通常、釈迦は「十九」で出家、「みずから剃髪し、山林での苦行を開始」します。別経文の伝承によっては二九と伝える場合もありますが、あとで尊子内親王の落飾について論じるように、青年釈迦が、一九歳で出家するという若さの設定が大切です。

> 爾時太子年至㆓十九㆒、心自思惟、「我今正是出家之時」……（しかしその出家の思いを）王流㆑涙不㆑許。……（しかし太子は、出家への思いを捨てられずに）愁憂不㆑楽。爾時迦毘羅旆兜国諸大相師、占㆓知太子㆒、若不㆓出家㆒、過㆓七日後㆒、得㆓転輪王位㆒、王㆓四天下㆒、七宝自至。（中略）

傍線を付したように、王になることは、宝を身に付けることでした。相人の占いのごとく、彼はそれを運命付けられており、父王も出家に反対でした。太子の釈迦は、王の思いを汲んで子孫を残すべく、「即以㆓左手㆒、指㆓其妃腹㆒」、妻を懐妊させます。王はこれでひと安心するのですが、釈迦の本心は「爾時太子心自念言、「我年已至㆓二十有九㆒。今是二月、復是七日、宜㆔応方便、思㆓求出家㆒」とむしろ決意を固め、やがて、眠る耶輸陀羅たちを

置いて出城します。[6] そしてその後太子は、咲本論にも引くように、時至れりと、随行する車匿に「還宮」を命じました。「爾時車匿、聞二此語一已、悲号啼泣、迷悶躃レ地、不レ能二自勝一。於レ是揵陟、既聞レ被レ遣、屈レ膝舐レ足、涙落如レ雨」と悲しみにくれる車匿と揵陟に、悉達太子は、生老病死の諸苦を断ずるまでは、伴侶は不可だと伝えます。もしこの「苦」を断ち切ったその後なら、一切衆生と伴侶となることができよう、と付言しつつ。[7]

> 太子即便答二車匿一言、「世間之法、独生独死、豈復有レ伴。又有二生老病死諸苦一、我当下云何与レ此作一レ侶。吾今為レ欲レ断二諸苦一故、而来至レ此。苦若断時、然後当下与二一切衆生一、而作中伴侶上。我於二即時一、諸苦未レ離、云何而得二為レ汝作一レ侶」。

しかし車匿は、太子のように、恵まれて「深宮」に育った方に、野原で「荊棘瓦礫泥土」を踏んで歩き、樹木の下で寝るような暮らしができるでしょうかと問います。太子は、おまえの言うとおりだが、たとえ宮に居て「荊棘之患」を逃れたとしても、「老・病・死」の苦しみは必ず訪れる。そう告げて車匿を説得すると、「七宝剣」を与えて、過去の諸仏も、このように身の飾りを捨て、鬢髪をそって、悟りを得た。私もまたそれに従う、と確言します。

> ……于時太子、即就二車匿一、取二七宝剣一而師子吼、「過去諸仏、為レ成二就阿耨多羅三藐三菩提一故、捨二棄飾好一、剃二除鬚髪一。我今亦当レ依二諸仏法一」。

そして太子は、右の言葉どおり身の飾りを一つずつ捨てながら落飾の意を固め、飾りはそれぞれ父、叔母、妻へと車匿に託して、別れを告げるのです。

【父王へ】便脱二宝冠髻中明珠一、以与二車匿一、而語之曰「以二此宝冠及以明珠一、致二王足下一、汝可三為レ我上二白大王一（以下、王への伝言、略す）……」

【摩訶波闍波提そして耶輸陀羅へ】太子又復脱二身瓔珞一、以授二車匿一、而語之言「汝可為我持此瓔珞、奉摩訶波闍波提道……」。又脱二身上余荘厳具一、以与二耶輸陀羅一、亦復語言（以下、伝言、略す）……。

車匿にとって太子の命は絶対です。しかし予想される人々の大悲苦と、おめおめ釈迦を置いて帰ってきた自分に対する王の怒りを思い、強烈烈なジレンマに身を震わせる車匿は、父王にどうお答えすればいいのですか（「欲レ令三何言上答二大王一」）と問います。太子は「汝今不レ応レ作二如レ此語一。世皆離別、豈常集聚。我生七日而母命終。母子尚有二死生之別一、而況余人。汝勿三於レ我偏生二恋慕一、可下与二揵陟一倶還上レ宮也」と、生後七日で母を亡くした自らの人生を示しつつ、世の無常を説き、宮に帰れと言うばかり。車匿の言葉を受け入れることはありませんでした。そして太子は、切れ味鋭い刀をもち、自分で鬢髪を剃るのです。

爾時太子、便以二利剣一、自剃二鬢髪一。即発レ願言、「今落二鬢髪一、願与二一切一、断二除煩悩及以習障一」。釈提桓因、接レ髪而去。虚空諸天、焼レ香散レ花、異口同音讃言、「善哉。善哉」。

それでも釈迦は、自分の着する「衣」もまた「七宝」ではないかと考え、悩むことになります。「爾時太子、剃二鬢髪一已、自見二其身所レ著之衣一、猶是七宝。即心念言、「過去諸仏出家之法、所レ著衣服、不二当如一レ此」と。するとそこに、猟師に化し、袈裟を着した浄居天が現れ、太子との問答の末に衣を交換します。釈迦は袈裟を着して、真の求道者の姿になるのです。車匿は「牽二揵陟及荘厳具一。悲泣嗚咽。随レ路而還」、宮城に入ります（以上『過去現在因果経』巻二）。

このように釈迦の出家譚の中で、世俗の王の象徴である「七宝」の飾りを捨てて車匿に託し、独りになって髪を自分で剃るというのは、必然的な、不可欠の要素として描かれています。しかし、これと同じことを光源氏などの貴顕に求めるのは無理なので、仏伝をもとに、先のさまざまな工夫がなされていたのだと思います。しかし、ここに注目すべき人物がいます。光源氏という皇子にできなかったことを一人果たした王女、尊子内親王です。彼女は一七で独り宮廷を出て、自ら落飾する。もう一人の裏返しのブッダとして、注目すべき人なのです。

四、「みずから剃髪」した出家譚の具現——尊子内親王の場合

そのことを考えるために、尊子について、荒木「『三宝絵』の捨身と孝——尊子内親王をめぐる」▼8から、関連の記述を摘記しつつ説明を進めます。

　『三宝絵』は、冷泉第二皇女で円融天皇に入内した尊子内親王（九六六〜九八五）に捧げられた書である。作者源為憲は「序」の末尾に「永観二（ふ）タ年（と）セ中（なか）ノ冬ミ」（九八四年十一月）と誌す。……その二年半ほど前の天元五年（九八二）四月二日の叔父藤原光昭の卒去の後、宮中を退出し、同八日、尊子は突然、自ら髪を切っている。そして『三宝絵』成立の半年後、寛和元年五月二日に没している。（荒木前掲拙稿）

尊子の落飾の状況は、『小右記』が伝えています。

　三日（中略）伝聞、二品女親王今夜退出。是依㆓光照（昭）卒去㆒、俄以被㆑出云々。依㆓帰忌日㆒、半夜出云々。
　九日（中略）昨夜二品女親王〈承香殿女御〉不㆑使㆓人知㆒、蜜親切㆑髪云々。或説云、邪気之所㆑致者。又云、

年来本意者。宮人秘隠、不レ云二実誠一。早朝義懐朝臣参入、令レ奏二此由一云々。又云、是非二多切一、唯額髪許云々。頗似二秘蔵詞一。主上（＝円融）頻有二仰事一。（『小右記』天元五年四月条）▼9

この事情について、若干の解説をしておきます。

父冷泉は、太上天皇として健在であったが、この時期の尊子は、多くの身内を失う不幸にまみれていた。祖父の太政大臣伊尹を天禄三年（九七二）に失い、叔父の挙賢・義孝を天延二年（九七四）の疱瘡（もがさ）流行で亡くし、「母はその翌年にと、あいついで失った。内親王の入内（＝天元三年、十五歳の時）には「はかばかしき後見」はほとんどなかったのである。しかも時は兼通・兼家の熾烈な権力争いのさなかである。そんな世相の天元五年（九八二）、力と頼む叔父光昭が死んだ。十七歳の若い女性にとっては絶えがたい悲報であった。直ちに内親王は宮中を飛び出し、光昭の初七日にあたる夜には、ひそかにみずから髪を切ったという」（新日本古典文学大系冒頭解説、傍線は引用者）。通説では、この折り重なる不幸が、彼女の突然の行動の因由だと、関連付けて理解されてきた。（前掲拙稿）

『小右記』の記述をみる限り、彼女の行為について、当時の世評は非常に悪い。夜にこっそり一人で宮城を出て、自分で髪を切ったりして。しかもちゃんと切っていないのではとか、衝動的だとか、一種もの狂い的な扱いをされていく。しかし、構造的にみれば、彼女が行った出家行は、釈迦の出家譚ときわめてよく似ています。王の子（冷泉皇女）で、結婚していた（円融女御）尊子の高貴な境遇も、ジェンダーを外せば、釈迦（浄飯王の王子、国を継ぐべく耶輸陀羅と結婚）とぴったり重なります。彼女なればこそ、あの役割を演じ切れた、とも言えるのです。

そのことをより深く考えるためには、尊子が出家した日についての考察が必要です。すでに見たように、尊子が四月八日に出城をして落飾した理由は、叔父の初七日だから、と考えられてきました。しかし、それだけでは不十分です。拙稿引用の続きです。

ただし右の解説（＝前掲新日本古典文学大系解説）では全く触れられていないが、留意すべきことがある。尊子の出家の日付が「四月八日」「夜」であることだ。この日は叔父の「初七日」（＝四月二日に没している）に当たる、ということにも注意が必要だが、それだけでは不十分である。初七日はひとつの契機にすぎない。重要なのは、「四月八日」が釈迦の生誕日と周知され、灌仏会の期日であったことである。とりわけそれは『三宝絵』において、次のような記述と連携する。注目すべきであろう。

承和七年四月八日ニ、清涼殿ニシテハジメテ御灌仏ノ事ヲ行ハシメ玉フ。……灌仏像経ニ云、「十方諸ノ仏ハ、ミナ四月八日ヲモテ生玉フ。春夏ノ間ニシテ、ヨロヅノ物アマネク生フ。サムカラズアツカラズシテ、時ノホドヨクト、ノホレバ也。トイヘリ」（下巻僧宝・十八「灌仏」）

「灌仏像経」は『灌洗仏形像経』で、『法苑珠林』や『諸経要集』に「灌仏形像経」として引く一節である。

又摩訶刹頭経、亦名灌仏形像経云、仏告㆓天下人民㆒、十方諸仏、皆用㆓四月八日夜半時㆒生。皆用㆓四月八日夜半時㆒去レ家学レ道。皆用㆓四月八日夜半時㆒得㆓仏道㆒。皆用㆓四月八日夜半時㆒般泥洹。仏言、所㆔以用㆓四月八日㆒者、為㆓春夏之際㆒、殃罪悉畢、万物普生。毒気未レ行、不レ寒不レ熱、時気和適。今是仏生日故。諸天下人民共念仏功徳、浴㆓仏形像㆒如㆓仏在時㆒。以示㆓天下人㆒。（『諸経要集』巻第八洗僧縁第五）

（中略）男女を入れ替えれば、尊子と釈迦は、まさしく合わせ鏡の境遇であった。『三宝絵』上巻「趣」に前置される「序」は、「家ヲ出デヽ、仏国ヲ可求。吉形モ不惜、形ヲ捨テヽ、仏身ヲ可願」と総論を説き、「穴貴ト、吾冷泉院太上天皇ノ二人ニ当リ給フ女ナ御子、春の花白チヲ恥、寒キ松音ヲ譲リ、九重ヘノ宮ニ撰レ入リ給ヘリシカド、五ノ濁ノ世ヲ厭ヒ離給ヘリ」と尊子の出家に言及する。入内の二年後、尊子もまた「家ヲ出デヽ」、「宮中を飛び出し」（前掲新日本古典文学大系脚注）、「仏国ヲ」求めて、釈迦のように自ら剃髪し、「仏ニ成」ろうとしたのである。冷笑する貴族たちには思いもよらないあの突飛な行動こそ、尊子の信仰の純粋であった。（前掲拙稿）

その時尊子の年齢は一七で、釈迦で謂えば出家への大きな契機の一つである、耶輸陀羅と結婚した年齢でした。そして『三宝絵』の出典『諸経要集』が引く『灌洗仏形像経』には、「皆な四月八日の夜半の時をもって家を去り、道を学ぶ。皆な四月八日の夜半の時をもって仏道を得る」と明記されていました。『小右記』から見れば非常識に感じられる出城の「半夜」と落飾の「夜」という時間も、釈迦をお手本にしたものだったと思います。釈迦の出家を知って怒り悲しむ王と妻という仏伝も、「主上頻有二仰事一」（『小右記』）と重なってくるおまけ付き。

尊子は「四月八日」の夜、釈迦や諸仏の運命に倣い、同じように出家をしていたわけです。それが、彼女にとって叔父の初七日で当たっていたというのは、まさしくシンクロニシティとして、彼女に運命の啓示をもたらしたのではないかと思います。

そして、ここでもう一つ大事なことが重なります。先に引いた『三宝絵』「灌仏」が記すように、四月八日は灌仏会です。尊子は、母の懐子を、一〇歳の幼き日（――生後七日で母を亡くしたブッダほどではないにせよ）、天延三年（九七五）に亡くしていました。その母の遠忌が『三宝絵』完成直後に当たっており、そのことが「灌仏」の記述に、色濃く反映していたのです。

先に論じた『三宝絵』下巻第十八「灌仏」は、灌仏会という「この法会で、如来の「浄法身」を証す灌仏偈とともに、百石讃歎が誦されたと言う」（横田隆志「百石讃歎と『三宝絵』」）▼10。百石讃歎とは、「百石（ももさく）に　八十石（やそさか）そへてたまへてし　ちぶさのむくい　けふせずは　いつかわがせん　としはをつ　さよはへにつつ」という行基菩薩の伝承歌である（『拾遺和歌集』哀傷他に採録）。横田同上論文は「灌仏会で百石讃歎が用いられた徴証は『三宝絵』以外にはない」と史料を整理した上で、「母への報恩を主題とする」この「百石讃歎」が、なぜ『三宝絵』で灌仏会の記述において言及されるのかと問い、尊子の母懐子に注目する。早世した懐子は、永観二年十二月十七日に「皇太后」を追贈され、「国忌が置かれるようになった」。そして「花山が即位し、懐子の国忌が置かれた永観二年冬は、実は、内記をつとめた源為憲によって『三宝絵』が書かれた時期でもある」。「先例に鑑み詔勅を掌る内記を為憲がつとめていた事実といい、本作の執筆にあたり彼が懐子の忌日を意識するだけの条件は十分ととのえられていた」と述べ、『三宝絵』に「母と子に関する話柄、わけても報恩を重視する記述が『三宝絵』に多数見出されること」に「着目」する。（中略）

尊子が剃髪した四月八日という日付には、灌仏会という具体的な法会をめぐるイメージが重ねられ、彼女の母への思いが連動する。亡母への思慕、置き去りにされてやりきれない配偶者の想い（『小右記』に「主上（円融）すこぶる仰せ事あり」という）、そして残される父という境遇もまた、尊子が釈迦と共有する環境であった。

（以上拙稿「『三宝絵』の捨身と孝——尊子内親王をめぐる」）

永観二年一一月の『三宝絵』という達成は、尊子独行の出家を踏まえた彼女の現在を集約する形で描かれており、尊子の意図と行為を筆者源為憲もよく理解した上で、あるいは理解しようとした上で、構想され、綴られているということがわかります。

彼女は、こうしたさまざまな偶合——シンクロニシティに揺り動かされて、私こそ釈迦になりたい、という願望もしくは衝撃を実行します。『小右記』は「或説云、邪気之所〻致者。又云、年来本意者」と両論併記でした。しかるべき年月、思い詰めた熟慮の末、という風評もあったのです。どうやら男性貴族一般の理解は得られなかったものの、あの事件は「仏になる」べく、王女の尊子が人生をかけて決行した、ブッダに倣う出家行だったのです。

五、女性の「二段階出家」説と尊子内親王

五―一、勝浦令子論から速水侑の援用論へ

尊子の落飾と、その後「出家受戒」した尊子に捧げられた『三宝絵』をこのように定位しようとする時、再検討しなければならない重要な視点があります。勝浦令子氏が発表した、「二段階出家」という考え方です。勝浦氏は、平安時代の女性たちが出家に際し、一挙に剃髪まで行わず、まず尼削ぎなどを行い、状況を整えた後に、最後に本格的な剃髪の出家をする、ということを論じています（勝浦「尼削ぎ攷――髪型から見た尼の存在形態」[11]）。

これを踏まえて、速水侑氏が「摂関期貴族社会の既婚女性たちの出家は、尼削ぎを出発点として最終的に完全剃髪をめざすのが一般的」として、『三宝絵』の尊子について論じています。少し段落を割りながら、速水論を以下に引きます。

……源倫子も、治安三年（一〇二三）に院源に受戒した最初の出家は尼削ぎで、長暦元年（＝一〇二七）に完全剃髪している。（中略）光昭初七日の尊子の突然の剃髪が完全剃髪でないのはいうまでもないが（中略）勝浦氏が、僧侶による受戒・剃髪を伴なう尼削ぎと、突発的に行なわれる髪切り行為は区別すべきだとして、尊子の場合を髪切りと理解しているように、仮に「年来の本意」があったとしても、僧の立ち会いがなく「密かに親から」額髪を切った尊子の行為は、尼削ぎとはいえぬ「髪切り」である。

尊子と近似した突発的髪切りの例として、一品脩子内親王の場合があげられる。万寿元年三月三日、二九歳の脩子は、「波斯王女（勝鬘夫人）心を起せる、人も教へず、髪を削ぎしに、誰かは教へ勧めし。ありがたく、昔の事覚えたる御心掟なり」とされたように自ら髪を切る俄か出家をして叔父隆家らを悲歎させたが、その後、

天台座主院源を召して受戒することになり、調度の用意などが行われた（＝『日本紀略』同日条、『小右記』同月四日条、『栄花物語』巻二十一、後くゐの大将）。勝浦氏は、院源による受戒を経て正式の尼削ぎになったと見ており……（中略）（『三宝絵』の記述が）受戒していることを認めながら、さらに出家して僧となることを勧めるという、一見矛盾するようなこれらの文脈は、尊子の受戒を、有相夫人のような自発的髪切りの後の良源による尼削ぎ受戒と考えることで、容易に理解できる。勝浦氏の挙げる諸例を見れば、尼削ぎした東三条院詮子が後に完全剃髪したことを、『権記』長保三年（一〇〇一）閏十二月十六日条は「御髪を剃り僧となる」と記し、三条天皇皇后娍子が尼削ぎ後に完全剃髪した場合も、『小右記』寛仁三年（一〇一九）五月十三日条は「更に御髪を剃りて法師となる」と記しており、女性の出家において、「僧となる」「（尼）法師となる」とは尼削ぎを経た後の完全剃髪を意味したのである。（速水侑「摂関期文人貴族の時代観――『三宝絵』を中心に」）▼12

五―二、尊子と有相夫人の「自発的髪切り」をなぞらえる背景

これは重要な指摘ですが、いくつか検討すべき部分があります。たとえば傍線を引いたように、速水氏は、尊子の落飾（「蜜親切髪」）と有相夫人の自発的髪切りを同一視して論じていました。それは『三宝絵』序文に、以下のように描かれていることを踏まえています。

穴貴ト、吾冷泉院太上天皇ノ二人ニ当リ給フ女ナ御子、春ノ花皃チヲ恥、寒キ松音ヲ譲リ、九重ヘノ宮ニ選レ入リ給ヘリシカド、五ノ濁ノ世ヲ厭ヒ離給ヘリ。彼勝鬘ハ波斯匿王ノ女スメ也、心ヲ発セル事人モ不教。有相ハ宇陀羨王ノ后也、髪ヲ剃シ事誰又進メシ。貴トキ家ヨリ生レ、重キ位ニ備ハリタシカド、蓮ノ花ニ宿ラムハ芳シキ契リナレバ、忩ギ法ノ種ヲウヘ、月ノ輪ニ入ムハ高キ思ヒナレバ、強ヒテ戒ノ光ヲ受テキ。今ヲ見テ古ヲオモヘバ、時ハ異ニテ事ハ同ジ。（『三宝絵』序）

王の娘・勝鬘――冷泉・娘＝尊子、王の后・有相――円融女御・尊子という二重のなぞらえですが、しかしここには、『三宝絵』序文のバイアスがあります。右傍線部に就けば、勝鬘と有相という二人の女性は、自分で発心し、自律的に自分で髪を剃って落飾した女性の代表のように読めますが、そうではありません。たとえば『勝鬘経』の冒頭・序分には「波斯匿王及び末利夫人、法を信じること未だ久しからず、共に相謂つて言はく、「勝鬘夫人は是れ我が女なり。聰慧利根、通敏にして悟り易し。若し佛を見たてまつらば、必ず速に法を解して、心疑ひなきことを得ん。宜しく時に信を遣はして、其の道意を発すべし」と。夫人白して言さく、「今正さに是れ時なり」と。王及び夫人、勝鬘に書を与へて、略して如来無量の功徳を讃じ、即ち内人の旃提羅と名づくるを遣はす。使人書を奉じて阿踰闍国に至り、其の宮内に入り、敬んで勝鬘に授けたてまつる。勝鬘書を得て歓喜し、頂受し、読誦し、受持して希有の心を生じ……」とあります[13]。すなわち境野黄洋が、上記の「要義」を「波斯匿、末利の二人、父母として女の勝鬘に大乗の道に入らしめんが為め書を遣はす、勝鬘、書によつて仏の音声を聞き得、父母の言によつて仏を見奉らんと願ひ、仏こゝに空中に無比身を現じ給ふといふのである」と解説するように、勝鬘は、「心ヲ発セル事人モ不教」ではなく、父母の手紙の勧めによって仏教を志していました[14]。

いま直接的に問題となる有相の出家譚についても、『三宝絵』の依拠資料『法苑珠林』巻二二「剃髪部第三引証部第四」では、少しニュアンスの異なる記述がなされています（原典は『雑宝蔵経』巻一〇「優陀羨王縁」）。聡明解達にして大智慧ある優陀羨王の御世。後宮の美しく徳行ある后・有相が王の寵愛を頼み、王が自ら弾くのは国法で禁断の琴を王に弾かせ、舞を舞う。すると王は、夫人に現れた〈余命七日を過ぎない死相〉を見て深く憂います。それがすべてのきっかけでした。有相は、嘆く王を問い詰め、その理由を知ると、有相は「石室比丘尼」に聞いた出家の功徳を説いて「信心出家」を望みます。王は、余命ぎりぎりの六日後まで待てと渋ります。しかし有相は六日を経て再び願うと、王は、では出家して天に生まれた後に必ず訪問せよと約束させ、有相はようやく出家受戒する、というプロットでした。

又雑宝蔵経云、昔盧留城有二優陀羨王一。聡明解達有二大智慧一。有二一夫人一、名曰二有相一。端正少双兼有二徳行一。王甚愛敬。時彼国法、諸為レ王者、不二自弾一レ琴。爾時夫人在二於曲室一、共レ王歓戯。自恃二王寵一遣二王弾一レ琴、自起為レ舞。初挙レ手時、王素善レ相、覩二見夫人一死相已現。計二其余命一不レ過二七日一。王即捨レ琴惨然長歎。夫人白レ王、「受二王恩寵一敢於二曲室一、求二王弾一レ琴、自起為レ舞、用為二歓楽一。有二何不レ適捨レ琴長歎一。願王告レ語」。王不二肯答一、慇懃不レ已、王以レ実答。夫人聞レ之甚懐二憂懼一、即白レ王言、「我聞二石室比丘尼一、若能信心出家、一日必得レ生レ天。我欲二出家一。願王聴許」。王愛情重語二夫人一言、「至二六日頭一当レ聴二汝去一」。不レ相二免意一、遂至二六日一。王語二夫人一、「汝有二善心一求二欲出家一。若得レ生レ天必来見レ我。我乃聴去」。作二是誓一已、夫人許可、便得二出家一、受二八戒齋一。即於二其日一飲二石蜜漿一腹中絞結。至二七日一旦、即便命終。乗二是善縁一得レ生二天上一。憶二本誓一故来二詣王所一。光明熾盛遍照二王宮一。時王問言、「汝為二是誰一」。天即答言。「我是王婦有相夫人」。王喜白言、「願来就レ坐」。天答レ之言、「我今観レ王臭穢難レ近。但以二先誓一故来見レ王」。王聞レ是已心開意解。而自歎言、「今彼天者本是我婦。出家一日便得レ生レ天。神志高遠而見二鄙賎一。我今何故而不二出家一。我曾聞レ説、『天一爪甲、直一閻浮提地』。我此一国、何足レ可レ貪」。作二是語一已捨レ位与レ子。出家修道得二阿羅漢一。（下略）（『法苑珠林』巻二一）

何よりここには、「髪を剃る」という形象はありません。それは他ならぬ源為憲が、すでにその行為を果たし終えた尊子に向けた説法として、なした言説でした。速水氏は、『三宝絵』序の記述と、勝浦氏の二段階出家説を止揚し、『三宝絵』が捧げられた時点の尊子の状況を論理的に把握しようとしたわけですが、その根拠としての『三宝絵』序の「髪ヲ剃シ事誰カ又進メシ」という記述自体が、あるいはデフォルメされ、相応のバイアスがかかった表現だったのです。

六、前提となる勝浦論の再読が示唆すること

六―一、尊子という嚆矢

さかのぼって、勝浦論文にも再読が必要です。たとえば勝浦氏は「出家受戒をともなう尼削ぎとそれ以外の髪切りとの違いについて」の分析において、まず「大江定基が宋へ赴く前、山崎の宝寺で母のために法華八講を修した時、能説の師とうたわれた静照の説教に感激して五百余人が出家した。この時、婦女にいたっては車より髪を切って講師に与えたとあり（『続本朝往生伝』）、自らの手で髪を切る女性の例は多かった」と論じています。『続本朝往生伝』定基伝の原文を参照すると、右は「〈至婦女者、自車切髪与講師云々〉」という、割注の部分に当たります。『扶桑略記』に「寂昭離㆓本朝肥前国㆒、渡㆑海入唐」（長保年八月二五日条）とあり、大江定基の入唐は長保五年（一〇〇三）のことです。

勝浦氏は、論文の当該本文の注に「中宮定子の場合、長徳二年（九九六）五月一日に「今日皇后定子落飾為尼」（『日本紀略』）と尼になったが、『栄華物語』によれば、「宮は御鋏して御手づから尼にならせ給ひぬ」と、自分から髪をはさみで切り、尼になっている。おそらく尼削ぎにとどまり、完全な剃髪にはいたらなかった。またこの時懐妊中でもあり、皇子を出産した。その後「還俗」して、中宮として生活していた（『権記』長保二・一二・一六条）」と誌しています。

そしてその後、勝浦氏が「たとえば」として筆頭に例に挙げるのが、『小右記』に記される尊子の「髪切り」なのです。勝浦論文の分析は、このように、年次順ではなく、事象の剔抉から女性の自主的出家の様相を点描する形態になっており、挙例の年代がアトランダムに示されています。そこでその例示を通時に並び替えると、勝浦論の中で最古

の事例が、尊子の落飾であることがわかります。

すなわち、当時の女性における二段階出家の所在を説くべく諸例を重ねて論じている勝浦論を歴史的・年次的に捉えれば、尊子がその嚆矢となるのです。速水氏が勝浦論を尊子の落飾・受戒解釈に応用したのとは逆の構造で、先蹤としての尊子・出家譚ということではなかったか、と思うのです。見方を変えれば、尊子内親王のきわめて特異な行為が、強く広くインパクトを持ち、当時の貴族女性たちが出家を考え、実行する時、自分で髪を剃る出家、という特異な、しかし本来釈迦を仰いで羨望すべき落飾形態の先蹤となって、影響を与えたということです。その構造を運び伝えたのが『三宝絵』という仏書でした。

六―二、尊子を継ぐ定子、脩子、そして藤原道長の『三宝絵』引用へ

さて、その尊子の挙例に続けて勝浦氏は、村上皇女資子内親王の「寛和二年正月十五日の「資子内親王落飾為尼」（『日本紀略』）」という記事を掲げ、「『小右記』の「小記目録」によれば、「一品宮手自令遁世給事」とあり、自らの髪切りであったと考えられる。そしてこの場合はこれを「遁世」とも表現されていることがわかる」と記しています。自らの落飾・遁世とは、釈迦の出家行そのままですが、これは尊子が没した翌年の出来事です。そして勝浦氏が最後に挙げるのが、万寿元年（一〇二四年）三月三日の脩子内親王の例でした。

一条第一皇女の脩子は、先に名前の挙がった、中宮定子の娘です。そして定子が、自分の兄たちが捕まる騒動の中で、自分で髪の毛を切ってしまった時（『栄花物語』巻五「浦々の別」他）、お腹にいた子だったのです▼[15]。高貴な女子の自分での剃髪・落飾をめぐって、文字通り、因果がめぐることとなりました。この脩子内親王が出家した時の記事が『栄花物語』に見えます。

> かかるほどに、一条院の一品宮（脩子）、年ごろいみじう道心深くおはしまして、御才などはいみじかりし

御筋にておはしませばにや、一切経読ませ給ひ、法文ども御覧じて、いささか女ともおぼえさせたまはぬ御有様なるに、尼にておはしまさんもかばかりの御おこなひにこそはあらめなど思しながら、なほ、あいなきことなり、何ごとに障るべきぞなど思しめしけるにや、三月にはかにならせたまひぬ。（大宮（彰子）・内（後一条）・東宮（敦良）などの嘆き、略す）

殿（道長）の御前急ぎ参らせたまひて、よろづあはれなることを、かへすがへす聞えさせふ。「故院（一条帝）もかやうにてぞおはしまさんものとぞ思しめしたりしかし。（中略）今はただ仏にならせたまふべきなり。現世後生めでたくおはしますことなり。波斯王の女、心を起せる、人も教へず。髪を削ぎしに、誰かは教へ勧めし。ありがたく、昔のことおぼえたる御心掟なり。世にはべる人はよろづにつけて罪をなんつくりはべる。まして子などはべらば、いとこそもの思ひわざにはべりけれ。（中略）」など、あはれにこまやかに聞えさせたまひて出でさせたまひぬ。（下略）（『栄花物語』巻二十一「後くゐの大将」）

注目すべきは藤原道長のせりふです。道長は、自分の亡き兄の娘で、かつては娘の彰子と一帝二后の関係で対抗した定子の子・脩子の発心について、最終的にそれを容認して「今はただ仏にならせたまふべきなり。現世後生めでたくおはしますことなり。波斯王の女、心を起せる、人も教えず、髪を削ぎしに、誰かは教へ勧めし。ありがたく、昔のことおぼえたる御心掟なり」と懇切に述べたと書いてあります。

実はこの一節は、本稿五―一で先引した速水論に波線を引いて示して置いたように、「万寿元年三月三日、二九歳の脩子は、「波斯王女（勝鬘夫人）心を起せる、人も教へず、髪を削ぎしに、誰かは教へ勧めし。ありがたく、昔の事覚えたる御心掟なり」とされたように自ら髪を切る俄か出家をして叔父隆家らを悲歎させたが……」とある部分です。

速水論ではこの言説の不自然さに違和感を抱いていないようですが、再解釈が必要です。「仏になる」脩子の先蹤として引かれた波斯王の娘・勝鬘に関するこの一節については、新編日本古典文学全集の頭注に「勝鬘夫人が自発的に発心したというのは、『勝鬘経』に「勝鬘夫人ハ是レ我ガ女、聡慧ニシテ利根、通敏ニシテ悟リ易シ、若シ仏ヲ見マツランニハ、必ズ速ニ法ヲ解シテ、心疑無キコトヲ得ン、宜シク時ニ、信ヲ遣シテ其ノ道意ヲ発スベシト」とあるのに拠るか」などと不明を残しつつも、『勝鬘経』依拠を指摘しています。こうした解釈の嚆矢は、和田英松『栄華物語詳解』にさかのぼります。[16]

しかし、すでに見たように、こうした勝鬘夫人のたとえは『勝鬘経』とは異なっており、ここは明確に『三宝絵』序の記述の孫引きなのです。しかも、道長のせりふにはスキップがあり、対比してみると、『三宝絵』との典拠関係がよりあらわになります。

> 彼勝鬘ハ波斯匿王ノ女スメ也、心ヲ発セル事人モ不教。有相ハ宇陀羨王ノ后也、髪ヲ剃シ事誰カ又進メシ。（中略）今ヲ見テ古ヲオモヘバ、時ハ異ニテ事ハ同ジ。（『三宝絵』）

> 波斯王の女、心を起せる、人も教へず。髪を削ぎしに、誰かは教へ勧めし。ありがたく、昔のことおぼえたる御心掟なり。（『栄花物語』）

『三宝絵』は、勝鬘と有相の二つを対句的に並べて叙述していました。先述したように、それで尊子の属性（内親王で女御）を十全に表現できるからです。しかし『栄花物語』での道長の発言は、対応する『三宝絵』本文に（中略）と示したように、それを「波斯王の女」一人に短絡・集約して表現しています。王の后・有相の形象を消したのは、生涯未婚であった脩子をはばかったものでしょうか。だから気づかれにくいようで、現行の『栄花物語』の注釈書で、ここの出典に『三宝絵』を指摘しているものは、私の知る限りないようですが、『栄花物語』が、勝鬘夫人を脩子の出家になぞらえることができたのは、こうした『三宝絵』の文脈――有相までを含めて――の参照を抜きにしてはあり得ません。

『栄花物語』の道長は、あたかも『三宝絵』を物まねするかのように、目の前にいる中宮定子の娘の出家を称えていたと描かれました。逆に言えばこれは『三宝絵』という書が、今日のわれわれが考えるよりもはるかに深い影響力を持ち、女性の出家の教科書・規範となる重要な仏教書として、存在したことを示します。『三宝絵』については、個別の記述や出典関係の考察は正確に踏まえた上で[17]、尊子というアイコンと、こうした言説の浸透性という次元で捉え直す必要もあるのではないか、とも思います。

以下問題は、「火の宮」と呼ばれた尊子（『大鏡』伊尹）と『源氏物語』の「かかやくひの宮」藤壺、そしてもう一人の火の宮・中宮定子へ、と続き、そこには、新たな平安文学の再読について思索も広がっていきます。もともとの講演では、その発端と輪郭まで話したのですが、紙数も尽きました。それは別稿にまとめ、本稿はひとまず、ここで閉じたいと思います。

注

1 論点は重ならないが、「裏がえしの仏伝」というコトバを用いて『狭衣物語』を読解した、安田進「『狭衣物語』の構想――裏がえしの仏伝――」（『文藝論叢』大谷大学文藝学会、三四号、一九九〇年）という研究がある。先行研究として提示しておく。

2 『日本古典偽書叢刊』第二巻（千本英史責任編集、現代思潮新社、二〇〇四年）所収。

3 小川陽子『『源氏物語』享受史の研究――付『山路の露』『雲隠六帖』校本』（笠間書院、二〇〇九年）、同校訂・訳注『雲隠六帖』（中世王朝物語全集14、笠間書院、二〇二一年）、同「『雲隠六帖』諸本共通祖型に迫る――新出・広島大学蔵本の位置――」（『国文学攷』二五四号、二〇二二年）他。

4　咲本氏の引用は名古屋市立蓬左文庫寄託堀田文庫蔵本による。この写本は、小川陽子氏前掲書所収「『雲隠六帖』校本」の「主底本」である。岩波文庫（『日本古典偽書叢刊』も）は京都大学文学研究科図書館蔵板本で、小川氏校本の下段に対照された板本と同系統。両本はそれぞれ『雲隠六帖』の二類本（別本）と一類本（流布本）に相当する。詳細は小川氏前掲書第二章など参照。

5　咲本著の校正時に今西氏の文庫が出たため、咲本著には今西解説を参照できなかったことが付記されている。

6　なお『過去現在因果経』は釈迦の出家を二月八日とする。『釈迦譜』も同前だが、『今昔物語集』は、当該の巻一第四でその日月を記さない。巻三第三五で、出典に即して、二月八日をめぐる釈迦の因縁に触れる。詳細は、本田義憲前掲書参照。

7　ちなみに、その後王城に戻った車匿の報告を承け、釈迦の出家・修行の志が揺ぎないことを知った父王は、釈迦のもとへ、千乗の資糧を送ろうと決め、車匿に勅命した。車匿は資糧を運んで釈迦の所在地に至り、王の意を告げるが、釈迦は受け入れない。車匿は釈迦の意志を確信し、資糧を王の許に還して自らはここに留まり、釈迦に仕えることを覚悟した。以後車匿は、釈迦に「密侍」して終日離れることはなかったと『過去現在因果経』巻三は語る。ことの経緯は『今昔物語集』巻一第五にも短絡して略述される（本田義憲前掲書参照）。この後日譚は、先掲した『過去現在因果経』が伝える独行・出家時の釈迦の付言と符合する釈迦出家後の「伴侶」のあり方につながり、日本の仏伝アダプテーションにも参考となる。

8　『今昔物語集』の成立と対外観』第二章（思文閣人文叢書、二〇二一年）。

9　引用は大日本古記録。

10　池上洵一編『論集　説話と説話集』（和泉書院、二〇〇一年）所収。

11　勝浦『女の信心――妻が出家した時代』第一章（平凡社選書、一九九五年所収、初出一九八九年）。

12　速水『平安仏教と末法思想』Ⅲ―二（吉川弘文館、二〇〇六年）所収。

13　『勝鬘経』の訓読と以下に示した「要義」は、境野黄洋『勝鬘経講義』「解題」（同『維摩経・勝鬘経経典解説』名著出版、二〇一八年に所収）により、カギカッコ等を付した。

14　東洋文庫『三宝絵』（出雲路修校注）は、勝鬘発心について『三国伝記』巻一〇・一と同一の伝承にもとづく」と注解し、『勝鬘経』の正式名称を掲げる。『三国伝記』当該説話の前半は出典未詳で、後半の出家譚は『勝鬘経』に拠る（中世の文学）。

15 『日本紀略』長徳二年一二月一六日条に「中宮（定子）誕生皇女（脩子）。〈出家之後云々。懐孕十二箇月云々〉」とある。この出産の遅延も、前掲荒木「出産の遅延と二人の父」の考察に照らせば重要だが、今は措く。

16 同書巻九。松村博司『栄花物語全注釈』参照。和田詳解の巻九初出は明治三五年（一九〇二）。

17 『三宝絵』の説話文学史上の位置づけについては、荒木浩『説話集の構想と意匠』、同『『今昔物語集』の成立と対外観』参照。

参考文献

・荒木浩『かくして「源氏物語」が誕生する』（笠間書院、二〇一四年）。
・同「出産の遅延と二人の父――『原中最秘抄』から観る『源氏物語』の仏伝依拠――」（『国語と国文学』九五巻二号、二〇一八年一月）。
・同『古典の中の地球儀――海外から見た日本文学』（NTT出版、二〇二二年）。
・同『『今昔物語集』の成立と対外観』（思文閣人文叢書、二〇二一年）。
・同『説話集の構想と意匠』（勉誠出版、二〇一二年）。
・同編『古典の未来学』（文学通信、二〇二一年）。
・今西祐一郎編校『源氏物語補作　山路の露・雲隠六帖　他二篇』（岩波文庫、二〇二二年）。
・今西「「かかやくひの宮」考」（『文学』五〇―七、一九八二年）。
・同「「火の宮」尊子内親王――「かかやくひの宮」の周辺」（『国語国文』五一―八、一九八二年）。
・池上洵一編『論集　説話と説話集』（和泉書院、二〇〇一年）。
・小川陽子『『源氏物語』享受史の研究――付『山路の露』『雲隠六帖』校本』（笠間書院、二〇〇九年）。
・同校訂・訳注『雲隠六帖』（室城秀之校訂・訳注『松浦宮物語』と併載、中世王朝物語全集一四、笠間書院、二〇二一年）。

・同「『雲隠六帖』諸本共通祖型に迫る――新出・広島大学蔵本の位置」（『国文学攷』二五四号、二〇二三年）。
・勝浦令子『女の信心――妻が出家した時代』（平凡社選書、一九九五年）。
・後藤昭雄『本朝文粋抄　二』（勉誠出版、二〇〇九年）。
・後藤昭雄『人物叢書　大江匡衡』（吉川弘文館、二〇〇六年）。
・境野黄洋『維摩経・勝鬘経経典解説』（名著出版、二〇一八年）。
・咲本英恵「雲隠六帖「雲隠」考――その表現に見る成立事情」（『名古屋大学国語国文学』一〇五、二〇一二年）。
・同『源氏物語の仏教的変容』（三弥井書店、二〇二三年）。
・説話文学会『説話文学研究』第三〇号〔説話文学研究第十号記念特集・回顧と展望〕一九九五年。
・同『説話文学研究』第二九号「◆小特集　今昔物語集」一九九三年。
・同『説話文学研究』第五八号「五大災厄のシンデミック――『方丈記』の時代」二〇二三年。
・谷知子・田渕句美子編『平安文学をいかに読み直すか』（笠間書院、二〇一二年）。
・千本英史責任編集『日本古典偽書叢刊』第二巻（現代思潮新社、二〇〇四年）。
・速水侑『平安仏教と末法思想』（吉川弘文館、二〇〇六年）。
・本田義憲『今昔物語集仏伝の研究』（勉誠出版、二〇一六年）。
・松村博司『栄花物語全注釈』（角川書店、一九六九～八二年）。
・森正人『古代説話集の生成』（笠間書院、二〇一四年）。
・安田進「『狭衣物語』の構想――裏がえしの仏伝」（『文藝論叢』三四号、一九九〇年）。
・ロラン・バルト『恋愛のディスクール・断章』（三好郁朗訳、みすず書房、一九八〇年）。
・和田英松『栄華物語詳解』巻九（明治書院、一九〇二年）。

引用文献（参考文献欄に挙げたものを除く）

・『三宝絵』『今昔物語集』……新日本古典文学大系。
・『扶桑略記』『日本紀略』……新訂増補国史大系。
・『栄花物語』『大鏡』……新編日本古典文学全集。
・『海人の刈藻』……中世王朝物語全集。
・『三国伝記』……中世の文学。
・『小右記』……大日本古記録。
・仏典類……大正新脩大蔵経、CBETA、SAT を参照。

説話文学研究と宗教研究のはざまで

伊藤　聡

はじめに

伊藤聡と申します。このたびの二〇二三年度説話文学会六〇周年記念大会の講演会「説話の文学・美術・宗教」において、私に与えられたテーマは説話と宗教です。そこでここでは、「説話文学研究と宗教研究のはざまで」と題して、近年の説話文学研究と仏教・神道などの宗教研究との関係を中心にお話しようと思います。

最初に、このような題を掲げた由縁について申し上げておきましょう。私自身、宗教・思想畑の人間です。しかしながら、本来のフィールドである日本思想史よりも、むしろ中世文学、説話文学の学会を中心に活動してきました。その理由は、私が主な研究テーマとしている中世神道、中世神仏習合思想が、日本思想史や神道学よりもむしろ、中世文学・説話文学研究の分野においてこそ、盛んに研究されているからなのです。近頃は随分変わっては来ましたが、少なくとも私が本格的に研究をはじめた三十数年前はそんな状況でした。

さて、本日の報告の内容は大きくふたつに分かれます。まず前半（一）で、近年の説話文学研究と宗教研究の関係をめぐる研究動向を辿ります。後半（二）では、説話、あるいは説話的なものが、中世の宗教言説においてどのように関わっていたのかを具体的な例を採り上げて申し述べたいと思います。ひとつは真言立川流と軍記・説話文芸との関係、もうひとつは和歌陀羅尼をめぐる神道印信と法華経直談との結びつきについて検討します。

一、説話文学研究の展開と宗教研究との関係

一―一、一九八〇年代以降の潮流

管見によれば。一九八〇年代以降の説話文学研究の潮流には、主として次の三つの特徴があります。まずひとつは、「説話」の枠を超えたさまざまな文献資料を対象に組み込んでいったことです。願文・表白・講式などの唱導資料はもちろん、経釈・論義・直談、さらには聞書・印信・口決の類のように「説話」あるいは「文学」という枠組には馴染まない文献までも研究対象に含むようになりました。

ふたつめは、研究機関や研究者グループによる寺院及び資料保存機関の資料調査の進展によって、説話研究の題材となる膨大な文献資料群が見いだされたことです。これらは撮影・目録によって可視化され、多くが複製として容易に閲覧できるようになったのでした。

そして三つめは、説話研究の対象が、〈日本〉という領域を越えて東アジア諸地域に拡がり、さらに説話を通じた文化交流史、文化比較など研究の国際化・多様化が進展したことです。その成果のひとつが北京で五年前に行われた説話文学会五五周年記念大会「中国仏教と説話文学」でした。▼1

一―二、説話文学の新しい研究動向が隣接分野に及ぼした影響

1、説話文学研究と隣接分野

では、このような説話文学研究のトレンドが、その周辺にある日本宗教を対象とする学問分野にどのような影響を与えたかを見ていきましょう。

宗教（特に中世）を対象とする研究分野としては、仏教学・仏教史学・美術史・神道学・日本思想史・倫理思想史があります。説話文学研究は、これらの分野が研究していた対象にウィングを広げたわけですが、ここで注意しておきたいのは、資料調査を通じて説話研究者が見いだした宗教資料の多くが、他分野ですでに周知のものだったわけではなかったことです。むしろ、説話研究者の発見が起点となって知られるようになったものの方が多く、かかる傾向は中世神道書などで特に顕著です。

新しい資料や文献調査の成果を元に、説話研究と隣接分野との連携・共同研究が活発化します。このような連携は、仏教学・歴史学・美術史に特に著しいものがありました。いっぽう、宗教研究において写本や版本などの新出資料を用いて行う研究が増えた余波として、専ら活字化された文献のみを使って研究していた倫理思想史や仏教学研究者の一部では、新出の資料群を十分に取り扱えないという事態も起こってきています。

2、説話文学より起こり、あるいは活性化した宗教研究

いずれにせよ、宗教をめぐる分野横断的なテーマにおいて、説話研究は大きな役割を果たしてきました。説話研究が発火点となった、あるいは活性化した研究テーマとしては、中世日本紀、偽書、談義・直談書などがあります。

一九七二年に伊藤正義氏の提唱した「中世日本紀」という用語[▼2]は、一九八〇年代には説話研究において専ら使用

されていましたが、九〇年代に入ると歴史学、日本思想史等での認知が進みました。[3] その結果、二一世紀以降に出た、文学や思想史の事典類には「中世日本紀」（及び隣接する用語として「中世神話」）の項が立てられるようになりました。[4]

「偽書」についても、それまで各分野が個別に行っていた「偽書」「偽経」「偽史」などを綜合的に論ずる動きは、九〇年代以降の説話文学研究の中から起こったものでした。その成果が、錦仁・小川豊生・伊藤聡編『「偽書」の生成――中世的思考と表現』（森話社、二〇〇三年）、千本英史・小川豊生・深澤徹・伊藤聡編『日本古典偽書叢刊』（現代思想社、二〇〇四～〇五）、久野俊彦・時枝務編『偽文書学入門』（柏書房、二〇〇四年）、千本英史編『「偽」なるものの射程』（勉誠出版、二〇一三年）でした。

さらに談義・直談書については、『法華経直談抄』『法華経鷲林拾葉鈔』『轍塵抄』等の直談書（談義書）は、仏教学では必ずしも重要な研究対象ではなかったのですが、説話・和歌研究の立場からの広田哲通氏の一連の研究（『中世仏教説話の研究』（勉誠社、一九八七年）、『中世法華経注釈書の研究』（笠間書院、一九九三年））を皮切りに、中野（斎藤）真麻理・渡辺麻里子氏等の研究が出ました。[5] さらに、それが刺激となって仏教学でも注目されるようになりました。たとえば、法華経や日蓮宗の研究で知られた仏教学者で、一九九九年に物故された高木豊氏は、その晩年、文学研究の成果に刺激されて談義書の法華経和歌について研究をはじめられました。私の個人的見聞ですが、高木先生が高野山大学図書館で『轍塵抄』を熱心に閲覧されているのを偶然見かけたことがあります。確か亡くなる数ヶ月前のことでした。[6]

一―三、寺院調査と見いだされた新たなる説話資料

1、説話文学研究者を中心とする寺院調査とその成果

説話研究において宗教と関わる説話関係資料が見いだされたのは、一九八〇年代以降とみに盛んになった説話研

究者を中心とする寺院調査の成果でした。その代表的調査をここに掲げておきます。

①叡山文庫調査

【調査主体】叡山文庫調査会（代表：新井栄蔵氏）と宗典編纂所の連携

【成果】新井他編『叡山の文化』（世界思想社、一九八九年）、同『叡山の和歌と説話』（世界思想社、一九九一年）、『叡山文庫天海蔵識語集成』（叡山文庫、二〇〇〇年）、『叡山文庫毘沙門堂蔵識語集成』（叡山文庫、二〇一六年）

②西教寺正教蔵調査

【調査主体】伊藤正義氏及びその門下の文学研究者と国文学研究資料館の共同作業

【成果】伊藤正義監修『磯馴帖（いそなれじょう）』（和泉書院、二〇〇二年）

③真福寺調査

【調査主体】最初は国文学研究資料館、後に名古屋大学（阿部泰郎・近本謙介氏）

【成果】『真福寺善本叢刊』（第一期～第三期〔全二九巻〕、臨川書店、一九九九～二〇二一年）、『中世禅籍叢刊』（全一三巻、臨川書店、二〇一三～一九年）。

④金沢文庫調査

【調査主体】所員（高橋秀栄・西岡芳文・高橋悠介・貫井裕恵氏等）と説話文学研究者の共同・連携調査。

【成果】『称名寺聖教　尊勝院弁暁説草　翻刻と解題』（勉誠出版、二〇一三年）

⑤河内金剛寺調査

【調査主体】大阪大学日本文学科のチーム（代表：後藤昭雄・荒木浩・海野圭介氏）

【成果】『天野山金剛寺善本叢刊』（第一期～第二期、全七巻、勉誠出版、二〇一七～二〇一八年）

⑥中四国を中心とした寺院資料の調査

【調査主体】中山一麿氏を代表とする科研チーム。
【成果】中山一麿監修『寺院文献資料学の新展開』（全一二巻〔予定〕、臨川書店）

右に見えるように、それぞれの調査研究の成果は、一連の叢書や単独の報告書・論文集などの形で公刊されていますが、このような資料調査は、説話文学研究者と、歴史学や仏教学の専門家との本格的な共同作業の場となりました。たとえば①では叡山文庫調査会の活動を通じて、野本覚成氏を中心とする宗典編纂所との交流が始まり、ここから説話研究者による天台系の宗教資料を使った多くの研究が生み出されたのです。また、④金沢文庫での歴代の所員と説話研究者の共同研究の成果は、右に挙げたもの以外の企画展の図録などに反映されています。

2、説話資料としての「口決集」と「中世神道書」

一連の寺院調査の過程で見いだされた宗教文献のうち、今回は特に密教の口決集と神道書に注目してみようと思います。「口決集」とは伝法とともに伝授される口伝が筆記されたテキストです。その内容は、諸尊法の所作をめぐる口伝や血脈に登場する祖師・先徳のエピソード、法流の重書の説明等で、多くは知識・情報に留まるものの、一部に説話的なものが含まれます。口決集は、活字化されたものも多いですが、未翻刻・未紹介のものもまだまだあります。

ここでは、未翻刻の重要な口決集の例として『土巨抄（どっこしょう）』を挙げておきます。「土巨」とは「地蔵」の略で、三宝院流地蔵院方の深賢（?～一二六一）の口伝を弟子の親快が記したものです。[7] 内容は以下の七四項から成ります。

①開眼印明事　②釈迦三昧耶形事　③阿弥陀字輪観事　④光明真言本尊事　⑤駄都事　⑥仏眼曼荼羅事　⑦金論印事　⑧尊勝曼荼羅事　⑨大勝金剛事　⑩孔雀経法事　⑪仁王経法経台印事　⑫法花法事　⑬理趣経法事

⑭正観音印事　⑮千手法事　⑯馬頭事　⑰如意輪三昧耶形事　⑱白衣観音事　⑲五秘密事　⑳普賢延命並招魂事　㉑地蔵事　㉒馬鳴事　㉓愛染王事　㉔不動事　㉕十二天曼荼羅事　㉖北斗曼荼羅事　㉗炎魔天事　㉘毘沙門事　㉙吉祥大事　㉚聖天事　〔以下　雑〕㉛瑜祇経事　㉜同経孫婆明事　㉝御素木加持事　㉞帯加持事　㉟印可作法事　㊱牛黄加持事　㊲加持順逆事　㊳行法時可備六種供具事　㊴供養可用焼香事　㊵加持香水事　㊶付胎蔵行理趣三昧事　㊷加持次第古今替事　㊸観仏浄地浄心事　㊹金剛界法輪印説文事　㊺金剛界光菩薩印事　㊻枳里〻〻咒事　㊼除災教令輪曼荼羅事　㊽静遍僧都難胎蔵礼懺事　㊾金宝鈔事　㊿成蓮房御遺告授常喜院事　51同遺告事　52秘蔵記不審事　53宝鑰事　54無言行道事　55唄師不立座事　56和漢同事　57元暁同名事　58清瀧御本地事　59小野僧正事　60成典僧正事（↓『今昔』20-5）　61善修僧正事　62範俊僧正事　63小野曼荼羅寺事　64覚鑁上人事　65聖賢阿闍梨喩事　66源運宝心事　67弁入道貞憲受法事　68権僧正求法事　69参社時読経存知事　70定範法印所持玉事（↓『古今著聞』1-26〔関連話〕）　71後鳥羽院御受法事　72阿字供養事　73澄憲聖覚事　74聖覚顕円事

特に傍線を引いた後半の一六項目は、説話ないし説話的な内容を含むもので、『今昔物語集』や『古今著聞集』の説話の類話・関連話があることが知られています。

続いて中世神道書ですが、八〇年代以降、中世神道聖教の翻刻・紹介は著しく進みました。これはまさに前述の「中世日本紀」研究の進展に呼応するもので、このような翻刻紹介自体が説話研究の一部を成していました。二〇一六年までに刊行された影印・翻刻資料集のリストはすでに別書に収めたので、▼8 ここにはそれ以後に出たものを挙げておきます【表】。

表

	年	月	書名	内容
①	二〇一九	三	真福寺善本叢刊『麗気記』	『麗気記』『麗気制作抄』等
②	〃	七	真福寺善本叢刊『神道古典』	『大神宮諸雑事記』『神祇講私記』『御遷宮宮餝行事』等
③	二〇二〇	一〇	真福寺善本叢刊『中世神道資料集』	『神一徳義抄』『諸大事』『太神宮本地』『神道集』等
④	〃	一二	『神皇正統記』只見本―カラー影印・簡訳・解説	只見本『神皇正統記』
⑤	二〇二一	七	真福寺善本叢刊『御流神道』	『神道灌頂大事』『神祇秘記』『御流神道父母代灌頂』等
⑥	〃	〃	『寺院文献資料学の新展開 第十巻 神道資料の調査と研究ー神道灌頂玉水流と西福寺』	高幡不動蔵『御流神道口決』、西福寺蔵『御流神道灌頂用意』
⑦	二〇二二	一〇	『伊藤正義 中世文華論集 第四巻 文学史と思想史の間』	『日本記一　神祇官取意文』『神祇官』等

これらのうち、私が編集・執筆に関わったのは①②⑤⑥です。ただ、紹介できたものは一部に過ぎません。全国の寺院や資料保存機関・図書館等には、未紹介の中世神道資料がまだまだ眠っています。今後も継続した調査研究が必要です。

以上で前半の宗教研究と説話研究の関係をめぐる、近年の研究史は終わりです。

二、仏教・神道の秘説形成と説話

次いで後半では、前半の最後に述べた口決集と神道書に属する資料テキストを取り上げ、それらの秘伝・秘説と、説話文芸とが直接関わっている事例を紹介します。

宗教秘伝と文芸との関係については、古今注・伊勢注が神道説の秘説に取りこまれる事例や、和歌の秘説伝授に密教の灌頂作法が導入された和歌灌頂のような例があります。そして流通する説話がまた、神道・密教の秘説・秘伝の中に組み込まれ、そこから新たな説話を作り出す、環流のような状況が認められるのです。

今回はふたつの事例を採り上げます。ひとつめとして「立川流の祖仁寛（蓮念）と頼朝をめぐる秘説」と題し、ある密教の口決集の言説と源平の説話との関わりを、ふたつめは「関白流神道における和歌陀羅尼説」として、神道書のある印信と法華経談義書との関わりについて紹介します。

二―一、立川流の祖仁寛（蓮念）と頼朝をめぐる秘説

1、『祖師伝来口伝』の蓮念説話

真言密教の口決集のひとつに『祖師伝来口伝』があります。同書は全一二巻から成り、管見に及んだのは高野山大学図書館蔵〔金剛三昧院寄託〕の永正六年（一五〇九）写本です。その他の伝本についてはまだ見いだしておりません。

金剛三昧院本第一巻の表紙見返に金剛王院流実賢（一一七六～一二四九）の口伝を蓮道が記したと付記されますが、実際には、蓮道以後の記事もあり、追記部分もあると目されます。内容も実賢方の口伝のほか、蓮道が受けた三輪流からの秘伝記事も含んでいます。その他の識語等より、南北朝以前の成立と考えられます。

原著者の蓮道は、宥快『宝鏡抄』で立川流的邪義の鼓吹者の一人として批判されている人物です。また、彼が相承した三輪流は、その一部が神道流派化して「三輪流神道」となりました。[9] その血脈を示しておきます【図】。

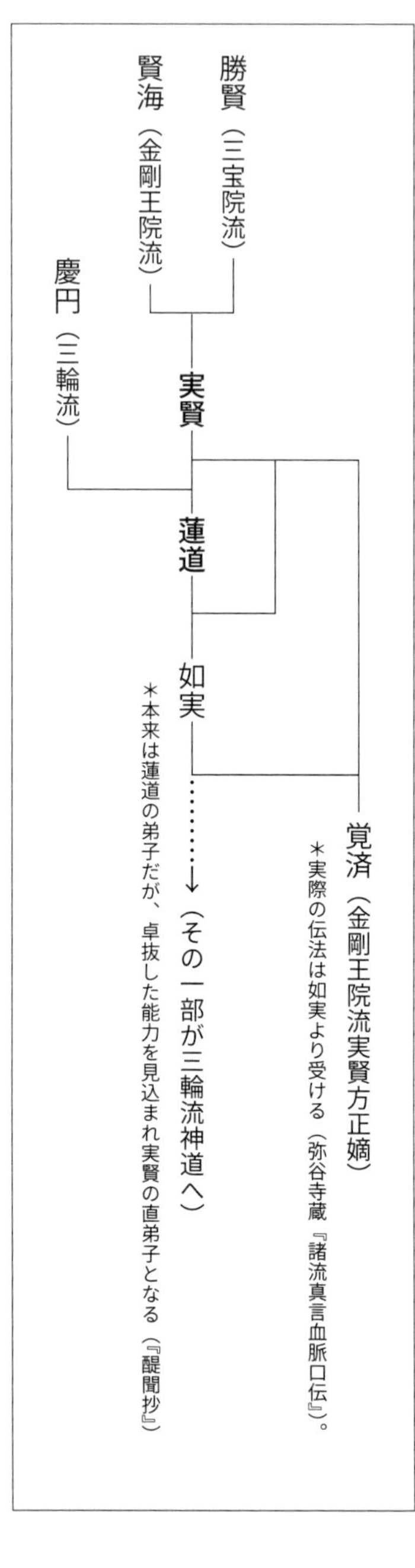

『祖師伝来口伝』の記事には、諸尊法の口伝のほか、祖師・先徳の伝記や中世日本紀関係の記事もありますが、ここで特に見ておきたいのは、第四、第一二の、源頼朝と蓮念という僧についての記事です。ご覧下さい。

【資料1】『祖師伝来口伝』第四

……平家落二京都一時、自関東大将軍廿一人二也、頼朝大将軍殿、蓮念被申云、今度軍、於身者一大事也。鎧加持可所望。依之蓮念、廿一人鎧向板、以金銅、三ヶニ大勝金剛真言、以梵字一被打之。射向神（袖）ニハ勝字大打之、廿一人大将軍、一人モ不被疵云。九郎判官殿等人〱ナリナリト（ママ）、御日記在之云。

【資料2】『祖師伝来口伝』第十二

摩利支天隠形事………頼朝大将殿、蓮念為師、摩利支天隠形印相承也。石橋合戦之時、朽木中、此印明結誦、

難ヲカレ（ママ）給ヘリ。此印明功力也。日記有之。扇印事也。

傍線で示したように、このふたつの記事はいずれも、「（御）日記」なる同一の資料を典拠としています。まず【資料1】は次のような内容です。平家都落ちのとき、関東から二一人の「大将軍」がやって来た。頼朝は、蓮念に鎧の加持を依頼する。そこで蓮念は、二一人の鎧の胸板の三箇所に、大勝金剛の真言の梵字を金銅で打ち、「射向袖」に「勝」の字を打った。そのお蔭で一人として傷つく者はなかった。これらの二一人の「大将軍」とは九郎判官殿（義経）等のことである云々。ここでいう大勝金剛とは、大日如来の教令輪身であり、また愛染明王とも同体視される仏のことで、戦勝祈願のとき持ち出される軍事的色彩の濃い尊格です。

【資料2】は、「頼朝は蓮念を師として、摩利支天の隠形の印明を相承した。石橋山の合戦のとき、潜んだ「朽木」の中でこの印明を結誦したお蔭で、難を逃れることができた」という内容です。ここには梶原も蜘蛛の糸も登場せず、その代りが摩利支天です。摩利支天は、陽焔の神格化とされますが、中世においては軍神としても信仰されました。摩利支天の隠形（身を隠す）術については、【資料3】に参考に文和三年（一三五四）写の尊経閣蔵『兵法秘術一巻書』（いわゆる「張良一巻書」の最古写本）を挙げておきます。

【資料3】尊経閣文庫蔵『兵法秘術一巻書』

一隠形乃秘術の事

左の手を胷にあて、仰ておく。右の手を上へにうつふけて、中をすこし屈して、摩利支天の隠形の秘印相を用者也。咒ニ曰ク、

唵謝摩利伽陀羅ソハカ

是レを摩利支天の隠形の三摩地門に入ルト云也。又云、後代の名匠の口伝ニは、印ハ上に同シ。

咒ニ曰ク、

唵摩利支寧諦〻〻〱阿奈隠陀羅ソハカ

この咒を七反みつへし。かならすかくるゝ秘伝也。▼10

右からも分かるように、【資料2】の逸話は兵法秘伝とも関係した内容となっているのです。

頼朝が石橋山の合戦に敗れて隠れ潜んだのを「朽木中」とするのは、『平家物語』諸本のうち『源平盛衰記』巻第二十一「兵衛佐隠臥木」及び長門本巻第十「石橋合戦事」に見えるくだりに対応します。他の諸本には見えません。また『吾妻鏡』では巌窟に潜んだことになっています。

2、蓮念と立川流の仁寛

さて、頼朝に隠形の術を伝授したり、鎧を加持した「蓮念」ですが、一体何者なのでしょうか。蓮念というとまず思い浮かぶのが、立川流の祖といわれる仁寛（?～一一一四）の別名（改名した後の名）です。しかし、頼朝とは在世時期が合いません。仁寛は源俊房（一〇三五～一一二一）の子で、醍醐三宝院流の正嫡勝覚（一〇五七～一一二九）の実弟（且つ弟子）でもありました。仁寛は後三条天皇の第三皇子だった輔仁親王の護持僧でしたが、永久元年（一一一三）一一月、その即位を実現させるべく、鳥羽天皇の暗殺を謀ったとして捕縛され、伊豆国大仁に配流されます。そこで名を蓮念と改めるのですが翌年三月自殺しました。その顛末は、当時の複数の日記・古記録から確認できます（『殿暦』『長秋記』『百錬抄』『中右記』）。『源平盛衰記』にも史実にほぼ沿った次のような記事が見えます。

【資料4】『源平盛衰記』巻第十六「仁寛流罪」

白川院ノ御子全子内親王ヲバ二条皇太后宮トゾ申ケル。鳥羽院ハ康和五年正月十六日ニ御誕生、同八月十七日ニ春宮ニ立セ給テ、嘉承二年七月十九日、御年五歳ニテ位ニ即セ給ケレバ、御母代トテ内裏ニ渡ラセ給ケルニ、其御方ニ永久元年（1113）十月ノ比落書アリ。折節怪童ノ有ケルヲ搦テ問ケレバ、醍醐ノ勝覚僧都ノ童千手丸也。「人ノ語ニ依テ、侵レ君進セントテ、常ニ内裏ニタヽズムナリ」トゾ申ケル。法皇大ニ驚思食、検非違使盛重ニ仰テ千手丸ヲ被二推問一、「醍醐寺ノ仁寛阿闍梨ガ語也」ト申ス。彼仁寛ハ三宮（輔仁親王）ノ御持僧也。「御位ノ御宿願ヲ遂サセ給ハンガ為ニ、或青童ノ皃、或内侍ノ形ニテ日夜ニ奉レ伺二便宜一キ。不レ叶シテ今カク成侍ヌ」トゾ落タリケル。ヤガテ仰二盛重一仁寛ヲ召捕テ、公卿僉議アリ。罪斬刑ニ当ルトイヘ共、死罪一等ヲ減ジテ遠流ニ定、仁寛ヲバ伊豆国、千手丸ヲバ佐渡国ヘゾ被レ流ケル。サシモ重科ノ者ナレ共カク被レ寛ケル事、皇化ト覚テ止事ナシ。……[11]

ところが後世になると、宥快（一三四五～一四一六）の『立河聖教目録』【資料5】にあるように、蓮念＝仁寛こそが邪義・邪流として永く指弾されることになる真言立川流の祖とされるようになりました。

【資料5】『立河聖教目録』

根本邪流、起二勝覚舎弟左大臣阿闍梨仁寛一（後改蓮念）。伊豆州被二配流一、起二邪見一。其以来、蓮念、兼蓮（念イ）、覚印、澄鑁、覚明、如レ是相承。[12]

3、崇徳院の護持僧とされる仁寛

いずれにせよ時代が合わないわけですから、『祖師伝来口伝』に出てくる「蓮念」については、立川流の蓮念＝仁寛とは別人とせざるを得ないはずです。ところが、ここに気になる資料があります。近世に編纂された真言密教の僧伝の集大成である祐宝『伝灯広録』続編にある「仁寛伝」です。

【資料6】祐宝『続伝灯広録』巻第七

醍醐山東院仁寛ノ伝

闍梨名ハ仁寛、左僕射俊房之子、即チ勝覚之胞弟也。康和三年（1101）二月十三日無量光院ノ殿ニシテ受ク二伝法職位ヲ一。唱導ハ林覚、嘆徳ハ円賢ナリ。為ル二天治帝（崇徳院）ノ護持ト一。帝後ニ与二保元帝（後白河院）ト一争ヒ二復祚ヲ一。天治帝敗セリ。寛座セラレテ二公事ニ一、配ス二豆州ニ一。改ム二名ヲ蓮念ト一。又号ス二伊豆阿闍梨ト一。終ニ配所ニテ而死セリ。其墓間ミ発スト二光明ヲ一。世ニ言フ真言宗ノ邪義自レ蓮而起ルト。……▼13

ここでは、仁寛が俊房の子で勝覚の実弟だったと書きながら、彼が崇徳院（一一一九～一一六四）の護持僧となり、保元の乱の後に伊豆に流された後、名を蓮念と改めたとしているのです。実際の仁寛＝蓮念は、崇徳院が生まれる前に世を去っているので、同院の護持僧になるなどあり得ないはずです。ですから、この記述に言及したこれまでの研究では、単なる誤伝・錯誤として全く問題にされていません。▼14 ですが、密教法流の所伝において、仁寛（＝蓮念）が崇徳の護持僧だったという説があったのならば、頼朝との接点が生ずることになります。

中世の密教の法流の中に、そのような説が存在していたことを示すのが、高野山大学図書館蔵〔三宝院寄託〕『祖師伝来等事』（永正一〇年〔一五一三〕写）「代々祖師事」の記事【資料7】です。これは空海から小野醍醐の法流を辿って勝覚に至り、その後に仁寛・見蓮と続く特異な伝記集です。

【資料7】高野山大学図書館蔵〔三宝院寄託〕『祖師伝来等事』

一、代々祖師事

……

第十九仁寛阿闍梨、此人ハ堀河左大臣殿御子也。即勝覚権僧正ノ舎弟也。讃岐院ノ御持僧也。依テレ之ニ新院〔後白河院也〕、本院〔讃岐院也〕御合戦ノ時、本院ノ為、御持僧故ニ、申ス二御祈禱一。本院負御座カ故ニ、讃岐国綾松山トレ云処ヱ被流罪一給フ。御崩去之後、同国白峯寺ニ奉納二彼ノ御骨一ヲ。于今彼寺ニ有御基堂一。西行法師参二詣シテ御廟所一ニ、奉ル二詠哥一ヲ。其ノ詞云、

吉ヤ君昔ノ玉ノ床トテモ

カミラム後ハ何ニカハセム

聖霊有ルカ御感一故ニ、御廟ノ御堂、三度マテ振ヒ動クト云

仁寛阿闍梨ハ〔改名蓮念〕、彼御持僧故ニ、伊豆ノ国大人ヲヽノヒトト云所ヘ被流罪給了ヌ。此ノ大人ノ阿闍梨蓮念ニ有リ二一人ノ写瓶ノ弟子一。一人ハ現蓮上人〔号二掌相入道一ト〕。本ハ是洛陽ノ人也。受法ノ後、不レ久逝去了。其流絶ヘテ人不伝一。一人ハ見蓮上人也。本是奥州ノ人也。仍蓮念阿闍梨四ケ灌頂・五部秘蔵、写シテ瓶一ヲ、皆悉ク伝受了。於是コヽニ見蓮上人、以法一ヲ付覚印阿闍梨一ニ了。

第二十見蓮上人、此人ハ奥州ノ平泉ノ館ノ一門也。仍重シ法一ヲ軽スルカ命一ヲ故ニ、自奥州一来、受法尽了。

ここで、仁寛が讃岐院（崇徳）の護持僧として、保元の乱のときに祈禱を行ったが故に、伊豆の「大人（おおひと）」に流され、蓮念と名を改めたことが出てきます。この「伊豆国大人」ですが、伊豆国田方郡大仁村（現 伊豆の国市大仁）のことです。その北には、頼朝が配流されていた韮山（蛭ヶ小島）（現 伊豆の国市韮山）があるのです。仁寛が伊豆のどこに流されたのかについては、伊豆大島という説もあるようですが、『祖師伝来等事』に見えるように、真言法流の所伝では、頼朝の配所のすぐそばにいたと信じられていたようなのです。

4、真言法流における頼朝と蓮念（＝仁寛）を結ぶ説話の形成

それにしても、この伝記で奇妙なのは、肝心の仁寛のことは後回しにして、乱後崇徳院が讃岐に流され、死後その遺骨が白峯寺の廟所に葬られたこと、そこを西行が訪ね「吉ヤ君……」の歌を手向けると、廟所が鳴動したという有名な説話が挿入されていることです。特に注意しておきたいのが「三度鳴動」としていることです。これは【資料8】に示したようにこの表現は、同説話を伝える『保元物語』でも古態である半井本・鎌倉本・流布本などには見えず、金刀比羅本系統の伝本にのみ見えます。

【資料8】金刀比羅本『保元物語』

西行、夢ともなく現ともなく御返事申けり。

よしや君昔の玉のゆかとてもかゝらん後は何にかはせん

かやうに申たれば、御墓三度迄震動するぞ怖しき。

『祖師伝来等事』の述作者が『保元物語』を実見していたかはともかく、金刀比羅本系と同内容の西行崇徳廟訪問説話をを参照していたとは明らかです。また、仁寛の付弟の見蓮が奥州藤原氏の出身だという説はほかに見えないのですが、源平合戦をめぐる説話世界がこのような僧の伝記に深く入り込んでいたことを、この記述は示しています。

以上をまとめますと次のようになります。中世の密教寺院の秘説相承の世界には、「立川流の祖仁寛（蓮念）が、崇徳院の護持僧であり、それ故に保元の乱後に伊豆に配流された」という史実から大きく逸脱した伝記が存在していました。このことによって仁寛（蓮念）の在世時期が大きく引き下げられ、そこに頼朝と結びつく前提が作られたのでしょう。双方とも伊豆に配流され、且つその流刑先が隣接していたことが両者が結びつく直接の機縁となっ

たのですが、その際に『保元物語』や『平家物語』の逸話を摂取し、そこから新たな説話を作り上げていたことがうかがわれます。法流内には、このような説話を記した「御日記」があった模様ですが、法流の外に流出することなかったため、且つ「史実」との乖離が著しいため広く流布しなかったのです。

二―二、関白流神道における和歌陀羅尼説

1、関白流神道とは

さて、続いて神道書と説話との関係の話題に移りましょう。ここで採り上げたいのは関白流神道[16]という両部神道系の法流が伝えた和歌陀羅尼をめぐる神道印信についてです。

関白流というのは、二条関白を始祖に仰ぐ御流神道系の両部神道の流派です。その血脈を左に示しておきましょう。

【資料9】高野山大学図書館〔三宝院寄託〕『日本記一流大事』

日本記相伝

二条殿

実雄左大臣　国久之中将　頼位僧都　荘瑜僧都　又大輔僧々又僧都秀円　牧野弁僧　慈詮〈律僧也〉　祐範

通海　慶珍　幸井僧都　教範僧都　法印隆弼　僧都秀光　祥運　祥金　弘宣　乗慶[17]

二条関白というと即位灌頂との関連が想起されますが、即位灌頂自体を最極秘事に位置づけているわけではありませんし、実際の二条家とも全く関係はなかったと考えられます。右に「実雄左大臣」とあるのは洞院実雄（一二一五～一二七三）に宛てていると思われますが、彼は西園寺家の出身であって、二条家の血筋ではない。続く「国

久之中将」については、該当する実在の人物は見当たらないのです。室町時代には「関白流」として相承されていたことが確認できますが、その後は御流神道などに吸収されていった模様で、江戸時代以後は独立した流派としては存続していません。ただ、右に挙げた『日本記一流大事』のほか、『神道灌頂修軌』（密蔵院、叡山天海蔵、西教寺正教蔵）、『神道関白流雑部』（神宮文庫）ほか数本の伝書が現存しています。ちなみに『神道灌頂修軌』は、叡山文庫や西教寺など、先に言及した寺院調査によって見いだされた資料です。

今回ここで【資料10】として採り上げますのは、『神道灌頂修軌』に収められた神道印信のひとつです。両部神道・山王神道の諸流派は秘書や秘伝の伝授において「神道灌頂」を行い、秘伝の内容に印信形式で伝えました。『神道灌頂修軌』には、関白流の神道印信として「筑波紀」という七通の印信が収められています。[18] そのひとつが「和歌陀羅尼之事」です。ここにはその全文が載せておきました。

【資料10】 密蔵院蔵『神道灌頂修軌』（天文七年〔一五三八〕写）

神道筑波紀　七通之内関白流

和語陀羅尼之事

凡和歌ノ言句、和語之陀羅尼ト云事、此州和合、海即州土ト成テ大和ノ州ト成ル故ニ、地体吹風立浪無相法身ノ説法也。況ヤ人間ノ口アリ出ル事即心智ヨリ吐出ス。無障碍ノ法ナル故、声言耎語、此帰一乗ト云。カリソメノ言端モ徒ズ。雖レ然ト人間ノ境ニ入テ、三悪道ニ輪廻スル三業、併迷ノ源ナル。我レ人ノ云事ヲ、陀羅尼ト云テハ、悪見ニ可レ入。浄土コソ水鳥樹林ノ声、八功徳ノ浪言。皆是弥陀観音ノ説法トハ、此ノ穢土不可爾、依正共得道ノ因縁少シ。若シ得脱ノ因縁ナラバ、マガワズ。一切ノ言語モ陀羅尼ナルベシ。諸生産業、皆与実相不二相違背一ト説ク故也。爰ニ得道ヲ因縁ト成ル。和語ト云ハ、和歌言句ヨリ唱ヘナス時ノ言端也。心智無漏ノ刻ニ依ル也。柳ハ緑リ華紅ト言。併心智本有本源ヲ顕ス。①弘法大師云、大虚ニ六大無碍ノ風吹ハ知モ不レ知モ [illegible] 讃玉ヘリ。②素性法師ハ、箱崎ノ松吹風ヤ浪ノ音尋テ聞ハ四徳波羅蜜トヨメリ。③書写ノ性空上人ハ台都ノ長歌ノ言ノ端ヲ聞、周坊台ツミノ中ノミタセニ風ハフカネトモサ、ラ浪立ト歌フヲ、上人ノ耳ニ、法性無漏ノ大海ニ五塵六欲ノ風ハ吹ネ共髄縁真如ノ浪タ、ヌ間ハナシ、聞ナシ玉ウハ、諸法実相ト説時ハ、峯ノ嵐モ法ノ音ト畢、愚迷昔心ヲ筆ニモ書タハ、又④和言ノ霊験ニ歌敷伏云事、真言ノ調伏法不異。荒神対治ニモ、先ツ歌ヲ読ミ、弾指拍掌ノ入門トス。天部ノ法ノ大事也。和泉式部トニシ遊女、内裏ニ物恠出来ハ、炭ノ中ニ鮒ト云ル魚入テ、コガル、ヲ、式部参内申テ、歌敷読メリ。火ノ中ニコガルフナヲハシニテハサミテ、折敷ノウラニ打置テ、

一ヲキ中ニコガレテ見ユルフナ、ラバオシキノウラヤ泊成覧ト七反読テ、

拍掌弾指シテ捨ル。此時ニ当テ、唐船アマタ漂倒シテ、折敷ノ浦ト云処ニ打上タリ。奇特不思議事也。此船ハ、大唐ヨリ日本調伏為ニコス船也。夫ヲ歌敷ニ還ス。サレバ漂ム。⑤又、天下ヒテリシテ、雨ヲコフ。若干真言秘ヲ行。就中、件ノ式部、北野ニ参リ、井墻ヲ扣キ、哥ヲ読ム。

一恥シヤ井垣ノ艸モ枯弗天ノ神ト如何云ベキ

読ム時ニ、空掛曇リ、大雨降ル也。和哥ノ陀羅尼、雲加持ノ法不過之歟。⑥人丸哥ニ、朗々ト云ルハ、諸行ノ四句ノ文ヲヨメリ。⑦近カ比ロ、西行法師、哥ノ道ニ入テ得法セリ。日本国行脚シテ廻ルトキ、北国アマヤノ嶽江参リ、アマヤノ嶽ナル神ハ何ヲシテト詠テ、后句ヲ深ク思案スル時、御殿ノ扉キリ〳〵ト開テ、空ニ久敷年ヲ経ヌ覧ト読玉ヘリ。権現感応無レ疑。⑧サテ、奥州エ下リ、夷之嶋へ至リ、ヱゾ哥読掛タリ。

一イタ、ツミタツミタ、ツシタ々々ツミトヨメリ。

西行聞不レ知。夷多ク集、手ヲ打笑フ。法師恥敷思、哥ノ道灑カモナク、此夷ノ哥ヲ弁サルコト無念至極也。帰リ様ニ、ヤナイトノ虚空蔵堂江参篭シ、大士竊ニ哥ヲ和ケ聞セ玉ウ事、此程野辺ニテ鳴シハタヲリハ、ヌキガ不レ足、ウミニ来ルハト、和シ玉ヘリ。此意ハ、諸国修行ニアリクワ、只是ハタヲリ虫、野辺ニ出ラシト云アリクガ如シ。野辺ニ飛ガ不足ニテ、海江来カト笑タル心也。行脚无益也梟思食テ、都へ返上ルトテ、スリハリ山逝去シ玉ヘリ。此ハ正ク和哥ノ道

得法因縁也。

和語陀羅尼〔切七帖之内終〕

内容は、最初に和歌陀羅尼について説いた後、八つの和歌及びそれにまつわる説話が載っています。いずれも正統なものでない典拠不確かな呪歌です。③や⑥のように有名なものもありますが、その他はあまり知られていない和歌や説話です。本来ならばそれぞれについて検討を加えるべきですが、今回は時間もありませんのでごく簡単に内容の解説をしておきます。

①弘法大師詠「大虚（大空）に六大無碍の風吹けば知るも知らぬもアビラウンケン」

②素性法師詠「箱崎の松吹く風や浪の音尋ねて聞けば四徳波羅蜜」

③性空上人、室津の長歌（長者）の「周防室つみ…」の今様を「法性無漏の大海に五塵六欲の風吹ねども随縁真如の浪立たぬ間はなし」と聞く。

④内裏において炭火の中で鮒が焼けるという怪異があったとき、和泉式部が参内して、鮒を箸で挟んで折敷に置き、「おき中にこがれて見ゆるふなならば折敷のうらやとまりなるらん」と七反唱え弾指して捨てると、まさにそのとき、日本を攻めるためにやって来た唐船が漂没して「折敷の浦」というところに打ち上げられた。

⑤天下ひでりのとき、和泉式部が北野社に参り「恥ずかしや井垣の草も枯れ払ひ天の神とは如何に云ふべき」と詠むと、大雨が降り出した。

⑥人麻呂の「ほのぼのとあかしの浦の朝霧に島隠れゆく舟をしぞ思ふ」詠は、「諸行無常　是生滅法　生滅滅已寂滅為楽」の四句偈の境地を詠んだものである。

⑦西行が「アマヤノ嶽」に参詣して「アマヤの嶽なる神は何をして」と上の句を詠んで、続く下の句を思案してい

ると、御殿が開いて「空に久しき年を経ぬらん」と神が応じた。
⑧西行が蝦夷地に行くと、蝦夷人に「イタタツミ……」と詠みかけられた。意味が分からないでいると笑われたので恥ずかしく残念に思いながらいると「ヤナイト」の虚空蔵堂で、虚空蔵菩薩より、和語に和らげると「此の程野辺にて鳴きしはたをりはぬきが足らず海に来るは」という歌で、「諸国修行に歩き廻るのはハタヲリ虫（キリギリス）が野辺を歩くようなものなのに、野辺を飛ぶばかりか海辺にも出てきたよ」という意味だよと教えられた。西行は諸国行脚は無益と覚り都に帰った。

関白流では、ここのほかには【資料11】として挙げる神宮文庫蔵『神道関白流雑部』（大永三年〔一五二三〕写）にも和歌陀羅尼説が収められており、同流の秘伝のひとつとなっていることが分かります。▼19

【資料11】神宮文庫蔵『神道関白流雑部』

一 太神宮深秘大事
天照大神両部真言
ソノカミノ　ウカリシコトモ　ワスラレテ　アラウレシサソ　ミニアマリタル
モトヨリモ　ヒカリニサケル　ハチスハヽ　コノミヨリコソ　ミニハナリヌレ
弘法大師依太神宮神託、被記秘事也云々。
天竺謌者梵文陀羅尼也。漢語詩也。倭国者今和歌是也。深可思之。秘中秘可秘云々。

和歌陀羅尼説は両部神道系の他の流派も伝えており、それ自体関白流独自のものとはいえないのですが、【資料10】について言いますと、同様の内容の印信を、他の流派に見いだすことはできません。

ところが、これと酷似する本文・内容が、意外なところにありました。法華経談義書のひとつで、長享二年(一四八八)に叡海という天台僧が、大内氏の菩提寺である周防国氷上山興隆寺において撰述した『一乗拾玉抄』です。これについては、斎藤真麻里氏が専著と全文の影印を出しておりますことはご承知の通りです。同書「陀羅尼品」の該当の一節の全文を挙げます。

【資料12】叡山天海蔵『一乗拾玉抄』陀羅尼品

神道ニハ和語ニテ陀羅尼ト云也。是ハ和哥ノ事也。此州ハ和合海即州土(クニ)ト成テ大和ノ国ト成ル故、吹風立浪モ無相法身ノ説法也。況ヤ人間ノ口ヨリ出ル事ハ、無障碍ノ法ナル故ニ、声言奐言、皆帰第一ト云テ、假染(カリソメ)ノ言ノ葉モ皆不徒ラ。法花・真言躰也。サレハ①弘法ハ、大空ニ六大無碍ノ風吹ケハ知ルモ知ヌモ[illegible]。②索(素)性法師ハ、箱崎ノ松吹風ハ浪ノ音尋テ聞ケハ四徳ハラ宀　④付之哥教ニ伏スト云ハ、真言ノ調伏法ト同事也。サレハ、荒神対治ノ法ニモ、先歌ヲ読、弾指拍掌シテ入門トス。泉式部ハ内裏ノ炭ノ火ノ中ニ鮎(フナ)ト云魚燃(モエコカルル)焦物恠也トテ、式部挟(ハサミ)取テ、折敷ノ裏(ウラ)ニ置テ、哥ヲ読ム。奥中(ヲキ)ニ焦(ユカケ)シテ見ユル鮎ナレハ折敷ノ浦ヤトマリナルラント、七反唱テ、弾指拍掌シテ捨ル。其後聽テ、折敷ノ浦ヘ唐船ヲ吹付ル也。此舟ハ大唐ヨリ日本為ニ調伏ノ渡ス也。此先表也云々。⑤又、泉式部雨請(コウ)ノ時、北野ヘ参リ、井垣(イカキ)ヲ叩テ、恥カシヤ井垣ノ草モ枯ハテ、天神(アマノカミ)トハ争テイウヘキト読ハ、聽テ大雨降ル也。是等和哥ノ陀羅尼ナル故ニ、如此寄特ヲ見スル也云々[20]

共通箇所を破線部によって示しました。それから分かるように、「神道には」で始まる右の一節は、最初の和歌陀羅尼論の後半部、③の性空の説話、⑥の「ほのぼの」詠の説、⑦⑧の西行説話を抜いた、【資料10】からの忠実な引用である可能性が濃厚です。さらに、歌のみならず「和歌陀羅尼」の説明も神道印信の文言を引き写していますす。ここでいう「神道」とは、この関白流の所伝を指していると見て間違えないでしょう。

では、『一乗拾玉抄』を参照している後続の談義書はどうでしょうか。【資料13】として引きましたのは尊舜『法華経鷲林拾葉抄』の一節です。

【資料13】『法華経鷲林拾葉抄』巻二十四「陀羅尼品」

一、三国ノ陀羅尼有レリ之。天竺ニハ直ニ移ス二梵天ノ言ヲ一故ニ、一切言語皆ナ陀羅尼也。唐土ニハ去二韻声ヲ一、作ルヲ二頌詩ニ一陀羅尼ト云也。日本ニハ以二和哥ヲ一為二陀羅尼一ト。慈鎮和尚云、和哥ハ是日本ノ陀羅尼也。仏出二玉ヘハ此国ニ一、以テ二和哥ヲ一可レ説二陀羅尼ヲ一。大日経三十一品モ、和哥ノ三十一字ヲ形タ取レリト云リ。経信ノ卿ノ言、和哥ハ是陰遁ノ源ト、勧ル菩提ヲ一種也。八万ノ聖教ハ納レリ二此三十一字ニ一矣。サレハ神明ノ法楽ニモ、哥ヲ読ミ、仏事作善ニモ歌ヲ読ム此心也。経ニハ歌唄頌仏徳ト説ケリ。真言ニ金剛界ノ三十七尊ノ中ニ、嬉蔓歌舞トテ、歌菩薩ト云歌尊形ニ顕タルナリ。①弘法大師、

大虚ニ六大無礙ノ風吹ケハ知モシラヌモアヒラウンケン

②伝教大師入唐ノ時キ、九州箱崎ノ枩ヲ見玉ヒテ哥ニ、

ハコサキノ松吹風ヤ波ノ音能々聞ハ四徳ハラ蜜

③又叡峯開白ノ時キ、根本中堂ノ奉レントテ薬師ヲ一、御杣木ヲ尋玉フニ、当テ二東北ニ一楠アリ。彼ノ本ヨリ放ツ二光明ヲ一。大師危シク思召シ、彼ノ木ノ本ヘ尋行テ見玉フニ、二人ノ鬼有テ、此木ヲ守護フ。時ニ大師詠シテ云、

阿耨多羅三藐三菩提ノ仏達我カ立ソマニ冥加アラセ玉ヘ

鬼ノ云ク、我拘留孫仏ヨリ以来、此ノ木ヲ守護ス。当二釈尊像法ノ時ニ一、於二此ノ山ニ一大乗弘通ノ人師可来ル。即チ可レシト与云リ。汝カ事ナルヘシト云ニ、速ニ指シテ二東北ニ一去リケリ。即此ノ木ヲ切テ、一刀三礼ニ造二薬師如来ノ像ヲ一、為シ玉ヘリ二根本中堂ノ本尊ト一。其礼文ニ云、像法転時利益衆生故称号薬師瑠璃光仏矣。如レ此唱テ礼拝シ玉ヒシカハ、木像ノ薬師、新タニウナツキ給ヒケリ。今モ夜ナント道ヲ行クニヲソロシキ事有レハ之、此ノ哥ヲ三反誦スルニ鬼神不レ成二障礙ヲ一云也。又物ノ祈成スニモ、哥ヲ用ル事アリ。④昔シ於テ二内裏ニ一、炭ノ火ノ中ニ生タル鮒躍ル事アリ。其比和泉式部禁中ニ召シ使ハル、

間、不思議ノ恠也ト思テ、折敷取リ来テ、其ノ裏ノ方ニ此鮒ヲ挿置ケリ。

ヲキナカニコカレテ見ル鮒ナレハヲシキノ浦ヤトマリナルラントト云リ。

聽テ九州折敷ノ浦ト云処ヘ、唐船多付キケル也。

又其比天下旱魃スル事アリ。⑤和泉式部北野ニ参リテ、

ハツカシヤイカキノ梅モ枯ニケリ天ノ神トハイカテ云ヘキ

ト読ミケルニ、纏テソラカキクモリ、大雨降リケルト云也。

又哥敷ト云ハ、真言ノ調伏ノ法ト是レ同シ。昔伊勢ノ国鈴鹿山ニ鬼アリテ、悩ニシ人民一ヲ、衆生ヲ取リ喰フ事無レ限リ。勅使向ニテ彼山一ニ、

草モ木モ我カ大君ノ国ナレハ何クカ鬼ノ住家ナルヘキト

読玉ヒケル。鬼去テ国土安全也。▼21

『鷲林拾葉抄』は、『一乗拾玉抄』が摂取した歌（①②④⑤）をそのまま引き継いでいます。ところが、②の詠者については素性法師ではなく最澄（伝教大師）に改められているのです。歌も第四句が『一乗拾玉抄』では「尋ねて聞けば」となっていたのが、ここでは「よくよく聞けば」に変わっています。さらに「和歌陀羅尼」の説明も、慈円や経信の説に差し替えられています。

右のうちここでは、②の「箱崎」詠の作者の名前の差し替えについて、さらに詳しく見ておきましょう。本話の典拠となる話は『古事談』巻五、『八幡愚童訓』『八幡宮寺巡拝記』に見えます。▼22 いずれも内容はほぼ同一なので、ここでは成立が最も早い『古事談』から引いておきましょう。

【資料14】『古事談』巻第五―六（三三七話）

昔有一僧、常住筥崎宮、願菩提心而年久。臨老衰之後、離件宮、欲卜居於山林之夜夢ニ、着紅直垂之人、従御前出詠云、

筥崎之松吹風ハ波之音ト尋思ヘハ四徳波羅密▼23

筥崎宮に長年奉仕していた僧が老いたため、宮を離れて山林に移ろうとしたとき、紅の直垂を着した人が神前より現れて歌を詠じたとしています。歌句は、第四句が、こちらでは「尋ね思へば」となっています。ここの字句は『愚童訓』『巡拝記』でも同じです。関白流においてここを「尋ねて聞けば」と改変したのでしょう。『拾玉抄』は、それをそのまま引き継ぐのですが、『拾葉集』では「よくよく聞けば」とさらに改めているのです。詠じた人が何者か明記はされてませんが、夢中に示現していることからして八幡神と見なされましょう。つまり、素性法師でも最澄でもないのです。関白流の伝書において、元来八幡の神詠であった「箱崎」の歌が素性法師の詠歌とされた経緯は分かりません。おそらく『古事談』等とは違う典拠があったのでしょうが、それについては不明です。では、『鷲林拾葉抄』以外の直談書ではどうでしょうか。▼24

【資料15】五季文庫蔵『法花直談私類聚抄』巻第七「妙音品」

一、此品ヲ妙音品ト題ル事ハ……此十界三千ノ諸法音声、皆不思義ノ音声也。故妙音ト云也。サレハ恵心房云、箱崎ノ松ノ嵐モ波ノ音モ能々聞ケハ四徳ハラ宀ト読給ヘリ。此哥ノ意モ、三千諸法音声、此妙法ノ音声ト聞リ▼25

【資料16】栄心『法華経直談抄』巻八末「法師功徳品」皆与実相事

次皆与実相不相違背ノ事、法華経ノ悟開テ見ハ、紅葉黄落ノ四季ノ転変モ、真如随縁ノ振舞、浪ノ音、松吹風ノ音迄モ、諸法実相ノ非レト唱ニ云事无レ之。去ハ歌ニ、箱崎ヤ寄セ来ル浪モ松風モ能々聞ケハ四徳波羅密ト詠セリ。▼26

『法花直談私類聚抄』「妙音品」では「恵心房」（源信）となっています。さらに『法華経直談抄』巻八末「法師功徳品」では作者を明示していません。『鷲林拾葉抄』を参看しているはずの『直談抄』の作者栄心は、（素性説はもとより）最澄説も採用していないのです。これはやはり、詠者が諸書で一定しないことを、彼が気づいていた故でしょう。さらに言えば『直談抄』では、②以外の歌や説話については採用すらしていないのです。さらに、歌自体も、『類聚抄』は、二句三句が「松の嵐も波の音も」、『直談抄』では「寄せ来る浪も松風も」と、それぞれ改められています。

以上述べてきたことをまとめておきましょう。『一乗拾玉抄』における関白流神道印信の摂取は、中世神道と法華経談義との交流の好例といえるものです。両者を結ぶのが和歌（呪歌）とそれをめぐる説話です。このような呪歌は、中世神道の灌頂伝授や修法で多く用いられましたが、神道灌頂を場を越えて、法華経談義の世界に入り込んだわけです。ただ、『一乗拾玉抄』と『法華経鷲林拾葉抄』の引用の差異や、箱崎詠の作者名の変化に見えるように、由緒不確かな神道的呪歌は、次第に排除される傾向も見て取れるのです。

まとめ

以上、前半での研究史の流れを踏まえ、後半では近年の寺院調査等で見いだされた、密教・神道に属する宗教資料を対象にして、それらが展開する秘説・秘伝世界がいかに説話文学の世界と結び合っているかをお示ししました。事相や教説に関わる宗教文献がそのまま説話研究となるのです。今回紹介したのは、時間の関係もあってわずかふたつの事例について、表面的な考察を行ったに過ぎません。まだまだ膨大な説話＝宗教資料が残されています。今後とも諸学との連携を深めながら研究が進んでいけばよいと思います。

ご清聴ありがとうございました。

注

1 『説話文学研究の最前線』(文学通信、二〇二〇年)。

2 伊藤正義「「中世日本紀の輪郭――太平記におけるト部兼員説をめぐって」(『文学』四〇―一〇、一九七二年)↓『伊藤正義中世文華論集 第四巻 文学史と思想史の間』(和泉書院、二〇二二年)再録。

3 その研究動向の詳細については、伊藤聡「説話研究と中世神道」(『神道の形成と中世神話』吉川弘文館、二〇一六年)参照のこと。

4 『日本古典文学大事典』(明治書院、一九九八年)、『お伽草子事典』(東京堂出版、二〇〇二年)、『日本思想史辞典』(山川出版社、二〇〇九年)、『日本思想史事典』(丸善出版、二〇二〇年)に「中世日本紀」が立項された。特に最初のふたつには「中世神話」の項も立てられている。

5 中野真麻里「法華経直談鈔」(『岩波講座 日本文学と仏教6 経典』岩波書店、一九九四年)、同『一乗拾玉抄の研究』(臨川書店、一九九八年)、渡辺麻里子「法華経注釈書の位相」(『仏教文学』二四、二〇〇〇年)、同「〈直談〉の位相」(『天台学報』四三、二〇〇一年)、同「談義書(直談抄)の位相――『鷲林拾葉鈔』・『法華経直談抄』の物語をめぐって」(『中世文学』四七、二〇〇二年)、同「『鷲林拾葉鈔』記事対照表(一)~(五)」(『論叢アジアの文化と思想』九―一三、二〇〇〇~二〇〇四年)、同「『尊談』の諸本および題目について――〈付〉翻刻・叡山文庫真如蔵『尊談目録』」(『日本仏教綜合研究』三、二〇〇五年)、同「天台僧尊舜における草木成佛説」(『東洋の思想と宗教』二五、二〇〇八年)、同「中世における僧侶の学問――談義書という視点から」(『弘前大学国語国文学』二八、二〇〇七年)、同「『鷲林拾葉鈔』所引連歌考――天台僧尊舜の文学的環境と連歌師の交渉」(『感性文化研究所紀要』三、二〇〇七年)、同「信濃国津金寺談義所と天台談義」(『向学の燈火』二〇一〇年)、「天台談義所をめぐる学問の交流」(阿部泰郎編『中世文学と寺院資料・聖教』竹林舎、二〇一〇年)、同「談義書・論義書における文体と表記」（『日本文学』六三―七、二〇一四年）、同「学僧の教育――中世の天台宗における学問を中心に」（『文学・語学』二〇九、二〇一四年）、同「尊舜談『天台伝南岳心要見聞』について」（大久保良峻教授還暦記念論集『天台・真言・諸宗論攷』（山喜房佛書林、二〇一五年）、同「談義所における聖教と談義書の形成」（『学芸と文芸』一、二〇一六年）、同「廬山寺談『三大部見聞述聞』の享受に関する一考察――付・〔翻刻〕叡山文庫戒光院蔵『三大部述聞見聞目録』」（『弘前大学人文社会科学論叢』一、二〇一六年）等。そのほか田中貴子『室町お坊さん物語』（講談社、一九九九年）、大島薫「「直談」再考」（『日本仏教綜合研究』三、二〇〇五年）もある。

6 同氏がその方面で遺された成果は、高木豊『法華経和歌論攷』（地人社、二〇一〇年）に集成されている。

7 詳しくは牧野和夫「『親快記』という窓から」（『中世文学』三二、一九八七年）参照。

8 伊藤聡『神道の形成と中世神話』（吉川弘文館、二〇一六年）四四～四五頁。

9 伊藤聡「三輪流神道の形成」（伊東貴之編『東アジアの王権と秩序――思想・宗教・儀礼』汲古書院、二〇二一年）。

10 尊経閣文庫本『兵法秘術一巻書』の翻刻は、日本古典偽書叢刊第三巻『兵法秘術一巻書　簠簋内伝金烏玉兎集　職人由来書』（現代思潮新社、二〇〇四年）にあるが（四三～四四頁）、ここではそれを参考にしつつ、原本影印より翻じた。

11 中世の文学『源平盛衰記（三）』一一三頁。

12 守山聖真『立川邪教とその社会的背景の研究』（鹿野苑、一九六五年）所載翻刻、五八八頁。句読点等を私意に補った。

13 『続真言宗全書』三三、三九四頁。

14 守山前掲書、三三頁。

15 日本古典文学大系『保元物語　平治物語』一八三頁。

16 伊藤聡「関白流神道について」（『金澤文庫研究』三〇三、一九九九年）。

17 神道大系『真言神道（下）』五二六頁。

18 神道筑波紀　七通　①和語陀羅尼之事、②神躰紀（筑波山事）、③一仏二明王云事、④一女三男大事、⑤三国王道異事（月氏辰旦与日域王位之事）、⑥三国神道異事（三国伝来神与日本神事）、⑦秘決（天精相伝・社内穢気口伝・伊勢和合）。

19　この陀羅尼歌の詳細については、伊藤聡『中世天照大神信仰の研究』（法藏館、二〇一一年）第四部第四章「或る呪歌の変遷――和歌陀羅尼と中世神道」参照。

20　中野真麻里編『影印一乗拾玉抄』（臨川書店、一九九八年）七二二～七三三頁。

21　臨川刊本四、四五九～四六二頁。

22　元の発表では、能の「箱崎」を歌の初見とするという誤りを犯していたので、訂正の上で成稿した。能の「箱崎」では歌の第四句が「たぐへて聞けば」と改変されており、関白流などの引歌と直接の関係はない。なお同作品について詳しくは、竹内晶子「能「箱崎」考――本説の検討と諸本系統図の作成を通して」（『ZEAMI――中世の芸術と文化』五、二〇二一年）参照。

23　新日本古典文学大系『古事談　続古事談』、四三六頁。歌の字句は『古事談』では第二句を「松吹く風は」とするが、『愚童訓』『巡拝記』は「松吹く風と」に作る。

24　以下の比較は、広田哲通『中世法華経注釈書の研究』（前掲）に基づく。

25　臨川影印本、一〇〇頁。

26　臨川刊本・三　二七九～二八〇頁。

講演会❸

仏教美術の物語表現法

肥田路美

はじめに

私は文学とは畑違いの美術史、特に中国の仏教美術を研究の対象にしてきました。仏の姿とか仏のいる世界のありさまとは、言ってしまえば空想の所産に過ぎませんが、それを実際にありありと目で見たいという欲求が美術を作る原動力でした。人は見たいものを作って来たわけです。

ところで、仏教の絵画や彫刻には、礼拝や修法の本尊とされたものとは別に物語を表したものがあります。物語の定義をこの説話文学会で云々するのはあまりにも僭越ですが、日本の物語絵画の研究者である佐野みどり氏は「物語は、時間軸と出来事の因果律によって物語たりうるものとなる」と定義しています。とすれば、事の成り行き、つまりは時間の推移をどう表出するかが、美術における物語表現の課題であり、造形作家たちが苦心し工夫を凝らすところであります。

一、仏教美術初期の時間表現

仏教美術が誕生して間もない紀元一世紀前後の例を一つ見てみましょう【図1】。

これはインドのサンチーにある巨大なストゥーパの塔門に施された浮彫彫刻です。左端の城のような建物から右端の巨大な足跡に向かって、傘蓋（さんがい）を伴った同じような姿の馬が四頭、そして右端で折り返すように、左を向いた一頭――これには傘蓋がないことが注意されます――が表されています。これは、悉多太子がカピラ城から愛馬揵陟（けんぢょく）（カンタカ）に乗って出て行き、釈迦と別れた馬と御者の車匿（しゃのく）（チャンダカ）だけが帰っていく場面、つまり釈迦の出家の場面にほかなりませんが、同一の姿の馬を反復して登場させ、その動きの向きで以て事件の成り行き、つまり時間と空間の推移を表す手法を取っています。この場合、画面が横に長いことが大変効果的に活かされています。

ブッダを人間の姿で表現することを創始したガンダーラ地域では、特に仏伝に対する関心が高く、紀元一～三世紀に厖大に造られた仏伝浮彫では一〇〇を優に超える場面が確認されています。それらの仏伝浮彫パネルは柱で一場面ずつ区切られており、仏伝の一齣一齣は独立した画面で表されています。先ほど挙げたサンチーの例のように、中インドの仏伝図は一つの画面の中に時制の異なる幾つかの場面を表す、いわゆる異時同図法がしばしば見られますが、ガンダーラにおいてはそうした構図をとることは比較的稀であり、一区画内に一場面を表すのを原則としています。けれども、これらのパネルは本来は、【図2】

図1　サンチー第一ストゥーパ東門　出家踰城図

のシクリ遺跡出土のストゥーパのような奉献用のストゥーパの胴部に配置されたと考えられており、例えば奈良国立博物館と東京の根津美術館に分蔵されている仏伝浮彫パネル【図3】の場合、摩耶夫人の託胎霊夢から釈迦の誕生、出家、成道、涅槃、そして荼毘の後、舎利が分配され塔が立てられるまでの全部で三〇の場面が、一景ずつ並べられて連環しています。

一般にストゥーパを礼拝する時には、右遶三匝つまり右回りに三回巡るのが基本で、このストゥーパを礼拝者が右遶することで、自ずから浮彫仏伝図に時間の流れが生じる仕掛けです。しかも、三たび巡るために誕生から涅槃が二度三度と繰り返されることになり、つまりは釈迦の不滅性が可視化され体験化されるわけです。それは、これらの奉献ストゥーパの発願者であり、これらと同じような仏伝場面の選択と構成を見せる『ラリタ・ヴィスタラ』など大乗の仏伝文学の享受者でもあった、当時の在俗信者らの願望の反映と理解してよいでしょう。

二、敦煌石窟の摩訶薩埵太子本生図

中国では五世紀後半頃から仏伝図や本生図の遺例が各地の石窟の壁面に表されたり、仏像の光背の裏面に表されたりするようになります。敦煌石窟の場合は壁や天井に画かれました。ここでは六世紀後半の北周時代に造営された敦煌莫高窟第四二八窟の前壁南側の壁画を見ていただきます【図4】。この壁画は幅約四メートル余の大画面を上下三段のフリーズに区切って、捨身飼虎で知られる摩訶薩埵太子本生の物語を画いたものです。各段はあたかも絵巻

図2　シクリ・ストゥーパ（ラホール博物館蔵）

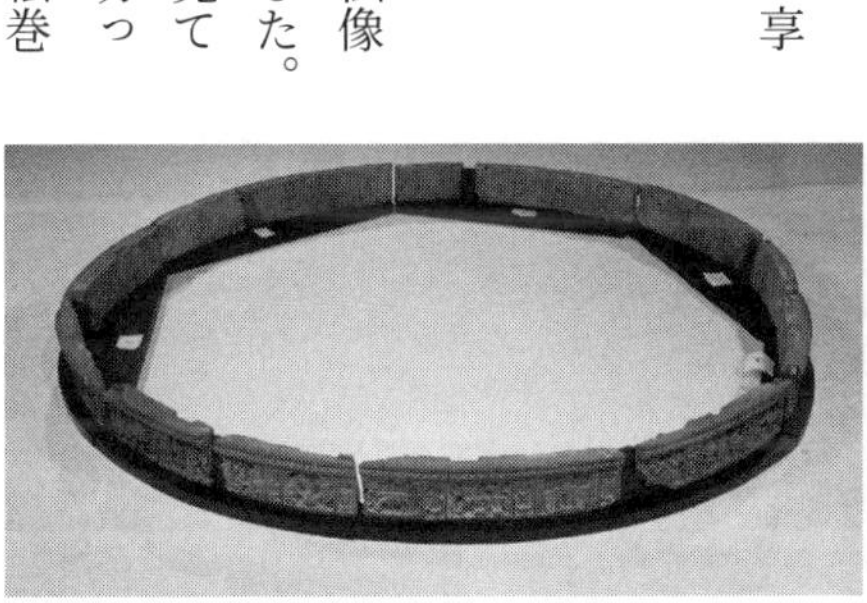

図3　ガンダーラ奉献ストゥーパ胴部の仏伝浮彫
（画像提供：奈良国立博物館　奈良国立博物館蔵）

物を繰り延べたようで、中国では長巻式構図形式と呼ばれています。画面では、上段右側の宮殿の場面から馬に乗った三人の王子が出かけて行き、物語の進行を促すように馬の向きが巧みに変わってS字状に展開しています。これらの場面を区画するのは、褐色や灰色の三角形を並べた連山です。この連山は、物語の舞台が野外であることを表すとともに、各場面を駒割りしながら繋げていくフレームの役割を果たしています。屋内が舞台の物語を画いた壁画では、屈曲する建物が同様のフレームに用いられています。

薩埵太子の捨身飼虎の物語の典拠は、北涼の曇無讖訳『金光明経』の第一七「捨身品」と北魏の慧覚らの訳した『賢愚経』「摩訶薩埵以身施虎品」が知られていますが、壁画は必ずしも経文と一致しているわけではありません。壁画では、三王子が遊びに出かけてから虎の親子を見つけるまでの間に楽し気な野遊びの描写が見られます。この場面をよく見ると、王子たちは流鏑馬をして遊んでいます。台に立てた四角い板を弓矢で射ています。近くに兎や鹿がいますが、それを追いかけたりはしないのです。三人相寄って次の行き先を相談するような様子も微笑ましいものです。しかし、どちらの経文にもそうした具体的な記述はなく、その代わりに『金光明経』では三王子が交々心中を述懐しています。絵画とテキストでは――当然のことながら――表現できる内容に得手・不得手があるわけです。

特に壁画の向かって右下、中段から下段への折り返し部に当たる捨身のクライマックス場面では、物語の生起する場を表現することが得意な絵画芸術の特

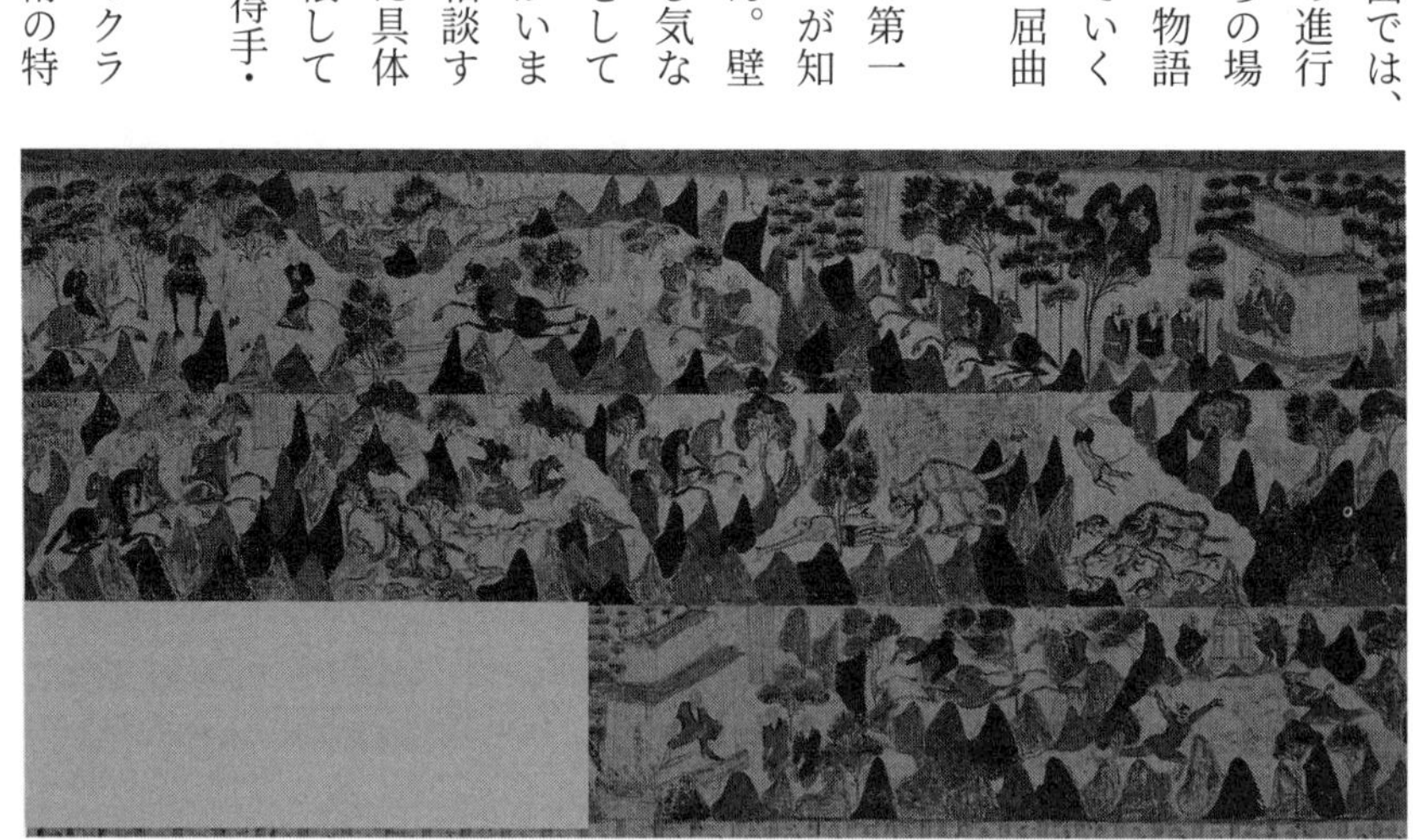

図４　敦煌莫高窟第四二八窟　摩訶薩埵太子本生図　六世紀

性が発揮されています。薩埵太子は衣を脱いだ姿で横たわってみたものの虎は為すところがなく、竹林で自ら頸を刺して、高い山から身を投げ、虎たちに食われ、バラバラになった骨を発見した二人の兄が驚き悲嘆して走り回り、馬を駆けて城へ戻って親に知らせたさまが画かれています。これは、事の次第の順序が若干異なるものの、竹林や山から身を投げるシーン、虎の子の数などからすると、『金光明経』に基づいていることがわかります。

問題は、母虎と七匹の小虎に食われる場面と、遺骨が散らばる場面の間に、二人の人物が跪いて礼拝するストゥーパ形の塔が挿入されていることです。よく見ると、塔の頂きの相輪部は、本壁画でのルールを無視して上の段にはみ出しており、言い換えればこの塔が、聖なる自己犠牲のクライマックス場面同士を繋ぎつつ、まさにこの場所でそれが行われたという空間的位置を表示しているのです。この塔は、物語の最後に薩埵太子の舎利を収めてこの捨身の現地に建てられたものです。そして実は、『金光明経』では捨身品(しゃしんぼん)の冒頭、釈迦の説法の集会の場でこの舎利塔が大地から湧出したために釈迦は自らの前世の因縁を説いたという結構になっており、最後に再び大地に没して見えなくなった、と結ばれています。ですから、フリーズを跨いで配された意味は、この壁画における時間の流れの埒外(らちがい)、ひいては人の世の時間の流れを超越したところにこの舎利塔がある、ということでもあります。空間表現を得意とする絵画の特性を活かして、薩埵太子の物語の本質をビジュアルに語っていると言えるでしょう。

三、『釈氏源流』挿絵に見る雲形モチーフ

ところで、この後のシンポジウムで取り上げられる『釈氏源流』は、明時代の一五世紀前半に成立したもので、上巻には仏伝故事、下巻には仏教の中国への伝播・流布にまつわる故事が集められ、それらに添えられた挿絵には、物語を表現するいろいろな工夫が見て取れます。特に非常に頻繁に目に付くのが、雲の形をしたモチーフです。これ【図5】は、後のシンポジウムで詳しいご紹介がある早稲田大学図書館本の第一巻にある「夜半踰城(やはんゆじょう)」、先ほど

見たストゥーパの浮彫と同じ、釈迦が出家を決意して夜半にカピラ城を出て行く場面です。釈迦の乗る愛馬の脚を四天王が支えて虚空に昇って去ったと、下段の文章にあるとおり、一行は渦巻く雲に囲まれて中空に浮いています。その雲にはうねうねとした雲脚がついていて、その末端が下の宮殿の内部に達しています。これを見れば私たちは何ら説明されなくてもこの一行が豪華な建物の中から出て来てどこかに向かっているところだと感知できるわけで、そうした空間的な移動と時間の経過、言い換えれば事件の推移、物語の成り行きを表出する一種の記号のようなモチーフが、渦を巻く雲頭と後方に引く雲脚を具えた雲気のモチーフです。

『釈氏源流』からもう一つ例を挙げましょう。『大般涅槃経後分(だいはつねはんぎょうごぶん)』に説かれる「金棺自挙」の故事、すなわち入滅した釈迦の亡骸を収めた金の棺は力士ですら持ち上げることができなかったところ、自然(じねん)に空を飛んでクシナガラ城に入り、東西南北の城門から出入りすること七回、その後自ずから荼毘(だび)所に向かったという説話の場面です【図

図５　「夜半踰城」早稲田大学図書館本『釈氏源流』

図６　「金棺自挙」早稲田大学図書館本

図７　「金棺自挙」アメリカ議会図書館本

6】。ここでは、モノクロの木版画である早稲田大学本のほかに、彩色を施したアメリカ議会図書館本の該当頁【図7】を並べてみました。棺がひとりでに城門から飛び出して来たという不可思議な出来事は、尾を引いたこの雲気のモチーフでなければ、なかなか表現できるものではありません。しかも、彩色画を見れば、赤や黄色や青で彩られた、尋常な雲とは異なる宝雲・瑞雲（ずいうん）であります。

また【図8】は『宋高僧伝』の釈慧日（しゃくえにち）伝に取材したもので、求法のため天竺へ向かった慧日がガンダーラ国の山で七日間の断食の末に観音の出現に遇った場面です。現れた観音は右手を伸ばして慧日を摩頂（まちょう）し、念仏と誦経に励めば阿弥陀浄土に往生できようと告げたといいます。ここでも観音の出現という奇跡を、彼方から尾を引いて目の前にやって来た五色の雲で以て表現しています。

また、夢の中でみたことを表現する際にも、雲気の形に似たうねうねした帯状のもので表しています。例えば、摩耶が夢で六牙の白い象を見て釈迦を身ごもる場面や、釈迦が眉間の白毫（びゃくごう）から光を放って魔王波旬（まおうはじゅん）の宮殿を照らしたために、魔王が三二種類の悪夢を見たという場面【図9】です。釈迦が放った光も、魔王の夢も、同じような波打つ雲

図8　「勧修浄土」早稲田大学図書館本

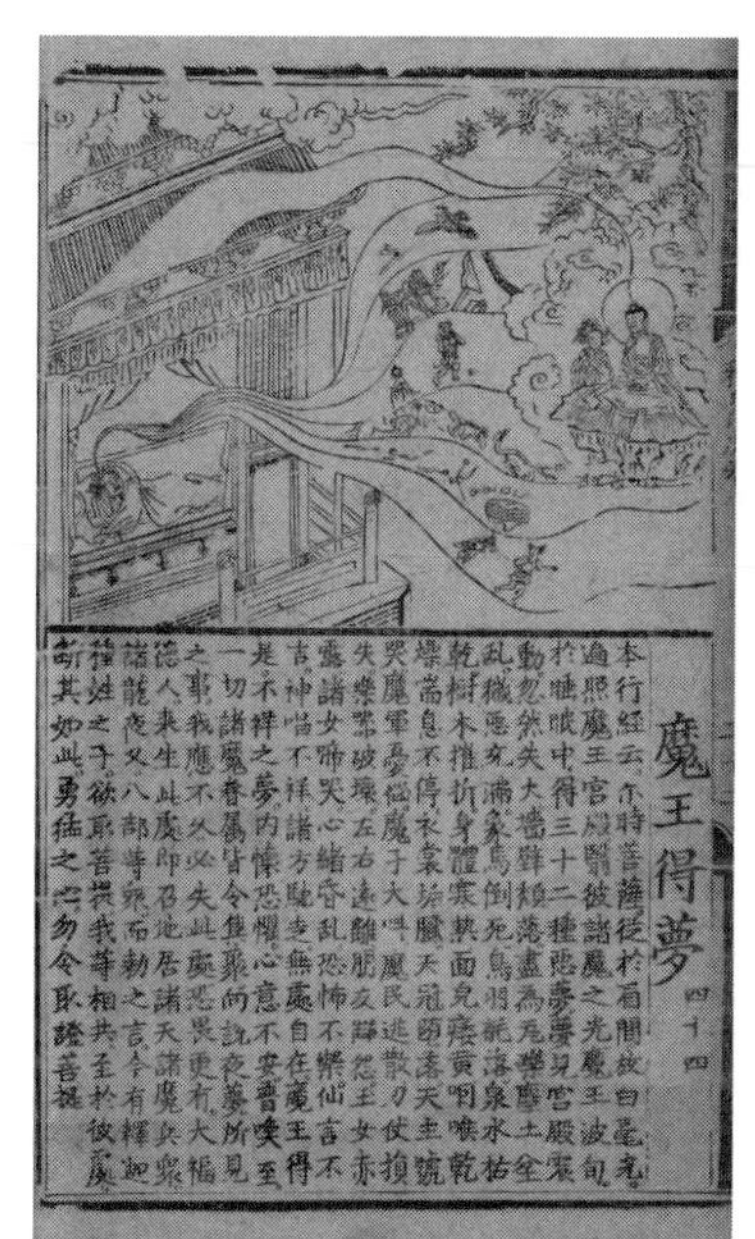

図9　「魔王得夢」早稲田大学図書館本

気に似た形で表されています。

四、敦煌石窟壁画に見る雲気モチーフ

『釈氏源流』は一五世紀の作ですが、こうした渦巻く雲頭と尾を引く雲脚をもつ雲気形のモチーフは、もっと早く七世紀の初期から認められます。【図10】は敦煌莫高窟の七世紀の壁画の一部ですが、画面の中に幾つもの雲気モチーフが見られます。現在は変色して焦げ茶色になってしまっていますが、画かれた当初は赤・黄色・青など五色の瑞雲だったはずです。ちなみに、【図11】は同じ敦煌壁画でも現実の普通の雨雲を画いたもので、前者のような明瞭な形を示していません。また、前者における雲気モチーフはどれも形態的な特徴は同じようですが意味は異なり、仏たちを上に乗せている雲は仏たちが空中を移動するさまを表示しているのに対して、下から立ち昇るような形態のものは欄干の宝珠などが発する光を表しています。光の中に宝幢や楼閣が出現したという経文に該当する場面です。

もう少し事例を見てみましょう。【図12・13】はどちらも敦煌莫高窟の八世紀前半の観無量寿経変相（観経変）の一部です。息子である阿闍世によって王舎城の奥深く幽閉されたビンビサラ王や韋提希夫人の前に、仏弟子の目犍連や釈迦自身が現れた場面で、どちらも五色の雲気が釈迦のいる霊鷲山から王宮に至る様子が画かれています。しかし両者の雲のもつ意味合いは異なっていて、左は釈迦自身が異時同図法的に霊鷲山から雲に乗って移動した様子、右はよく見ると、釈迦の眉間の白毫から放たれた五色の光が、目犍連を乗せて王の前に至る様子を表しています。私は先ほどから雲とか雲気という言い方をしていますが、雲ではなく光もまた雲気の形で表されているわけです。

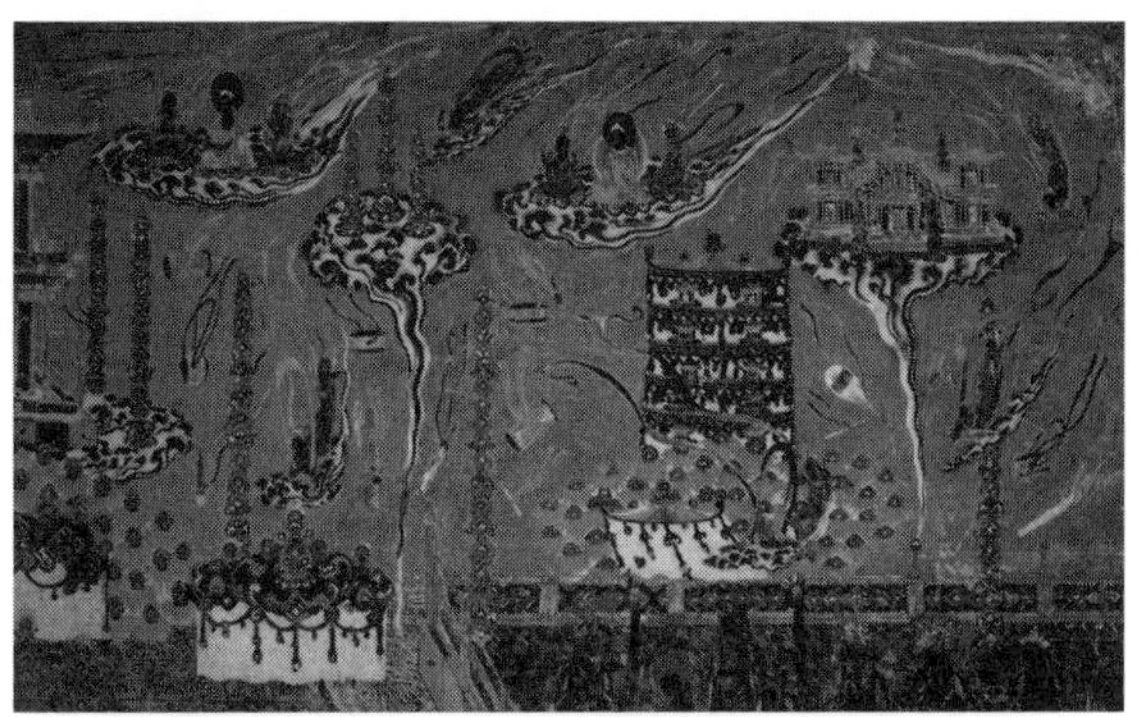

図 10　敦煌莫高窟第三二一窟　阿弥陀浄土変（部分）七世紀

図 11　敦煌莫高窟第二三窟　法華経変 雲雨の譬喩（部分）八世紀

図 13　敦煌莫高窟第一〇三窟 観経変 序分義（部分）八世紀

図 12　敦煌莫高窟第四五窟　観経変 序分義（部分）八世紀

五、雲気モチーフのはたらき

これ【図14】も敦煌莫高窟の例で、七世紀後半、則天武后時代に画かれた維摩経変相（維摩経変、維摩変とも）です。幅五メートル余りの壁全面を使って、維摩詰と文殊菩薩が対座して問答する姿を軸に、『維摩経』に説かれる様々なエピソードが画かれています。雲気のモチーフは、やはりチョコレート色に変色していますが、本来は華麗な五色の雲であったに違いありません。ここでも登場する雲気は様々な形に画き分けられており、それぞれ意味や機能が異なります。

例えばその一つは、維摩が神通力で皆のために台座を取り寄せる場面です。上空からたくさんの台座が雲を従えて飛んで来ています。ところが、『維摩経』不思議品の経文には「雲」という言葉は登場しません。三世紀の呉の支謙訳や五世紀初めの鳩摩羅什訳では単に「維摩詰の室に来入す」といい、七世紀の玄奘訳では「空に乗じて（別本では虚を凌いで）来入す」とやや詳しいものの、雲気のモチーフをうかがわせる文辞はありません。

また一つは、画面中央の、衆香国まで往復する化菩薩の動きを示すものです【図15】。雲気が長く軌跡を引くことで、「何処から」「何処まで」動いたという、空間を移動する一連の動きを残像のように見せてくれています。この場面でもまた、『維摩経』では雲への言及は皆無で、化菩薩が娑婆へ帰ってくるについては、「彼の世界より忽然として現れず、須臾の間に維摩詰の舎へ至る」（鳩摩羅什訳）と、瞬時の出没を語っています。けれども、雲は移動

図14　敦煌莫高窟第三三五窟　維摩経変　唐・垂拱二年（六八六）

の方向と速さとを表現したことで、瞬時ならぬ「経過する時間」を視覚化することになりました。

　また次は、吹き出し機能とでも言うべきものです。維摩詰が通力を用いて、一座ごと右掌に乗せて釈迦の許に赴いた場面や、別次元の世界である妙喜国を切り取って顕現させたという場面【図16】に用いられています。ここでは雲は物の動きを表すわけではなく、吹き出し状のフレームに過ぎません。けれども、対象を五色の陽炎に包まれたように縁取ることで、維摩詰の神通力によって為されたことの不可思議さの演出に成功しています。ここでも『維摩経』自体には「雲」という語は見られません。

六、講経文に登場する雲

　ところが、大変興味深いことに経典には雲の関与を説く文辞は見出せないのに、敦煌遺書中の変文（講経文）においては「雲」の字句はむしろ頻繁に登場するのです。『維摩経講経文』を例に見て見ましょう。【図17】はスタイン将来の『維摩経講経文』（S・四五七二）の一部です。『維摩経』の冒頭「仏国品」の内容で、バイシャリーの菴羅樹園の釈

図 15　衆香国へ香飯を取りに行ってくる化菩薩

図 16　妙喜国を切り取って大衆に見せる維摩詰

迦説法の会座へ大衆が参集するさまを説いた経文を、七言の韻文で要約した唱の部分です。ここに「庵園浩浩聖賢催、瑞色祥雲遍九垓」（マンゴー樹の園はひろびろして大勢の菩薩や帝釈天ら聖賢が〔釈迦の説法を〕今か今かと待ち構え、不可思議な色のめでたい雲は天の果てまで遍くひろがっている）とか、「分分空裏弦歌鬧、簇簇雲中錦繍搥」（香気芬々たる空の中では天の音楽や歌がにぎやかで、群れ集まった雲の中では刺繍のある錦を砧で打つ）とあるのが見えます。またほかにも「雲中只見天花墜、雲内唯聞龍脳煙」（雲中ただ見る、天花がはらはらと落ちるのを。雲内ただ聞く、龍脳の香りが煙むるのを）、「彩霧呈佳瑞、霞雲珮吉祥」（色とりどりの霧は佳瑞を呈し、かすみ雲は吉祥を帯びる）、「人与非人等、一時空裏降、斉総下雲来」（人も人以外の者たちもいちどきに空から下り、いっせいに雲に乗じてやって来る）とあります。瑞色の祥雲や吉祥をおびた霞雲、また龍脳の香煙がたちこめた雲など、いずれも日常的な雲ではなく、変相図に画かれた雲気のモチーフと同様ににぎやかで祝祭的な雰囲気があります。

くどいようですが、『維摩経講経文』の元となった『維摩経』の経文自体にはこうした描写は全く見られません。仏国品冒頭部の、多数の菩薩や帝釈天らの来臨は、経文では「復有万二千天帝、亦従余四天下来在会坐」と、四天下より釈迦仏のところにやって来て着座したと語るだけです。

また、北京図書館本やペリオ本（P・三〇七九）には、魔王波旬が一万二千人の天女を従え楽器を打ち鳴らしながらやって来て、釈迦の足に額づいたという『維摩経』菩薩品の場面に該当する白の部分があります。すなわち、「一時皆下於雲中、盡入修禅之室内」（いっせいにみな雲の中を下って来て、全員維摩の修禅の室内に入った）とか、「擎楽器又吹洵、宛転雲頭漸下来」（楽器を持ち上げまた長々と吹きならしながら、宛転とした雲頭がだんだんと下ってやって来た）とあり、渦を巻く雲に乗って飛来する実際の壁画の情景そのままです。

図17　維摩経講経文（S・四五七一）敦煌莫高窟将来

七、雲気モチーフと「変」「変相」「変文」

ここで重要な点は、現存する一連の変文（講経文）の筆写年代が九世紀後半以降と推測されるのに対し、その内容と結びつく絵画、この場合は維摩経変相図がすでに七世紀に存在していることです。もっとも、変文の成立は九世紀よりももっと遡ると思われますが、経典に説かれる説話的情景を画いた絵画――これを変相図とか経変画と言いますが――そうした変相図において、物語をビジュアルに語る働きをもち、画面に活き活きとした生彩を加える効果も担った雲気のモチーフが、変文よりも先に成立していた可能性が高いのではないか、言い換えれば、変文というテキストにおける雲の描写は、変相図から逆に摂取されたのではないかと、私は考えています。

実は、雲気モチーフの形状の歴史的な変化は、東アジアの仏教美術の様式や主題の変遷と表裏一体のような関係にありました。ここでは詳しくは立ち入りませんが、外来の仏教が中国化していく過程に、雲気のモチーフがかなり大きく関与したことが認められるのです。また、七世紀前後になりますと、それまで切れ切れに浮遊するような形であったり、大気が波動するような形態であったものが、丸く渦巻く頭と後ろになびく尾からなる一つの形にまとまり、対象を上に乗せることができる形態へと変化を遂げました。そして、まさにそれと同時期に大画面の変相図が成立しています。

この現象に気づいた私は、二〇年以上前に「変と雲」と題した論文を発表しました。自分では結構思い入れがあったのですが、あまりこれといった反響は得られなくてがっくりしたのですが、それはともかく、今ここでの問題は、「変」「変相」「変文」ということばについてです。

敦煌文書のタイトルとして現れる「変」あるいは「変文」という語の意味や定義については、この説話文学会でも長年の蓄積があって門外漢の私が云々するのは大変烏滸がましいですが、このお話の最後にいささかの私見を述べたいと思います。

近年、仏教学の辛嶋静志先生が「「変」「変相」「変文」の意味」と題する論文でこの問題について論じておられます。辛島氏によれば、唐代以前の漢訳文献中の「変」は変化や神変の意味ではなく、塑像、レリーフ、絵（壁画）を意味する。また唐代以降の漢訳文献中の「変」「変相」は、いずれも「仏教を主題とした壁画・絵」の意味で、インドに由来する仏教絵画・壁画を中国伝統の絵画（「図」）と区別するために「変」と呼んだ、といいます。傑出した仏教文献学者がインド語やチベット語の用例と対照させて確定した結論で、まず間違いのない見解でしょう。ただ、正しいけれども十分ではない、と私は考えます。

「変」の意味については、早くは六世紀の天台智顗（ちぎ）が『妙法蓮華経文句』で「神変とは、神は内、変は外なり。（略）変とは変動を名づく。即ちこれ六瑞の、外に彰れたるものなり。」と説明しており、江戸初期の真言僧運敞（うんしょう）は『寂照堂谷響續集』巻一に「画浄土変相」の項を立て、「変は動なり。図画は動かざるも、極楽或いは地獄の種種の動相を画くが故に、変相といふ。」と述べています。つまりは、変とは可視的な動きであると解釈されます。そうすると、「変相」とは動きの相、すなわち種々の事象が動的に変異するありさまを叙事的・叙景的に表したもの、というあたりが、本来の意味でしょう。動くということは、そこに時間と空間の推移がある、ということであり、「物語」と関わるゆえんであります。

むすび

仏教の視覚イメージにおいて動き、運動の相の最たるものは、ほとけの出現であり、仏のはたらきによって起こる様々な奇跡的事象です。人々にとって、それを「見る」こと、その場面に「居合わす」ことが希求されるものでありました。そうした信仰の本質は、仏を生身の存在ととらえるところにあるでしょう。変相とは、このような心情を前提にして、合理的な見方をすれば不可視の、もっと言えば架空の事象を、視覚的に物語ることで生きて動くが如く示して見せようとする試みであると言ってよいでしょう。雲気のモチーフは、まさにその演出にあずかった、仏教美術の物語表現法であったわけです。

参考文献

- 秋山光和「敦煌本降魔変（牢度叉闘聖変）画巻について」（『美術研究』一八七号、一九五六年。『平安時代世俗画の研究』吉川弘文館、一九六四年再録）。
- 上枝いづみ「ガンダーラにおけるストゥーパ胴部の連続式仏伝図」（宮治昭編『ガンダーラ美術の資料集成とその統合的研究』科研報告書、二〇一三年）。
- 金岡照光『敦煌の文学』（大蔵出版、一九七一年）。
- 辛嶋静志「「変」、「変相」、「変文」の意味」（『印度學佛教學研究』第六五巻第二号、二〇一七年）。
- 佐野みどり『風流　造形　物語――日本美術の構造と様態』（スカイドア、一九九七年）。
- 肥田路美「変と雲――大構図変相図における意味と機能をめぐって」（『早稲田大学大学院文学研究科紀要』四五輯第三分冊、二〇〇〇年）。
- 肥田路美「雲氣紋的進化與意義」（石守謙・顔娟英主編『藝術史中的漢晉與唐宋之變』台北・石頭出版公司、二〇一四年）。
- 藤枝晃「維摩変の一場面――変相と変文との関係」（『佛教藝術』三四号、一九五八年）。
- 堀月子『芸術作品と時間』（九州大学出版会、一九九三年）。

図版出典

・図1、2　筆者撮影
・図3　奈良国立博物館収蔵品データベース（A021315）
・図4　『中国石窟 敦煌莫高窟 第一巻』平凡社・文物出版社、一九八〇年、図168（筆者一部加工）
・図5、6、8、9　早稲田大学古典籍総合データベース（ハ04 06209）
・図7　米国議会図書館ＷＥＢアーカイブ
・図10　『中国石窟 敦煌莫高窟 第三巻』平凡社・文物出版社、一九八一年、図54（部分）
・図11　『中国石窟 敦煌莫高窟 第三巻』平凡社・文物出版社、一九八一年、図161（部分）
・図12　『中国石窟 敦煌莫高窟 第三巻』平凡社・文物出版社、一九八一年、図139（部分）
・図13　『中国壁画全集 敦煌6盛唐』天津人民美術出版社、一九八九年、図129
・図14　『敦煌石窟全集7法華経画巻』上海人民出版社、二〇〇〇年、図177
・図15、16　『中国石窟 敦煌莫高窟 第三巻』平凡社・文物出版社、一九八一年、図62（部分）
・図17　『敦煌宝蔵』黄永武主編　新文豊出版公司、一九八一年

II シンポジウム

説話の文学・美術・宗教——『釈氏源流』を軸に

シンポジウム①

仏伝文学としての『釈氏源流』

小峯和明

はじめに

それでは午後の部に入りたいと思います。午後の部の最初のシンポジウムは、『釈氏源流』がテーマです。『釈氏源流』という書名を初めて聞く方も少なくないと思いますが、一五世紀の中国明代に作られた挿絵付きの仏伝と中国への仏教伝来を僧伝中心に物語るテキストで、東アジアに広範にひろまったものです。これがテーマに選ばれたきっかけは、二年前に早稲田大学図書館が富岡鉄斎旧蔵『釈氏源流』の明代の刊本を神田の古書肆から購入したことによります。もしコロナ渦でなければ中国からバイヤーが来て買って帰ってしまったに違いないわけで、コロナ禍中のおかげだと言ってもいいかと思いますが、現在は図書館のネットで簡単に見ることができます。

チラシもお配りしてあると思いますが、今、中央図書館の展示室で「『釈氏源流』と仏伝」というテーマで展示会もやっておりますので、ぜひ併せてご覧いただければと思います。あまり大きい声で言えませんが、実は私が持っている本も「個人蔵」で出てますので、ご覧いただければと思います（笑）。

一、東アジアの仏伝文学

それでは早速、持ち時間が一五分しかありませんので、報告に入りたいと思います。私の担当は『釈氏源流』の仏伝部分になります。私が論文で『釈氏源流』の仏伝を初めて取り上げたのは、二〇〇五年、岩波の今はなき雑誌の『文学』の東アジア特集号でした。東アジア研究の核が仏伝にあると考えて調べ始めたのですが、この頃はまだそれほど注目されていませんで、まったくの手探り状態でした。当初は唐の文人で有名な王勃の『釈迦如来成道記』から始めて、それが『釈氏源流』の序文に引かれていたことから、『釈氏源流』の方に焦点が移ってきたものです。

その二年後あたりに美術史の人たちがすでに注目していたことも後から知りましたが、唯一まとまった本格的な研究としては、ドイツのハイデルベルグ大学の仏教研究所におられる蔡穂玲さんという台湾の方ですけれども、二〇一二年に学位論文をもとに英文で研究書を出しておりまして、単行本としてまとまった成果と言えます。中国や韓国でも主に美術史の方から研究がありますが、それぞれ別個にやっているので総合的な見通しができていません。二〇一二年から北京の日本古典研究者を中心に毎月、読書会で読み進めていて、今もオンラインで続けていますが、全部読み通すにはまだ数年かかりそうです。二〇一八年秋に北京の人民大学で開催した説話文学会五五周年記念特別大会のラウンドテーブルでも取り上げました（『説話文学研究の最前線』文学通信、二〇二〇年）。

東アジアの仏伝文学を概観しますと、中国では『過去現在因果経』や『仏本行集経』などの漢訳仏典が出発点になりますけれども、まず唐代の文人の王勃が書いた『釈迦如来成道記』が後代にカノン化されまして、東アジア各地域で刊行され、日本でも和刻本が出ています（宋代の道誠による注解本がカノン化）。これが『釈氏源流』の序文にも取り上げられております。

それから『釈迦如来十地修行記』は、かつては朝鮮半島の高麗時代の作品とされていましたが、実は中国の元代の作だということが明らかになりまして、文学史を書き直す必要が出てきています。そして今回の明代『釈氏源流』になります。一方、朝鮮半島では、高麗時代の詩に経典類で注釈を施した『釈迦如来行蹟頌』、それから朝鮮時代の『釈譜詳節』と歌謡の『月印千江曲』、双方を合わせた『月印釈譜』など、ハングル普及のための初期の漢字交じりの伝本がありまして、『釈迦八相録』はこの『釈氏源流』の仏伝部を抜粋したハングル本になります。

また、ベトナムでは『如来応現図』という独自の仏伝が『釈氏源流』の影響下にできておりますが、さらに『釈氏源流』を六言・八言の詩の形式に漢字とチュノム文字（喃字）交じりに翻訳した写本も作られております。

日本でも、絵巻の『絵因果経』のように、漢訳仏典の影響から始まりますけれども、だんだん経典の規範が希薄化していって、最後は物語性が前面に出たエンターテインメント性が非常に色濃いものに変貌します。平安期の『三宝絵』上巻の本生譚や『今昔物語集』天竺部の仏伝は周知のものですが、まだ総体としては漢訳仏典の翻訳圏内にあり、中世の『釈迦如来八相次第』、『教児伝』、『釈迦の本地』あたりが本格的にまとめられた日本型の「中世仏伝」と言っていいと思います。特に江戸時代が大きな転換点と言えますが、「近世仏伝」と呼べる仏伝がいろいろ作られており、前期の仮名草子の『釈迦八相物語』をはじめ、末期の合巻『釈迦八相倭文庫』に至るまで、大半は絵入り刊本の形で出ていますが、研究は少ないです。今回の展示にも図書館所蔵の絵入り刊本が複数出ています。

二、『釈氏源流』の成立と展開

本題の『釈氏源流』ですが、明代の一五世紀前半に南京の大報恩寺の宝成が編纂しました。おそらく前年に亡くなった永楽帝の追善の意味合いがあったかと思いますが、成立事情は実はあまりはっきり分かっていません。形式は表題に漢字四字句、上段に挿絵、下段に本文が一九行の、いわゆる上図下文形式で、全四〇〇段。段数は諸本の系統差で出入りがあります。前半が仏伝で後半が中国への仏法伝来の僧伝中心です。簡便な仏伝百科、仏法通史という特徴を持っております。

これが非常に影響力を持って、時代ごとに次々と改編されていきます。最初の宝成本から始まり、この宝成本系統もまた大きく南京版と北京版（円道重刊）に分けられます。第二に明代の皇帝の憲宗が成化年間にまとめ直したものが憲宗本と言われるもので、ここに唐の王勃の『釈迦如来成道記』が序文として付きます。この序文は「釈迦如来応化事蹟記」というタイトルになったので、後に書名の混乱が起きる要因にもなりました。憲宗本は宝成本の上図下文に対して、見開き対応で本文と挿絵が一頁ずつになります。絵画の表現力が増しました。宝成本系でも円道重刊本などの北京版にはこの王勃の『釈迦如来成道記』が序文としてついています。

さらに第三に、清朝の永珊親王たちによる『釈迦如来応化事蹟』で、これも見開き対応です。仏伝部だけの二〇〇段ですが、版も大きくなり、挿絵もまったく変わります。書名は王勃の序文の「釈迦如来応化事蹟記」を書名に取ったわけです。そして第四に、これは日本の和刻本しかありませんが、『釈迦如来応化録』という書名の系統があり、これには絵が付いていません。章段にも出入りがあり、明らかに別系統です。この『釈迦如来応化録』の方が宝成本より古いという説もありますが、中国版が確認できないので断言はできません。以上ごく大まかに見て、四つの系統に分かれるかと思います。

これに加えて注目されるのは、挿絵に彩色がつけられた本があることで、憲宗本ではアメリカの議会図書館本があり、『釈迦如来応化事蹟』ではばらのめくりの形ですが、ドイツのハイデルベルグの民族博物館本などがあります。色は後から着けられたもので、いつ誰がつけたかは分かりません。大英図書館にもあるようですが未見です。

アジアへの広がりで見ていきますと、朝鮮版は宝成本系、憲宗本系いずれも刊行されていて、前者は禅雲寺本、後者は仏岩寺本と呼ばれています。ベトナムでも宝成本系が出版されております（ベトナム中部のバッフォン寺蔵、零本）。日本では先にふれました別系統の和刻本『釈迦如来応化録』があります。清朝の『釈迦如来応化事蹟』は他の地域では刊行されず、中国版そのものが東アジアや欧米の各地にそれぞれ伝来しています。

東アジアへの影響関係で言えば、美術史の方で注目されていますように、嵯峨清涼寺の『釈迦堂縁起絵巻』の仏伝図が『釈氏源流』をもとにしていることが明らかにされています。さらには、朝鮮版の禅雲寺本系の序文には、松雲という僧が壬辰倭乱後の交渉で来日して人質を連れ戻した際、日本の学者とも交流して本のやりとりがあったようで、松雲が持ち帰った本の一つに宝成本があり、朝鮮で出版した、とあります。一六世紀には確実に日本に宝成本があったことを示しています。天理図書館今西文庫には上巻のみの端本があります。

朝鮮半島では、宝成本系の禅雲寺本と憲宗本系の仏岩寺本との二種類が刊行されているわけですが、さらには『釈氏源流』の後を受けた形で『西域中華仏祖源流』という本も出版されております。曹渓宗が朝鮮への仏教伝来をたどろうとしたものです。ベトナムでは先ほどのチュノム交じりの六・八言の詩の形態の写本があり（景福寺旧蔵・京大東南アジア研究所蔵、ホーチミン恵光修院所蔵）、『釈氏源流』の影響下にできた『如来応現図』という絵入り刊本も数点残っております。

三、本文と挿絵の様相

『釈氏源流』本文と挿絵の関係を見る上で、具体例として釈迦の太子時代のいわゆる技芸比べの話題を取り上げたいと思います。第一七段の「諸王挷力」。出典は巻頭に提示されている通り、『仏本行集経』に拠っています。お配りした資料【章末・参考資料】の後ろに出典の『仏本行集経』の本文、そして部分的にこの二行目にマークを付けた、この部分だけが『過去現在因果経』にもとづいているという部分的な折衷の形になっておりますし、BとAを付けましたように、出典と本文の順番が入れ替わっている。いろいろ操作をしていることが分かりますし、そのAを付けた「上天起塔供養」の塔を建てる「起塔」の部分は出典にはないです。出典を丸取りする場合も多いですが、こういう形でいろいろ変えて本文を構成していることがうかがえます。

それから、説明を落としましたが、今の塔を建てるところは、帝釈天が天上界で太子が射た矢を塔に納めたという記述で、これに該当するのが『景徳伝燈録』で、天上界に四つの塔が建てられたうちの一つに出てくるのが対応するかと思います。

次は挿絵の問題ですけれども、宝成本【図1】では、画面の三分の二が鉄の猪や鉄の鼓を射るという弓矢の芸を競い合う話で、城壁を背に象を持ち上げて投げ飛ばす画面が狭くなっています。本文通り左手で持ち上げていますね。

一方の憲宗本【図2】では、一頁分の絵画になるので画面が大きく取れる結果、象と弓矢の画面が上下半分ずつに分けて構成されています。それから清朝の『如来応化事蹟』の絵【図3】では、片手で持ち上げるのではなくて、象を放り投げています。しかも象を投げる話と弓矢を射る話とは、それぞれ独立して二段に分けられている。本文は変わらずに、内容で二分されるだけです。象の場面の作例としては、すでに古代のガンダーラのレリーフにもありまして【図4】、A～Cの記号を付けたように、まず提婆達多が握り拳で象を打ち殺す。そしてその象を難陀が引っ張って脇に寄せ、最後に太子が象を持ち上げて放り投げる。この三つが

図1　宝成本『釈氏源流』

図 2　憲宗本『釈氏源流』

図 3　『釈迦如来応化事蹟』

A　提婆達多の撲象
B　難陀の牽象
C　太子の擲象

＊上枝いづみ論文「ガンダーラの浮彫にみられる「擲象」図と仏伝文献」（『仏教学研究』70号、龍谷大学仏教学会、2014年）より

図 4　ガンダーラの浮彫

連続して出てくるわけです。Cを見ますと、太子は右手で象を持ち上げています。同じガンダーラのレリーフでも、右の画面では右手で持ち上げているし【図5】、逆に日本の『絵因果経』では、左手で持ち上げています【図6】。

それから鹿児島の黎明館にある仏伝図【図7】、これは『釈氏源流』の影響下にある可能性が考えられる作例ですが、そこでは太子が右手で象を軽々と持ち上げ、周囲が見物していて、かなり芸能化した感じの図像になっております。これらの象を投げ飛ばすタイプは、中国の五台山麓にある岩山寺の一二世紀の壁画が比較的早い例かと思います【図8】。

そして日本の仏伝の釈迦八相図系統になりますと、ほとんど投擲型になっています。詳しく説明する時間がありませんが、日本中世の『釈迦の本地』の絵巻、スペンサーコレクション蔵で比較的古いものですが、これも投擲型になっています【図9】。一般の『釈迦の本地』には、この象を投げ飛ばしたり、相撲を取る場面はなくて、弓矢の芸を競う場面だけですが、スペンサー本だけがこうなっていて、おそらく掛幅仏伝図とそれにもとづく絵解きなどとの関係があるかと思われます。

ベトナムの『如来応現図』もやはり投擲型の図像になっていて【図10】、伝本が数点あるうちのホーチミン市の恵光修院の一つの本だけ、その柱題がなぜか『釈氏源流』になっていて、『釈氏源流』の影響下にあることをうかがわせますが、しかし象の持ち上げ型ではなく、投擲型に変わっているところが興味深いところです。

図5　古代インドの浮彫　　左・B　難陀の牽象
中・A　提婆達多の撲象？
右・C　太子の擲象

図6　『絵因果経』

図７　黎明館蔵「仏伝図」

図８　五台山麓・岩山寺壁画

図９　スペンサーコレクション蔵『釈迦の本地』

図 10　ホーチミン市・恵光修院蔵『如来応現図』A本

図 11　ジュネーブ・ボドメール美術館蔵『釈迦の本地』

図 12　『釈尊御一代記図絵』北斎画（架蔵）

それからちょっと特異な例が、ジュネーブのボドメール美術館の『釈迦の本地』でして【図11】、冊子の絵入り本ですが、ここでは提婆達多が象を殴り殺す場面が絵画化されています。同じような図像例に、江戸時代の『釈尊御一代記図絵』で有名な葛飾北斎が描いた絵があり、やはり一撃で象を殺す提婆達多像が描かれている【図12】。この図像がどこから来たのか、改めて問題になるかと思いますが、『釈氏源流』の図像から仏伝図全体の問題に波及していくわけで、いろいろ問題がひろがっていきます。ここではたった一つの段を取り上げただけですが、『釈氏源流』の本文の構成、絵画の様相、諸本の展開のおおよそをたどってみました。

四、『釈氏源流』の意義――附・新出伝本について

以上をまとめますと、『釈氏源流』の仏伝に関しては、全二〇〇段に及ぶ細目のカタログ化を示す、漢字四字句の表題と、拠るべき典拠の本文提示と絵画がセットになった、「仏伝百科」がここに誕生した、ということになると思います。たとえば、太子が東南西北の四門で生老病死の四苦を体得する四門出遊の段が、個々独立して四段に構成されるとか、涅槃の場面が非常に細分化されるとか、文と絵がセットになって仏伝の一つ一つの物語が手に取るように見てとれるのが最大の特徴であります。

その簡便さが、中国から朝鮮半島、日本、ベトナムにわたる〈漢字漢文・文化圏〉の典型として、同一の版が広まって、それぞれの地域で再版され、それぞれ地域に応じて日本の場合でしたら訓読文や仮名文となり、朝鮮半島ではハングル、ベトナムではチュノム（喃字）にも展開しており、東アジアの文学圏の縮図がこの『釈氏源流』にうかがえます。

それから、ここではふれる余裕がありませんでしたが、『釈氏源流』の挿絵は紙の印刷本に止まらず、寺院の壁画とか塼刻（せんこく）や額絵に掛幅図など、さまざまな絵画媒体にも展開していくわけで、それがまた新たな図像の創出につながっていく、大きな媒体としてあることも強調しておきたいと思います。

この『釈氏源流』を手がけてからは、いろんなところから次から次へと伝本や資料が出てきまして、『説話文学研究の最前線』（文学通信）の紹介以後にも新たな資料や情報が出てきましたので、三点だけ報告しておきます。

まずタイのバンコクの景福寺に『釈迦如来応化事蹟』の第四冊目だけがあったことを北京の大会でお伝えしましたが、実は京都大学の東南アジア研究所にその景福寺の旧蔵本が所蔵されていまして、二〇二一年暮れにその調査が許されて金文京氏と出かけて行ったところ、同じ本の第一冊目、つまり景福寺蔵の第四冊目と同じツレの本があることが分かりました。残りの第二、三冊目の行方は分かりませんが、最初と最後の冊が確認できたことは喜ばしいことでした。もともとは中国の福建で出版された本がベトナムにわたり、さらにタイに移って、その片割れが京都にある、という誠に数奇な縁を感じさせられます。

第二は、今回の早稲田に入った富岡鉄斎旧蔵本ですが、それに合わせて美術史で前から注目されていた増上寺本もようやく視野に入ってきました。増上寺本も宝成本系ですが北京本系の早稲田本ともやや異なる南京本系で、さらにその転写本も所蔵されており、これらの詳細な検討が今後の課題になります。

第三に、二〇二三年の三月、ソウルの東国大学の図書館でそこの先生から韓国の仏教文化遺産のデータベースがあることを教えていただき、禅雲寺本がたくさんデータ化されているのが分かりました。禅雲寺本は今まで、上巻のみの天理図書館本や東国大学図書館にあるコピー本しか知りませんでしたので、また一気に視野が開けてきた感じで、『釈氏源流』の意義の重さを再認識させられます。伝本に関しては、後でまた河野さんからも報告があると思います。

ということで、以上、簡単ではありますが私の報告としたいと思います。

【参考資料】『釈氏源流』と典拠との関係

◇『釈氏源流』第一七「諸王捔力」

本行経云、浄飯王与大臣娑呵提婆、諭諸釈種童子、武芸之中、誰能最勝。於戯場中、安施鉄鼓。提婆達多、射徹三鼓、難陀即射、亦徹三鼓。有司進弓、太子試弓、以弓力弱。令取内庫、祖王所用良弓。太子牽挽、平胸而射、一箭穿過七箇鉄鼓、其箭射達、十拘盧奢。

復更別立鉄猪、太子一箭、便穿七鉄猪。彼箭入地、即成一井。於今人民、常称箭井。（B）

爾時諸天、各将天花、散太子前。帝釈取箭、上天起塔供養。（A）時浄飯王、既見太子技能、皆悉勝彼。勅取白象、擬太子乗。提婆達多、先入城、見此白象。問言、「何往」。答言、「擬太子乗」。時提婆達多、我慢興盛、左手執鼻、右手築額、一拳倒地、遂即命終、塞彼城門、往来不通。難陀次至、見象塞路、執彼象鼻、牽離城門。太子見已、左手挙象、以右手承、従於虚空、擲置城外、一拘盧奢、而象堕地、即成大坑。

至今人民相伝、此処名為象坑。

◇『仏本行集経』巻一三「角術争婚品下」隋・天竺三蔵闍那崛多訳（大正蔵・三巻）

爾時彼諸釋種宗族。推其姓中一大臣。名娑呵提婆。置爲證察。而白之言。「大徳和上。願好用心。觀何童子、武技之中、誰最勝妙。所謂不空。及聞聲等。射遠射剛。挽強牽臂」。

爾時戲場爲阿難陀童子。置立安施鐵鼓。去於射所二拘盧奢。以爲其表。提婆達多童子。所射安置鐵鼓四拘盧奢。乃至爲於難陀童子。安置鐵鼓六拘盧奢。爲於大臣婆私吒氏摩訶那摩。安置鐵鼓八拘盧奢。如是次第。自餘童子。各各相去。隨遠及近。安置射表。爲於悉達太子。安置十拘盧奢。牢剛鐵鼓以爲射表。

時阿難陀彎弓射彼二拘盧。奢所置鐵鼓纔得中。及以外更遠。則不能過。提婆達多童子所射四拘盧奢安置之鼓。射而即著。更不能過。摩訶那摩大臣所射八拘盧奢鐵鼓得著。遠不能過。是諸釋子。各各所立鐵鼓遠近悉皆射著。其分已外不能越過。

爾時次第至悉達多太子欲射。有司進上。所奉之弓。太子暫欲以手施張。按弓強弱。拼弦牢靳。其弓及弦。應時碎斷。悉達太子即便問言。「此之城内。誰有好弓。堪我牽挽。禁我氣力」。

時淨飯王心懷歡喜。即報言有。太子問言。「大王。言有今在何處」。王報太子。「汝之祖父。名師子頬。彼有一弓。見在天寺。常以香花。而供養之。然其彼弓。一切城内。釋種眷屬。乃至不能施張彼弓。況復牽挽」。太子語言。「大王。速疾遣取弓來」。

是時使人。將彼弓來。既至衆中先持授。於一切釋種諸童子輩所執之者。不能施張。況復欲挽。其後、次將付與摩訶摩那大臣。時彼大臣盡其所有一切身力。不能施張彼弓之弦。況復牽挽。然後乃將奉進太子。太子執已。安坐不搖。微用少力。不動身體。左手執弓。右手弦。以指纔挽。而拼作聲。彼聲遍滿迦毘羅城。城内所有一切人民。悉皆恐怖。各各問言。「此是何聲」。或復有人。從他聞言。「悉達太子取其祖父、師子頬王、所用之弓」。而暫施張牽挽作聲。爲此因縁。淨飯大王將於無量無邊諸物。用供太子。

是時太子施張彼弓右手執箭。出現如是微妙身力。牽挽彼箭。平胸而射。過阿難陀及提婆達乃至大臣摩訶那摩三人等鼓。其箭射遠、十拘盧奢、所安置處。皆悉洞過。沒於虚空。

爾時諸天在於虚空。而説偈言

如是最勝善地中　坐於往昔諸佛座
摩伽陀國人民衆　今覩利箭善勝弓
六度成就智慧力　降伏一切諸怨敵
天魔煩惱及陰等　當得常樂我淨因
不退菩提眞實道　永斷生死苦根栽
病老憂畏悉蠲除　證彼涅槃微妙智

爾時諸天説是偈已。各將種種、天妙雜花。散太子上。散已忽然沒身不現。是時太子所射之箭。天主帝釋。從虚空中。秉執將向三十三天。至天上已。爲此箭故。於彼天中。建立箭節。常以吉日。諸天聚集。以諸香華。供養此箭。乃至於今諸天。猶有此箭節日。(A)

爾時釋種諸眷屬等。復作是言。「悉達太子射技最遠。已勝衆人。今更須試射之物。是誰能過」。是時彼地。相去不遠。自然而有多羅樹行。其中或有諸釋童子。用一箭射。即穿過於一多羅樹。或有穿過二多羅樹。或三或四及過五者。是時太子。執箭一射。即便穿過七多羅樹。彼箭穿七多羅樹已。箭便墮地。碎爲百段。

時諸釋種。復更別立、鐵猪之形。其内或有釋種童子。執箭射一鐵猪形過或二三四。及過五者。太子執箭一射。便穿七鐵猪過。七猪過已。彼箭入地。至於黄泉。其箭所穿。入地之處。即成一井。於今人民。常稱箭井。(B)

時諸釋族。復更立於七口鐵甕。滿中盛水。其中或有釋種童子。熟燒箭鏃。極令猛赤。而用射於一鐵甕徹。或二或三止至四五。太子執彼燒熱赤箭一射。便過七鐵水甕。去甕不遠。即有一大娑羅樹林。其箭過已。悉燒彼林。一時蕩盡。

時諸釋族復作是言。「射技能。太子已勝。今復試斫須一下斷」。其中或有諸釋種子。手執利劍。一下一斫多羅樹。斷或二或三。乃至四五。太子之手。執於劍已。一下斫七多羅樹斷。而彼七根多羅之樹。雖復被斫。其樹不倒。彼諸釋種作如是言。「太子不能斫一樹徹」。

是時色界淨居諸天。即便化作大猛威風。吹彼樹倒。其次難陀。將一束竹。來太子前。其内密置按摩所用鐵棒著中。以奉太子。太子見此一束之竹。不謂其間有於鐵棒。不用多力。左手執劍。一下釤斷。譬如壯士手執利刀斫一莖竹。或斫一箭。如是如是。太子釤彼按摩鐵棒。謂言竹束。左手執劍。不用多力。一下斬斫。隨時徹過。

時諸釋種復作是言。「已試斬斫。太子最勝。今復更須作諸象技跳擲上下。誰復爲能」。其中復有諸釋童子。從象鼻前。跳上象背。或有童子。從脚跳上。或有童子。從尾跳上。其跳上時。或手執持麁大鐵棒。或執鐵輪。或執鐵排。或執戟槊。或執長刀。左執跳上。上已右接。即以擲地。太子跳時倚立却走。脚象牙。上於象頂。左手執持種種諸器。或棒或輪。或排或槊。及以長刀。左執右擲。右執左擲。而投於地。

諸釋種族。既不能及。復作是言。「今須馬上。更共相試」。其中或有釋種童子。手執塑騰或執箭跳。從於一馬。騎第二馬。槃槊弄刀。或復以箭。射於指環。或有遇中。或不著者。或有釋子。跳過二馬。騎第三馬。乃至射著。及以不著。或跳三馬。跳已即便騎第四馬。射著不著。或跳四馬。騎第五馬。及著不著。太子是時。手執於槊。我執弓箭。跳過六馬。騎第七馬。箭射乃至頭髮毛端。皆悉得著。如是次第。或於車上。示現輕便。或現筋陡。如是種種。或試音聲。或試歌舞。或試相嘲。或試漫話戲謔言談。或試染衣。或造珍寶及眞珠等。或畫草葉。和合雜香。博奕摴蒱。圍碁雙六。握槊投壺。擲絶跳坑。種種諸技。皆悉備現。如是技能。所試之者。而一切處。太子皆勝。

時諸釋種復作是言。「我等今知。悉達太子。一切技能。悉皆精勝。今須相撲。得知誰能」。是時太子却坐一面。其諸釋種一切童子。雙雙而出。各各相撲。如是次第。三十二。諸童子等。相撲各休。却住一面。次阿難陀忽前著來。對於太子。欲共相撲。太子始欲手執難陀。太子身力。及威德力。而彼不禁。即便倒地。其後次至提婆達多童子前行。以貢高心我慢之心。不曾比數。悉達太子。欲共太子捔競威力。欲共太子一種齊等。挺身起出。巡彼戲場。面向太子。疾走而來。欲撲太子。

爾時太子。不急不緩。安詳用心。右手執持提婆達多童子而行。擎擧其身。足不著地。三繞試場。三於空旋。爲欲降伏其貢高故。不生害心。起於慈悲。安徐而撲。臥於地上。使其身體不損不傷。太子復言。「咄汝等輩。不假人人共我相撲。饒汝一切一時盡來共我相撲」。

爾時彼諸釋種童子。一切皆起憍慢之心。並各奔來。走向太子。而欲撲之。是諸童子各以手觸。彼等以是太子身力復威德力。各各不禁。皆悉倒地。

爾時彼釋一切。皆生奇特之心。各相謂言。「希有希有。從生已來。不曾學習。今日乃出於如是等種種諸技」。時彼場内所有人民。觀看之者。悉唱呼呼叫喚之聲。或出種種諸異音聲。弄珠瓔珞及衣服等。於上虛空無量諸天。同以一音而説偈言

十方一切世界中　所有勇健諸力士
悉皆力敵如調達　不及太子聖一毛
大人威德力無邊　暫以手觸皆倒地
聖者威神力廣大　汝等云何欲比方
假使不動須彌山　大小鐵圍甚牢固
并及十方諸山等　一觸能碎如微塵
鐵等強金剛珠　及以諸餘一切寶
大智力能末如粉　況復撲此少力人

爾時諸天説此偈已。將種種華。散太子上。於虛空中。隱身不現。如是次第。悉達太子一切處勝。

時淨飯王、知其太子、所有技能。皆悉勝彼、一切諸人。自眼既見。心復證知。踊躍喜歡、遍滿其體。心意適悦。不能自勝。以尊上心。勅喚白象、瓔珞莊嚴、辦具悉竟。而作是言。「我息太子。乘此白象。將入城内」。彼大白象。擬太子乘。從城門出」。是時提婆達多童子、城外而入。見此白象。而問人言。「此象誰許。欲將何處」。其人報言。「欲將出城、擬悉達乘。欲入城内」。

時提婆達多、以釋意氣、種姓尊豪。我慢興盛。倚身力強。縱逸放蕩。無諸忌憚。兼復妬嫉。於彼象前。少許地走。便以左手。執於象鼻。右手築額。一下倒地。宛轉三匝。遂即命終。白象臥地。塞彼城門、衆人往來不通、出入道路填咽。調達過已。於後又復有童子至。名曰難陀。相續而來。欲入城内。見此白象、臥在城門死已。大身塞於道路。諸人民過不能得行。即問諸人。誰作是事。人輩答言。此大白象。爲於提婆達多所殺。左手執鼻。右手築額。一下倒地。三旋命終。難陀思惟。提婆達多童子試其自身之力。以殺白象。但此象身。極大極麤。汚泥城門。妨人出入。即以右手。

執彼象尾。牽取離門。可七歩許。

其難陀後次太子來。欲入城内。見此白象在於城門。見已借問諸行人言。「誰殺是象」。衆人報言。「提婆達多一築而殺」。太子即言。「提婆達多此爲不善。何故殺也」。太子復問。「誰牽離門」。衆人復言。「難陀童子以其右手。執彼象尾。而牽離門。至於七歩」。太子復言。「善哉難陀。作事善也」。太子思惟。「彼等二人雖能示現其自氣力。但此象身。甚大麁壯。於後壞爛。臭熏此城」。作於如是思惟訖已。左手擧象。以右手承。從於空中。擲置城外。越七重牆。度七重塹。既擲過已。離城可有、一拘盧奢。而象墜地。即成大坑。乃至今者。諸人相傳、諮於此處。爲象墮坑。即此是也。

爾時無量無邊百千諸衆生等。一時唱言。希有希有。如是之事。甚大可怪。各各皆唱。善哉善哉。大人大士。希有希有。未曾聞見。而説偈言

調達築殺白象已　難陀七歩牽離門
太子手擎在虚空　如以土塊擲城外

爾時大臣摩訶那摩。見於太子一切技藝。勝妙智能。最爲上首。而作是言。「唯願太子。受我懺悔。我於先時。謂言太子不解多種技巧藝能。令我心疑不嫁女與。我今已知。願受我女。用以爲妃」。

爾時太子占良善日及吉宿時。稱自家資。而辦具度。持大王勢。將大王威。而用迎納耶輸陀羅。以諸瓔珞。莊嚴其身。又復共於五百婇女。相隨而往。迎取入宮。共相娯樂。受五欲樂。是故偈言

耶輸陀羅大臣女　名聞蓋國遠近知
占卜吉日取爲妃　迎將來入宮殿内
太子共其受慾樂　歡娯縱逸不知厭
猶如天主憍尸迦　共彼舍脂夫人戲

◇**『過去現在因果経』巻二　宋・天竺三藏求那跋陀羅譯（大正蔵・三巻）**

爾時彼園。種種莊嚴。施列金鼓銀鼓鍮石之鼓銅鐵等鼓。各有七枚。爾時提婆達多。最先射之。徹三金鼓。次及難陀。亦徹三鼓。諸來人衆。悉皆雅歎。爾時群臣。白太子言。提婆達多及與難陀。皆已射訖。今者次第正在太子。唯願太子射此諸鼓。如是三請。太子曰善而語之言。若欲使我射諸鼓者。此弓力弱。更覓強者。諸臣答言。太子祖王有一良弓。今在王庫。太子語言。便可取來。弓既至已。太子即牽以放一箭。徹過諸鼓。然後入池。泉水流出。又亦穿過大鐵圍山。

『釈氏源流』仏教東伝記事の歴史観と挿図の意味

吉原浩人

一、問題の所在

今回は、二つの問題意識に基づいて発表させていただきます。

平安時代後期の『今昔物語集』は、逸事で綴るインド・中国・日本仏教通史と言うことができます。これに擬えるならば、中国明代に撰述された『釈氏源流』は、二八八字以内の逸事で綴るインド・中国仏教通史と表現することができます。つまり、二つの作品はある意味では非常に似ているということです。そこでまず第一の問題の所在として、『釈氏源流』はどのような中国仏教の歴史観を受け継いでいるのか、ということを明らかにしたいと思います。今回は、本書の全体像をお話しすることはできないので、下巻における隋唐以前、すなわち六朝時代（巻第六一話まで）の出典を通じて考察いたします。

次の問題意識は、『釈氏源流』の挿図についてです。『釈氏源流』は、上段に挿図、下段に文章という構成で統一されていますが、この図がアジア全域の仏伝図に大きく影響を与えています。日本では、『釈氏源流』の挿図は、清凉寺蔵『釈迦堂縁起絵巻』六巻（重要文化財、狩野元信筆）の粉本となるなど、室町・江戸期の絵画に影響を与えています。このことについて、畑麗さんと土谷真紀さんが、二〇〇七、八年ごろに相前後して明らかにされましたが、私などはこの新説にたいへんな衝撃を受けました。[1]

ここに、『釈氏源流』挿図が、『釈迦堂縁起絵巻』に影響を与えた実例を一つだけ掲げておきます。絵巻第五巻には、日本から渡った奝然が生身仏を模刻するため、世界最初の仏像を奉じて、北宋の太宗に見送られ宮中滋福殿の門から出る場面【図1】がありますが、このもとになったのは『釈氏源流』下巻「栴檀仏像 三十九」の場面なのです[2]【図2】。

話を戻しますが、第二の問題の所在として、『釈氏源流』挿図の意味について、「明帝感夢 六」「比法焚経 七」を例に、『聖徳太子絵伝』に描かれた同様の場面と比較して考えて参りたいと思います。

二、『釈氏源流』下巻第六一話までの出典とその仏教史観

『釈氏源流』は、話の冒頭に「仏祖統記云」などと出典を明記しています。これに従い、『釈氏源流』下巻冒頭六一話、すなわち六朝時代までの出典書目をまとめ

図1　清凉寺本『釈迦堂縁起』第五巻

図2　早大本『釈氏源流』下巻「栴檀仏像 三十九」

ると、以下のようになります。[3]

①『列子』（偽書）……「列子議聖 四」
②『周書異記』（偽書）……「仏先現瑞 二」
③梁・慧皎『高僧伝』一四巻……「跏亭度蟒 九」「支遁誠勗 十九」「法開医術 二十一」「曇猷度蟒 二十二」「慧永伏虎 二十三」「虎渓三笑 二十四」「羅什訳経 二十五」「木杯渡水 二十八」「夢中易首 三十一」「剣斫不傷 三十三」
④梁・僧祐『弘明集』一四巻……「牟子理惑 十」「文帝論法 三十」
⑤梁・僧祐『出三蔵記集』一五巻……「康僧舎利 十一」「善悪報応 十三」
⑥梁・未詳『慈悲道場懺法伝』……「梁皇懺法 三十七」
⑦唐・道宣『続高僧伝』三〇巻……「天雨宝華 四十一」「慧約説戒 四十二」「礼懺除愆 四十三」「焼毀仙書 五十」「誦経免難 五十二」「恵恭処誦 五十三」「面陳邪正 五十五」「吐肉飛鳴 五十六」「慧思妙悟 五十八」「七詔還都 六十」
⑧唐・道宣『広弘明集』三〇巻……「漢書論仏 八」「罷道為僧 四十九」
⑨唐・道宣『集古今仏道論衡』四巻……「比法焚経 七」「三教優劣 十二」「捨道奉仏 三十六」
⑩唐・道宣『集神州三宝感通録』三巻……「道安遠識 二十」
⑪唐・道世『法苑珠林』一〇〇巻……「図澄神異 十六」「道進忠直 十七」「浮江石像 十八」「道融捔法 二十六」「文帝問法 二十九」「僧亮取銅 三十二」「採乳遇難 三十四」「宝誌事蹟 三十五」「栴檀仏像 三十九」「誦経延寿 四十四」「法聡伏虎 四十五」「接駕釈冤 四十八」「誦経免死 五十一」「僧実救難 五十四」「恵布度生 六十一」「僧瓚求法 五十七」
⑫北宋・契嵩『伝法正宗記』九巻……「達磨渡江 四十六」「立雪斉腰 四十七」

⑬南宋・志磐『仏祖統記』五四巻……「明帝感夢 六」「鄮山舎利 十四」「水陸縁起 三十八」「法蔵縁起 四十」
⑭元・曇噩『新脩科分六学僧伝』三〇巻……「妙悟法華 五十九」
⑮元・未詳『梓潼帝君化書』……「梓潼聞仏 三」「梓潼遇仏 五」
⑯明・未詳『神僧伝』九巻……「書域治病 十五」「賢石点頭 二十七」

下巻仏教東伝記事の冒頭には、「諸祖遺芳 一」「仏先現瑞 二」「梓潼聞仏 三」「列子議聖 四」「梓潼遇仏 五」の五話を配します。このうち、一は下巻全体の序文にあたるもので、二は『周書異記』、三・五は『梓潼帝君化書』、四は『列子』を引用します。続く「明帝感夢 六」は『仏祖統記』、「比法焚経 七」は『集古今仏道論衡』を出典とします。さらにこれに続く第六一話までは、隋唐以前の仏法の受容と伝播の物語です。その出拠は、『高僧伝』『続高僧伝』『弘明集』『広弘明集』『慈悲道場懺法伝』『出三蔵記集』『集古今仏道論衡』『集神州三宝感通録』『法苑珠林』『伝法正宗記』『仏祖統記』『新脩科分六学僧伝』『神僧伝』の十三書目に限られます。

これらは、元代の『新脩科分六学僧伝』『梓潼帝君化書』、明代の『神僧伝』を例外として、梁・武帝代の仏書、唐初の道宣・道世の編纂書、そして宋代の仏教史書なのです。こういった書物を出典として採用したことは、一定の仏教史観に基づいたものと考えられますが、その仏教史観とは、いったどういったものだったのでしょうか。

まず、仏教の中国への伝来に関して検証します。中国人にとって、仏教がいつ伝来したかというのは、たいへん大きな問題であり、仏教・道教双方で様々な議論が戦わされました。[4]『釈氏源流』では、「仏先現瑞 二」に『周書異記』を引いています。これは南北朝期に作られた偽書で、周の昭王二四年（AD九七七）四月八日に西方に五色の光気が輝いたのを釈尊の誕生とし、穆王五二年二月一五日の暴風と白虹を入滅と結び付けたもので、仏誕が中国の史書に記録されていたと主張する根拠の一つとしたものです。次いで「梓潼聞仏 三」は『梓潼帝君化書』巻一、「梓潼遇仏 五」は同書巻四からの引用で、道蔵収載書ではありますが、仏教の霊験をも記しており、後漢明帝以前に西方に大聖人がいたことを知っていたという内容です。「列子議聖 四」に引く『列子』は、戦国時代の列禦寇撰述のものではなく、『広弘明集』『法苑珠林』『破邪論』に引用される偽書で、孔子が釈尊の存在を知っていたとするものです。「明帝感夢 六」は、最もよく知られた中国への仏教伝来譚です。後漢の明帝が夢に金人を見て、西域に使者を遣わして伝えたと『後漢記』『後漢書』『牟氏理惑論』などに伝えています。迦葉摩騰が白馬に仏像と仏典を載せて伝えたという説は、南斉・王琰『冥祥記』まで降ります。「比法焚経 七」は、『漢法本内伝』に基づき、後漢・明帝時の仏教と道教の対立を験比べで解消したとするものです。

仏教が、西域からシルクロードを経て洛陽に伝来したという言説以外に、インドから海上を経て江浙地方に仏教が伝わったという伝承があります。すなわち、後漢の明帝以前に、仏教は江南に存在しており、これらの地こそが、中国への仏教伝来の嚆矢なのだというのです。近年、こういった仏教史観について、本日の講演者の肥田路美教授は、注目すべき業績を相次いで公刊しておられます[5]。肥田教授は、道宣『集神州三宝感通録』三巻の詳細な読解を通じて、新たな仏教史観を構築しておられ、これについて以下のように端的にまとめておられます[6]。

つまりこれらのことから、道宣のえがいた中国仏教の黎明期のありようは、以下のような図式ではなかっただろうか。

後漢の明帝の感夢によってはじめて帝都洛陽に仏・法・僧がもたらされた。しかし実はそれよりはるか以前に阿育王が造った八万四千塔が中国にもあり、北方から尋ね求めて来た劉薩訶がその二基――鄮県塔と長干寺塔――を呉越の地で再発見した。江南の仏教はこれほど古くて正統的な由緒があるのだ、と。

ここで、道宣の中国仏教史観の基幹に、鄮県塔と長干寺塔という、古代インドの阿育王が作成した八万四千塔の、中国における再発見の伝承があることを明確に指摘していらっしゃいます。

中原への仏教伝来に先立つ阿育王塔伝承は、恵皎『高僧伝』巻一「康僧会六」に記されています。康居出身の康僧会が、呉の建業(南京)で孫権に対し、舎利の霊験と阿育王の八万四千塔伝説を説き、舎利が湧出したため建初寺を建立したとあります。この後身が長干寺で、明代に永楽帝が再建した大報恩寺の前身です。現在の南京市大報恩寺遺址公園の写真を掲げます【図3】。大報恩寺の瑠璃宝塔址地下宮殿から、二〇〇八年に黄金に輝く阿育王塔が出土しました【図4】。北宋の大中祥符四年(一〇一一)の銘文があります。この地はまさに、洪熙元年(一四二五)に、宝成によって『釈氏源流』が編纂され、印行された場所でもあるのです。

鄮県塔については、『釈氏源流』下巻「鄮山舎利 十四」に語られています。鄮山とは、現在の浙江省寧波市阿育王寺を指します。『釈氏源流』では『仏祖統記』を引きますが、そのもとになったのは、『集神州三宝感通録』巻上「西晋会稽鄮塔縁一」で、慧達(劉薩訶)が頓死蘇生して、会稽で宝塔と仏舎利を探したところ、湧出したという話です。

こういった言説は、建康に都を置いた南朝の梁代から盛んに語られるようになり、唐代初期の道宣と道世の仏教史観によって完成しました。道宣には、『四分律刪繁補闕行事鈔』三巻など南山律関連の主著以外に、『続高僧伝』三〇巻・『釈迦方志』二巻・『集神州三宝感通録』三巻などの史書、『広弘明集』三〇巻・『集古今仏道論衡』四巻などの護法論、『大唐内典録』一〇巻などの経録など、膨大な著作群があります。同門の道世は、『法苑珠林』一〇〇巻を編纂していま

図3　長干里大報恩寺遺址公園遠景

す。これらは、梁・武帝の時代の『高僧伝』・『弘明集』・『出三蔵記集』などを継承したもので、『釈氏源流』の仏教史観は、これらに加え宋代の『仏祖統記』を加えて形成されたと考えられるのです。

私たちは、中国の仏教史書を、『日本霊異記』『三宝絵』『今昔物語集』などの典拠を供給する資料としてしか見ていなかったのではないでしょうか。しかし、各書にはそれぞの歴史的・宗教史的背景があり、編纂原理があります。今後は、それらの事情を踏まえて論ずる必要があるでしょう。特に、梁の武帝代の建康における、僧祐・慧皎らの編纂事業、唐初の長安西明寺における、道宣・道世らの編纂事業について理解し、その意義を受け止めなければならないと思います。西明寺は、顕慶元年（六五六）八月から造立が開始され、三年（六五八）六月に完成したとされます。これは、祇園精舎を摸して造立したと伝えられ、日本平城京の大安寺は西明寺を摸して造られたといいます。西明寺には、日本僧の道慈・永忠・空海・円珍・円載・宗叡・真如らが住したことがあり、特に道慈は、帰国後に大安寺の整備に尽力し、『日本書紀』の編纂に関与したとされます。『日本書紀』における百済から日本への仏教伝来記事の書き方をみると、西明寺仏教の影響があったとも考えられるのです。

図４　阿育王塔（大中祥符四年）

三、『釈氏源流』下巻第六話・第七話をめぐって

次の問題は、『釈氏源流』の「明帝感夢 六」「比法焚経 七」の挿図をめぐるものです。先にも少し述べましたが、

ここには、後漢の明帝の時に仏教がインドから中国に伝来した場面と、仏教と道教の験比べの場面を描いています。在来宗教に対して、仏法の圧倒的な霊験性・神秘性を強調して優位性を示すこの話は、後世に大きな影響を与えることになりました。ここでは、その意味を明らかにするとともに、『釈氏源流』の挿図と、この場面を描く『聖徳太子絵伝』との類似性について、新たな見解を示したいと思います。

『釈氏源流』「明帝感夢 六」「比法焚経 七」の内容は、『今昔物語集』巻六―二と重なっています。ここに、中国への仏教伝来の始まりと、伝統宗教であるいわゆる道教と新来宗教の対立や、験比べによる仏法の勝利が描かれています。この物語は、唐代の道宣と道世の編著書に引く佚書『漢法本内伝』によって、知られるようになりました。『漢法本内伝』は、北魏中期に道教徒を攻撃するために撰述されたとされる偽書で、全五巻であったといい、その第三巻に「与諸道士比校度脱品」があったとされます。

『釈氏源流』「明帝感夢 六」【図5】では、『仏祖統記』を引いて、中国への仏教伝来を語ります。後漢の明帝が夢に金人を見て、西域に蔡愔（さいいん）らの使者を遣わしたところ、天竺から摩騰（まとう）と竺法蘭（じくほうらん）が仏の図像と梵本の経巻を白馬に乗せて伝えてきたとしています。これらの伝承は、はやい時代から『後漢記』『後漢書』『牟氏理惑論』などに伝えられていました。ただ、白馬に仏像と仏典を載せて伝えたという説は、南斉の王琰『冥祥記』まで降ります。この挿図には、明帝が夢に金人すなわち仏を夢見た場面と、蔡愔に探索を命ずる場面が描かれています。

「比法焚経 七」【図6】では、道宣『集古今仏道論衡』を引いて、後漢の明帝の

図5　早大本『釈氏源流』下巻「明帝感夢 六」

図6　早大本『釈氏源流』下巻「比法焚経 七」

時に仏教と道教の対立を験比べで解消したとしますが、これは『漢法本内伝』を取捨引用したものです。白馬寺における、明帝臨席の験比べにおいて、摩騰法師ら僧侶と五岳諸山の道士たちは、互いの聖教に火を付け合ったところ、道教経典は燃えあがり灰燼に帰してしまいましたが、仏教経典は虚空に昇り五色の光明を放ち、摩騰法師は虚空に上がり神変を現したといいます。さらに竺法蘭は大梵音で仏の功徳を説いたところ、道士たちは出家を求めたと伝えます。挿図では、猛火に包まれる道教経典と五色の光を放つ仏典などを納めた函を対比して描いています。虚空には飛び上がった摩騰、その下には函に合掌する明帝と平伏する大臣、左側には困惑する道士たちが描かれています。私は『釈氏源流』のこの場面を初めて見たとき、ほんとうにびっくりいたしました。なぜこのように似た場面があるのかと。実は、私が長年研究している『聖徳太子絵伝』に、これとそっくりな場面があるからです。この問題について、考えてみましょう。

　智昇『続集古今仏道論衡』巻一に引く『漢法本内伝』佚文では、摩騰法師がまず阿羅漢果を得て虚空に飛び、宝華を雨降らしたのち、大衆に向かって以下の偈を説いて呼びかけたといいます。

狐非㆓師子類㆒、燈非㆓日月明㆒、
池無㆓巨海納㆒、丘無㆓嵩岳嶸㆒。
法雲垂㆓世界㆒、善種得㆓開萌㆒、
顕㆓通希有法㆒、処処化㆓群生㆒。

《狐は獅子の類ではなく、燈火は日月の明るさには及びません、池は巨海を納めることはなく、丘は崇岳の険しさには及びません。仏法の雲は世界に垂れ、仏法の善い種子は開き萌すことを得て、希有の法を顕らかに流通させ、閻浮提処々の衆生を教化するでしょう。》

この偈文の前半では、道教は卑小な存在であることを述べ、後半では仏法が世界に流通することを高らかに宣言し、仏教への帰依を呼びかけています。そしてこれを聞いた道士の一部は、仏法に帰依することを誓ったというのです。この偈文は、『破邪論』巻上・『歴代法宝記』・『景徳伝灯録』巻一一・『仏祖歴代通載』巻四と巻二一などにも引用され、仏法勝利の象徴として流布していました。

そしてこの偈文は、意外なところにも記されていました。富山県南砺市瑞泉寺蔵『聖徳太子絵伝』第五幅上部にある色紙形【図7・図8】です。この絵伝は、阿部泰郎氏や村松加奈子さんを中心とする名古屋大学や龍谷大学の方々によって解明が進められており、図録や論文も公刊されています。[7] しかしこの周辺の絵相と、偈文との直接関係は薄いようにも見えます。ではなぜ、この偈文が中世聖徳太子伝の絵解きの場面において、称(とな)えられていたのでしょうか。この幅の上部には、聖徳太子が造立したという四天王寺が描かれているので、仏法の勝利を示したものであるとも考えられましょう。

中世太子伝の一つ、『太鏡底容鈔』巻一「舎利将来事」には、以下のように記されています。[8]

> 又摩騰羅漢其ノ身上テ二虚空ニ一、現二十八変一。還テ着二本座ニ一、説レ偈ヲ言ク、狐ハ非二師子ノ類(タチ)ニ一、燈非二日月ノ明ニ一、池無二巨海納一、丘無二嵩岳嶸一。如レ此出テ二大梵音声ヲ一、讃二嘆シ舎利功徳ヲ一、演二説ス大少ノ法門一ヲ。

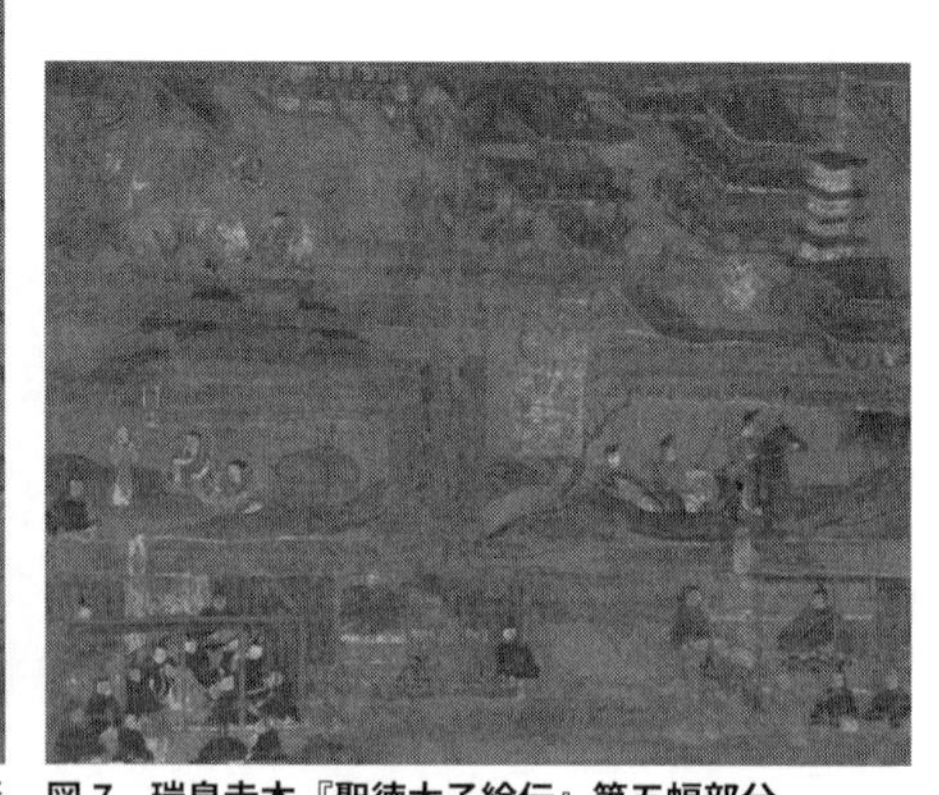
図7　瑞泉寺本『聖徳太子絵伝』第五幅部分

図8　瑞泉寺本『聖徳太子絵伝』第五幅色紙形

この偈文の前半部分が、傍線部に引用されていることが確認できます。他の絵解き台本おいて、この偈文は見出されてはいないようですが、中世聖徳太子伝絵解きの際の秘事口伝において、この偈文が語られていたことは間違いなさそうです。

ところで、中国における仏教伝来の認識は、平安時代後期の『今昔物語集』に大きく取り上げられています。震旦部冒頭巻六の第一話は、秦の始皇帝の時に天竺僧の釈利房が渡来したものの、皇帝が理解しなかったため、仏法は広まらなかったという内容です。この話の末尾に、阿育王が造立した塔が中国にもあると記されているのは、日本における仏教伝来の歴史認識の上で、大きな意味を持つと思います。さて第二話「震旦後漢明帝時、仏法渡語第二」は、『釈氏源流』下巻第六・第七話に相当する話です。長文なので、以下に要旨を示します。

①震旦の後漢の明帝の時に、金色で身長が一丈ばかりの人が来ると夢見た。大臣に占わせたところ、他国から高貴な上人がやってくるといい、果たして天竺から摩騰迦・竺法蘭の二僧が仏舎利と聖教を背負ってやって来て、人々は喜んで帰依した。②それを認めない大臣・公卿も多かった。五岳の道士たちは、服装も異なりわけもわからない者たちが、つまらない経典を持って来たのを、皇帝が崇めるのは許されないと譏ったが、皇帝は白馬寺を建立して帰依した。③道士は、自分たちが立てた道は、過去・未来の事を占うことができ、未然に善悪の相を知ることができる霊験あらたかな神の道である。古代から貴賤上下が信奉してきたのに、このような髪のない者たちの教えを信じ、見捨てられたように思われる。験競べによって、勝った方を尊び、負けた方を捨てて欲しいと望んだ。④皇帝は、摩騰法師に問うと、喜んで勝負を受けようと答えた。⑤摩騰法師と道士たちは、殿中の庭の前で術比べを行う宣旨を得て、当日は国中から貴賤上下の人々が見物に集った。二千人の道士が東側のテントに並んだが、摩騰法師の方にはただ大臣一人がいただけであった。ただし皇帝は、ひそかに

心を寄せていた。⑥道士は、玉の箱の中に、依拠する典籍を入れて、装飾した台の上に並べた。西側のテントにはただ二人であったが、瑠璃の壺に仏舎利を入れ、装飾した箱に天竺から渡した二三百巻の聖教を入れた。摩騰法師の側から、道士の法文に火を付け、道士の側も摩騰法師の聖教に火を付けた。道士の法文には、炎が盛んについて黒い煙が空に昇った。⑦摩騰法師の側の仏舎利は、光を放って空に昇った。聖教も、仏舎利とともに空に昇って虚空に留まった。摩騰法師は香炉を取って、目を離さないで座っていた。道士の側の法文は、すべて焼け果てたので、道士の中には、舌を食い切ったり、目から血の涙を流したり、鼻から血を流したり、息絶えて死んでしまった者もいた。あるいは、摩騰法師の側に来て、弟子になった者もいた。皇帝は、これを見て、摩騰法師を礼拝した。⑧その後、仏教は漢土に広まって、今に至るまで盛んであると語り伝えている。

本話の同文的同話が、『打聞集』二二にあるところから、平安後期に和文脈で中国への仏教伝来譚が語られていたことは確実です。そしてそれは、道宣・道世の仏教史観を受け継いだものなのです。

中世の聖徳太子伝絵解き台本では、『聖徳太子内因曼陀羅』上巻と、『正法輪蔵』「道士勝負記」に、この話が語られています[9]。中国への仏教東伝故事を描いた中世の『聖徳太子絵伝』は、愛知県安城市本證寺本第四幅[10]、大阪市四天王寺本（二幅本）第二幅、兵庫県加古川市鶴林寺本第三幅に描かれているのが知られています（いずれも重要文化財指定）。まず鎌倉時代の本證寺本第四幅には、後漢明帝の宮殿前で僧侶と道士が二手に分かれ、経典に火を付けている場面が描かれます【図

図9　本證寺本『聖徳太子絵伝』第四幅部分

9】。『聖徳太子内因曼陀羅』上巻では、この部分を以下のように記しています。

> 二僧ハ経巻・本尊・仏舎利等ヲ敬テ壇ノ上ニ置ク。是ヲ見テ道士モ文籍等ヲ壇ニ置キテ、自ラ火ヲ放ツニ、漢土ノ文籍等ハ悉ク以テ焚焼シヌ。但シ九経三夫(ママ)許リハ相残ル。天竺将来ノ経論等、一巻一字モ焼スシテ、火災ノ中ヵ壇ノ上ヘニ鮮カ也。道士等力ヲ尽シテ火ヲ以テ経巻等ニ吹キ付レトモ叶ハス。剰サヘ悉ク虚空ニ上カリテ、二僧共ニ大光明ヲ放チ、日輪ニ映ス。爰ニ道士等、赤面喚愁ス。時キニ天皇大臣以下、国内万民悉ク月氏ノ教法ニ帰依スルウエハ、道士等カヘリテ二僧ヲ恭敬シテ仏法ニ帰ス。

本證寺本の上部左側には、空中に上がった二僧と、仏舎利・仏図像・経巻と、光を失った日輪が描かれています【図10】。これを『聖徳太子内因曼陀羅』上巻では、次のように記しています。

> 道士幻術ヲ以テ日輪ヲ招テ、二人ノ僧ノ頂ヲ照シテ極熱スルコト焼ク如シ。此ノ時キ二僧仏舎利ヲ以テ宮中ニ投ケ上クルニ、舎利光リヲ放テ日輪ヲ奪フ。

道士が幻術をもって日輪を招いたところ、二僧が仏舎利を投げ上げ、日輪の光を奪ったというのです。

四天王寺本（二幅本）の第二幅には、これらの場面に加え「漢土白馬寺」が描かれます【図11】。明帝の前の験比べでは、燃えさかる炎に焼かれる道教経典と悲嘆に暮れる道士たちの

図 10　本證寺本『聖徳太子絵伝』第四幅部分

図 11　四天王寺本『聖徳太子絵伝』第二幅部分

図 12　四天王寺本『聖徳太子絵伝』第二幅部分

図 13　四天王寺本『聖徳太子絵伝』第二幅部分

向かいには、火が付かない仏舎利・仏像図・経巻と二僧たちが描かれます【図12】。さらにその上には、空中に飛び上がった二僧と仏舎利・仏像図・経巻と、光を失った日輪が描かれます【図13】。

鶴林寺本では、白馬に経巻などを載せて明帝の宮殿を訪れる場面【図14】が描かれます。験比べの場面では、火に包まれる道教経典と、光を放つ二僧、自殺する道士などが描かれています【図15】。さらには、空中に上がる仏舎利と二僧の場面も描かれています【図16】。この場面で特徴的なのは、獅子と象が描かれていることです【図17】。獅子は文殊菩薩、象は普賢菩薩の乗物ですが、ではなぜこれらの聖獣が描かれているのでしょうか。この謎を解くことに示唆を与えてくれるのは、『聖徳太子内因曼陀羅』上巻の以下の記述です。

是ヲ始メトシテ、彼レハ禹王ヲ出セハ、是ハ師子王ヲ出タシ、乃至二王打倒(チヤウタウ)山岳ヲ顕ハセハ、或ハ大那羅延ヲ現ス。

道士が禹王を出現させれば、僧はこれに対抗して獅子王を出したという語りに基づいて、この場面が描かれたのではないでしょうか。

秘説の一部を明かす聖徳太子伝の絵解き唱導においては、中国仏教伝来の際に生じた、道教と仏教の衝突について語っていました。絵伝と絵解き台本の一例ずつしか明らかになってはいませんが、『漢法本内伝』の道教への優越性を示す偈文も、絵解きの場で称えられていたようです。これらは、『日本書紀』などに記される、日本仏教伝来の際の、物部氏（神道）と蘇我氏（仏教）の争いと重ね合わせられて聖徳太子伝の中で語られたはずで、ともに仏教の勝利を謳い上げるものでありました。

さて、『釈氏源流』は明代編纂であって、鎌倉時代の本證寺本『聖徳太子絵伝』や、南北朝時代の四天王寺本・鶴林寺本『聖徳太子絵伝』の方が、時代は古いのです。しかし、『釈氏源流』の「比法焚経」の場面の挿図は、『聖

図 14　鶴林寺本『聖徳太子絵伝』第三幅部分

図 15　鶴林寺本『聖徳太子絵伝』第三幅部分

図 17　鶴林寺本『聖徳太子絵伝』第三幅部分

図 16　鶴林寺本『聖徳太子絵伝』第三幅部分

徳太子絵伝』との共通点が多くみられます。この場面に関しては、日本から中国への影響が考えられない以上、『釈氏源流』をさらに溯る、東アジアに共通する、粉本の存在を想定することができるのではないでしょうか。『釈氏源流』のわずかな場面から、多くの想像をめぐらしましたが、このような可能性をお伝えして、今回の発表を終わらせていただきます。

注

1　畑麗「釈迦堂縁起絵巻の研究——仏伝図としての視点を中心に——」(『鹿島美術研究年報』二五別冊、二〇〇八年一一月)、土谷真紀『初期狩野派絵巻の研究』(青簡舎、二〇一九年、初出二〇〇七年)。

2　『釈氏源流』のこの場面は、梁の武帝が、夢告により世界最初の仏像である生身の優填王思慕像、すなわち梅檀仏を求めるため、郝騫らを使者として天竺に派遣し、舎衛国において梅檀像を紫檀で模刻させたところ、第二像も霊瑞を示したため、天監一〇年(五一二)に建康に迎えた場面である。輿の後に従うのは武帝であるが、『釈迦堂縁起絵巻』では北宋の太宗が宮中滋福殿から梅檀佛を見送る場面に読み替え、この場面を構成している。梅檀仏については、吉原浩人「霊像の生身表現の淵源とその展開——優填王思慕像の東遷伝承と善光寺縁起・絵伝——」(徳田和夫編『中世の寺社縁起と参詣』竹林舎、二〇一三年)参照。

3　第六一話までに、「高僧伝云」とするが『続高僧伝』を出典とするものが三話(五五・五八・六〇)あり、その部分は修正した。『釈氏源流』については、小峯和明編『東アジアの仏伝文学』(勉誠出版、二〇一七年)、説話文学会編『説話文学研究の最前線』(文学通信、二〇二〇年)所収各論文を、早稲田大学本については、河野貴美子「早稲田大学図書館所蔵富岡鉄斎旧蔵明刊『釈氏源流』について」(『早稲田大学図書館紀要』第六九号、二〇二二年三月)を参照されたい。

4　中国への仏教伝来の諸説は、鎌田茂雄『中国仏教史』第一巻(東京大学出版会、一九八二年)、任継愈主編『定本中国仏教史』Ⅰ(柏書房、一九九二年)などに整理されている。

5　早稲田大学大学院東洋美術史・肥田路美『美術史料として読む『集神州三宝感通録』――釈読と研究――』（一）〜（一五）（早稲田大学大学院東洋美術史、二〇一一年二月〜二〇二三年八月）など。

6　肥田路美「初唐道宣の『集神州三宝感通録』と呉越」（瀧朝子編『呉越国 10世紀東アジアに華開いた文化国家』勉誠出版、二〇二二年）。

7　瑞泉寺本『聖徳太子絵伝』については、『井波別院瑞泉寺所蔵「聖徳太子絵伝」研究資料』（名古屋大学大学院文学研究科附属人類文化遺産テクスト学研究センター、二〇一五年）、松山充宏「画讃で読み解く太子絵伝――瑞泉寺本の制作者を探る――」（『富山史壇』第一六六号、二〇一一年一二月）、村松加奈子「瑞泉寺本聖徳太子絵伝――その〝説話性〟と〝礼拝性〟をめぐって」（『説話文学研究』第五二号、二〇一七年九月）、[展観図録]『真宗と聖徳太子』（龍谷大学龍谷ミュージアム、二〇二三年三月）など参照。

8　翻刻は、牧野和夫「釈聖云撰『太鏡底容鈔』『太鏡百錬抄』解説・翻印――その一『太鏡底容鈔』――」（『かがみ』第三一号、一九九四年三月）、影印は『大東急記念文庫善本叢刊中古中世篇』第一六巻「聖徳太子伝」（汲古書院、二〇〇八・一）参照。説話文学会での発表時には、『太鏡底容鈔』の偈文引用について失念していたが、会場において阿部泰郎氏の教示を得た。

9　『真宗史料集成』第四巻「専修寺・諸派」（同朋舎出版、一九八二年一一月）、川口久雄「越前国丹生郡法雲寺所蔵『道士勝負記』とその絵解きについて」（『金沢大学日本海域研究所報告』第六号、一九七四年三月↓『敦煌よりの風』四「敦煌の仏教物語〔下〕」、二〇〇〇年四月）、吉原浩人「観音の応現としての聖徳太子・親鸞――『聖徳太子内因曼陀羅』――」（『国文学 解釈と鑑賞』第五四巻一〇号、一九八九年一〇月）、同「『聖徳太子内因曼陀羅』の一側面――その唱導性をめぐって――」（『印度学仏教学研究』第三八巻第二号、一九九〇年三月）など。

10　本幅は、本證寺蔵『聖徳太子絵伝』第四幅として重要文化財に指定されているが、本来は『善光寺如来絵伝』の一部であると解されている。真宗重宝聚英第三巻『阿弥陀仏絵像・阿弥陀仏木像・善光寺如来絵伝』（同朋舎、一九八九年）、『本證寺所蔵「聖徳太子絵伝」研究資料』（名古屋大学大学院文学研究科附属人類文化遺産テクスト学研究センター、二〇一六年九月）など参照。

図版出典

図1　清凉寺本『釈迦堂縁起』第五巻（『国宝　大絵巻展――京都国立博物館所蔵・寄託の名宝一挙大公開――』、九州国立博物館、二〇〇八年）、九四頁

図2・図5・図6　早稲田大学本『釈氏源流』下巻　早稲田大学中央図書館蔵

図3　南京市大報恩寺遺址公園　二〇二三年三月二八日筆者撮影

図4　阿育王塔（大報恩寺遺址公園博物館）　二〇二三年三月二九日筆者撮影

図7・図8　瑞泉寺本『聖徳太子絵伝』第五幅部分（『井波別院瑞泉寺所蔵「聖徳太子絵伝」研究資料』名古屋大学大学院文学研究科附属人類文化遺産テクスト学研究センター、二〇一五年）、八頁

図9・図10　本證寺本『善光寺如来絵伝』第四幅部分（『本證寺所蔵「聖徳太子絵伝」研究資料』名古屋大学大学院文学研究科附属人類文化遺産テクスト学研究センター、二〇一六年）、一八頁

図11～図13　四天王寺本『聖徳太子絵伝』第二幅部分（『法然上人絵伝～親鸞が追い求めた師の姿』山梨県立博物館、二〇一九年）、九七頁

図14～図17　鶴林寺本『聖徳太子絵伝』第三幅部分　一九九〇年六月一三日筆者撮影（掲載許可確認済）

シンポジウム

シンポジウム❸

造形語彙集としての『釈氏源流』——日本中世絵巻との接点を探る

山本聡美

はじめに

『釈氏源流』は、明時代の永楽二〇年（一四二二）に編纂され、洪熙（こうき）元年（一四二五）に開版の後、正統（せいとう）元年（一四三六）版、景泰（けいたい）年間（一四五〇～五六）版など版を重ねつつ、韓国、ベトナムなど周辺地域に広がり日本へも開版後早い時期にもたらされました。中世日本の絵画制作における『釈氏源流』の受容について、これまで、室町時代の永正一二年（一五一五）頃に制作された京都・清凉寺所蔵「釈迦堂縁起絵巻」や、一六世紀の制作とみられる壬生寺所蔵「仏伝図」等、『釈氏源流』開版後の作例との関連から注目されてきました。

一方、仏伝場面に特定せずに中世日本の仏教説話画を見渡すと、『釈氏源流』と通底する図像を有する作例をいくつか指摘することができます。注意すべきは、そこに中世前半に制作された作例が含まれており、当然ながら明時代に編纂された『釈氏源流』が参照されたものではありません。逆に、『釈氏源流』の図様が同書開版以前の仏教説話画の造形的伝統を継承するものであることが、この事実によって改めて浮き彫りとなります。

本稿では、一三世紀の日本で制作された絵巻を中心に、『釈氏源流』とモチーフや構図において共通点を見いだせる事例に注目し、仏教説話画における造形語彙ともいうべき図像が、当該期の中国を中心とする東アジア圏で共有されていた可能性について考えてみたいと思います。なお、本稿で取り上げる『釈氏源流』は、富岡鉄斎旧蔵の早稲田大学図書館本を用い、各段の題目と通し番号も同本に基づいています。

一、「釈迦堂縁起絵巻」における『釈氏源流』受容

考察に先立って、従来から注目されている「釈迦堂縁起絵巻」における『釈氏源流』受容について確認しておきます。この絵巻は清凉寺の本尊である釈迦如来像（北宋・雍熙二年〈九八五〉）の造立と伝来の縁起を主題とし、全六巻・四六段で構成されています。永正一二年（一五一五）頃に、詞書を定法寺公助（一四五三〜一五三八）、絵を狩野元信（一四七六頃〜一五五九）及びその工房が手掛けて成立したものと見られます。このうち第一巻と第二巻に仏伝が表わされ、『釈氏源流』を参照したと思しき二〇場面ほどが確認されています。先行研究においては、畑麗氏が増上寺本『釈氏源流』の調査を通じて「釈迦堂縁起絵巻」との接点に着眼し、[1]土谷真紀氏によって『釈氏源流』諸本の整理と「釈迦堂縁起絵巻」との総合的な比較がなされています。[2]両氏の研究によって、同絵巻における『釈氏源流』参照箇所が明らかにされており、ここでは、最も典型的な例として、第一巻第二段で摩耶夫人の夢に象に乗った護明菩薩が現れて託胎する場面と、摩耶夫人が夫の浄飯王へ自分の見た夢を報告する一連の場面【図1】を見ておきます。

『釈氏源流』では上巻第五段の「摩耶託夢」【図2】の場面に夢を見る摩耶夫人と、浄飯王の宮殿が同時に描かれています。そして、絵巻においてもこれらが連続する場面として描かれています。『釈氏源流』と「釈迦堂縁起

図１　清凉寺蔵「釈迦堂縁起絵巻」（1515 年頃）第１巻第２段

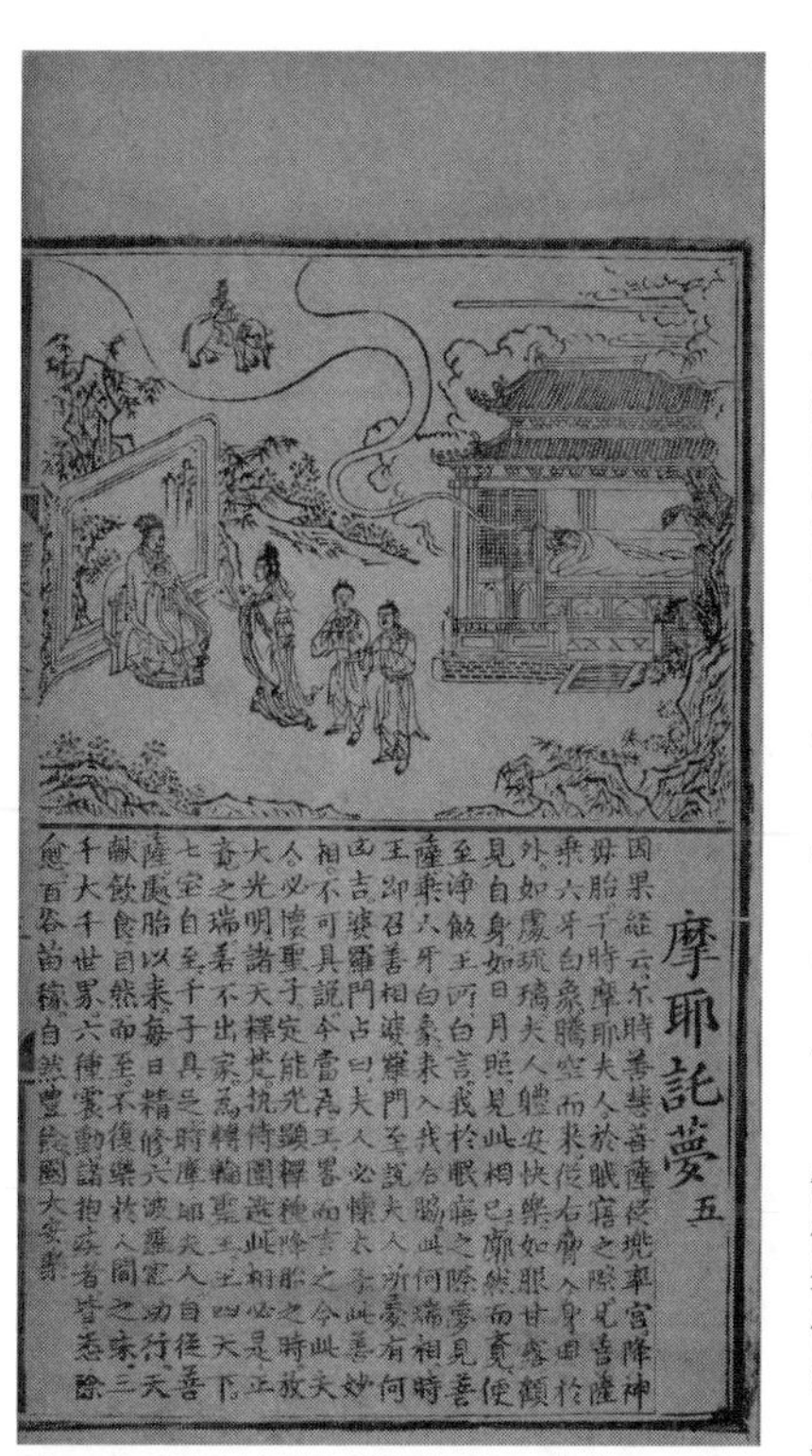

図２　早稲田大学蔵『釈氏源流』上巻五「摩耶託夢」

絵巻」との強い結びつきが看取されますが、一方で、細部の描写には違いもあり、なんといっても、単色の描線による簡略な描写しかなされていない『釈氏源流』以上に、「釈迦堂縁起絵巻」の方が詳細に描かれております。つまり、『釈氏源流』を参照するだけでただちに「釈迦堂縁起絵巻」が制作できるわけではないのです。

一方、次に見る鹿児島県歴史・美術センター黎明館所蔵「釈迦八相図」【図３】は、明時代初頭の成立と見られる絹本着色の絵画です。全一三幅で構成され、明治時代初頭まで鹿児島市内にあった宝成就寺大乗院の什物でした。ここにも『釈氏源流』と共通する図様が多数確認でき、『釈氏源流』と明時代の本画制作とのつながりを示す貴重な作例と言えます。ただし、黎明館本では浄飯王への報告場面を描いていないなどの構図の隔たりもあります。そもそも、制作年代が『釈氏源流』開版以前にさかのぼる可能性があり、単純に『釈氏源流』を参照して黎明館本が成立したと位置付けられません。さらに、この「釈迦八相図」を「釈迦堂縁起絵巻」と比較すると、『釈氏源流』以上に細部の描写や色彩において共通点が見出されるという興味深い事実が浮かび上がります。

このような実態から浮き彫りとなるのは、第一に、一五世紀前半に成立した『釈氏源流』の挿図は、その時代に流通していた本画も含む、様々な先行作例を参照しながら、各々の主題に必要とされるモチーフや構図が形づくられているという点です。つまり、『釈氏源流』の図様が日本を含む周辺地域へ一元的に、また一方向的に伝播したというよりは、本画の作品も視野に入れたより複雑な画像情報の流通状況を想定する必要がありそうです。第二に、そうであるからこそ、『釈氏源流』は単に後継絵画の手本と位置付けられるだけでなく、先行する時期に制作された絵画の図像学的な意味を読み解く手掛かりにもなり得る、いわば仏教説話画の造形語彙集としての資料的価値を有しています。以下では、これら二つの観点に留意しながら、中世前半の日本で制作された絵巻との比較を行います。

図3　鹿児島県歴史・美術センター黎明館所蔵「釈迦八相図」（中国明時代、15世紀半ば）

二、「華厳宗祖師絵伝」義湘絵と『釈氏源流』

京都・高山寺所蔵「華厳宗祖師絵伝」は、新羅の華厳宗の祖である義湘（六二五～七〇二）と元暁（六一七～六八六）の事跡を表わす絵巻で、義湘絵四巻、元暁絵三巻の合計七巻で構成されています。一三世紀中ごろの成立と推定されており、高山寺を再興した明恵（一一七三～一二三二）の晩年あるいは没後間を置かずして、その周辺で制作されたものと考えられています。

そのうちの義湘絵第三巻には、修行のため唐にわたった義湘が長者の娘・善妙と出会うエピソードが表されています。この有名な物語の詳細は割愛しますが、新羅に戻る義湘が唐の港を船出する場面の構図は、『釈氏源流』下巻第九八段「還国伝法」と非常によく似ています。

『釈氏源流』同段の出典は賛寧（九一九～一〇〇一）編『宋高僧伝』（宋・端拱元年〈九八八〉）の義湘伝に求めることができ、この点は、「華厳宗祖師絵伝」の義湘絵も同様です。ただし、典拠となった『宋高僧伝』の本文と比べると、『釈氏源流』「還国伝法」では善妙譚が大幅に省略され、新羅帰国後の義湘が国王から示された布施を求法の妨げになるとして辞退した逸話を詳しく記すのに対し、「華厳宗祖師絵伝」では逆に善明譚が出典以上に詳細に記され、国王からの布施の逸話は完全に省略されているという顕著な違いがあり、『釈氏源流』と「華厳宗祖師絵伝」の両者で義湘伝のどこに重きを置くかという点が異なっています。

また、『釈氏源流』「華厳宗祖師絵伝」ともに、義湘が唐の港から船出する場面が描かれており一見するととても良く似た構図です。しかしながら、細部を比較すると異なるモチーフが確認できます。『釈氏源流』「還国伝法」【図4】では①港の岸辺に俗人男性一人が立って見送る、②船上の義湘が供物箱に向かって拱手するという、二つの要素で構成されてい

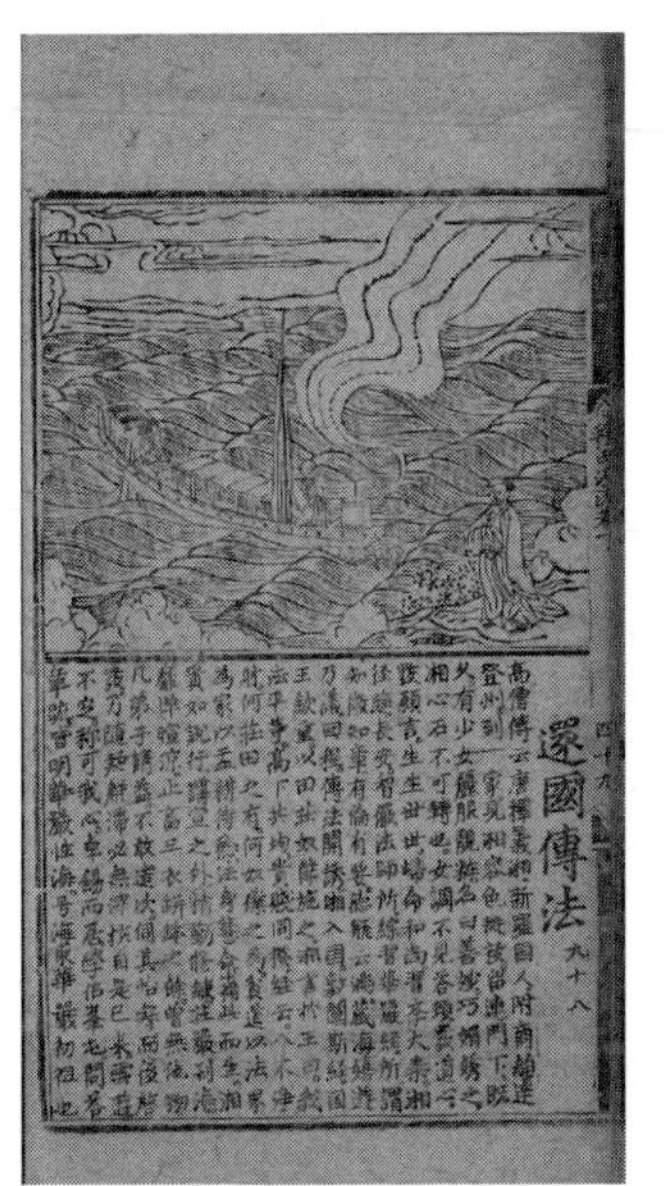

図4　早稲田大学蔵『釈氏源流』下巻九八「還国伝法」

ます。これに対して「華厳宗祖師絵伝」では、①港の岸辺に聖俗の男女八人が立って見送る【図5】、②船上の義湘（供物箱はない）【図6】、③港の岸辺で供物箱を投げ捨てて足摺りして泣く善妙【図7】、④岸壁から供物箱を海上に投じる善妙【図8】、⑤岸壁から海上に身を投じる善妙【図9】、⑥龍に化身する善妙【図10】、⑦供物箱が義湘の乗った船に近づき船上の義湘が箱のふたを開けて中を見る（異時同図）【図11】、⑧龍に変じた善妙が船を守る【図12】という、やはり善妙譚に重点を置いた画面構成となっています。

一場面で絵を完結させねばならない冊子体の『釈氏源流』と、横長に構成可能な絵巻の「華厳宗祖師絵伝」という形式の違いがあるとはいえ、ここで私が注目したいのは、『釈氏源流』の絵で、岸辺に立つのが男性であるのに、義湘が乗った船上に本来は善妙からの布施である供物箱が描かれており、そこから光明を示す線が発せられている点です。繰り返しになりますが『釈氏源流』においては善妙譚の影は薄く、本文では善妙による布

図5　高山寺蔵「華厳宗祖師絵伝」義湘絵第3巻①

図6　高山寺蔵「華厳宗祖師絵伝」義湘絵第3巻②

図 7　高山寺蔵「華厳宗祖師絵伝」義湘絵第 3 巻③

図 8　高山寺蔵「華厳宗祖師絵伝」義湘絵第 3 巻④

図 9　高山寺蔵「華厳宗祖師絵伝」義湘絵第 3 巻⑤

施の逸話さえも省略されています。つまり、『釈氏源流』「還国伝法」においては本文と絵に内容上の齟齬があるのです。このことは、『釈氏源流』成立以前に、より広範な場面を描いた義湘伝の絵画があり、『釈氏源流』では何らかの先行作例を参照して、必要と思われる場面が再構成されたことを示しています。そしてそのような先行する図様とは、「華厳宗祖師絵伝」に見られるような諸場面を備えたものであったことが推定できます。つまり、元来この場面は①（聖俗の男女の見送り）と③〜⑧（善妙の見送りと龍への化身）に分けられ、さ

図 10　高山寺蔵「華厳宗祖師絵伝」義湘絵第 3 巻⑥

図 11　高山寺蔵「華厳宗祖師絵伝」義湘絵第 3 巻⑦

図 12　高山寺蔵「華厳宗祖師絵伝」義湘絵第 3 巻⑧

らに供物箱は善妙譚を描く後者に帰属するモチーフであったところ、『釈氏源流』においては①と供物箱を組み合わせて一図とした結果、本文との齟齬が生じてしまったという構図の成立過程が推定できます。

三、「華厳宗祖師絵伝」元暁絵と『釈氏源流』

また、『釈氏源流』と「華厳宗祖師絵伝」の間に、もう一つ興味深い図様の一致を指摘することができます。「華厳宗祖師絵伝」元暁絵第一巻には、山中で坐禅をする元暁に三匹の虎が近づくものの、襲う気配はなく静かに屈服しているという場面が描かれています【図13】。詞書には「或時は山水のほとりに坐禅す。禽□虎狼、おのづから屈服す」と記されている内容に合致します。『宋高僧伝』の元暁伝には、「山水坐禅」と山林での修行について記されているものの、狼虎が屈服したというような具体的描写には及んでおりません。この場面については、山中で修行する羅漢図からの影響なども指摘されておりますが、ここでは、『釈氏源流』下巻第二二段「曇猷度蟒」【図14】との構図の一致に着目したいと思います。

図 13　高山寺蔵「華厳宗祖師絵伝」元暁絵第 1 巻

曇猷度蟒 二十二

図 14　早稲田大学蔵『釈氏源流』下巻二二「曇猷度蟒」

曇猷は天台山に住した東晋時代の僧で、伝記を、天監一八年（五一九）に梁の慧皎が編纂した『高僧伝』巻第一一に見ることができます。その冒頭に、「有猛虎数十蹲在猷前、猷誦経如故、一虎独睡、猷以如意扣虎頭問、何不聴経、俄而群虎皆去」（大正蔵五〇、三九六a）という逸話があり、同じ内容が『釈氏源流』にも抄出されています。山中の石室で坐禅をしていた曇猷の周りに数十の虎が集まって蹲った、曇猷は構わずいつものように経を唱えていたが、そのうちの一匹が眠ってしまった。そこで曇猷が如意で虎の頭をこつんと叩き、「どうして経を聴かないのか」と問うと、虎たちは群れを成して去って行ってしまったというものです。『高僧伝』曇猷伝ではこの後に蛇の群れをやはり読経で退散させた逸話が続き、これも『釈氏源流』本文に採られて、「曇猷度蟒」という傍題のもとになっています。絵には、岩窟で坐禅し手に経を持つ曇猷、その周囲には蟒と虎が描かれており、岩の傍らにいる一匹の虎は蹲って寝ている様子で描かれています。画面奥の虎二匹は、読経中に居眠りをする不心得を一喝されて、すごすごと退散する場面なのでしょう。

このように見ると、「華厳宗祖師絵伝」元暁絵において、山中で坐禅する元暁の姿を岩窟の中に虎とともに描いた構図が、『釈氏源流』に継承されているような曇猷図に基づくものである可能性も浮上します。元暁絵に描かれた虎の一匹も蹲って寝ています。高僧の傍らで眠る虎の図像は、羅漢図はもちろん禅画の主題である「四睡図」など、高僧の徳を表わす際の定型とも言えますが、元暁絵では、山中の巌で坐禅するという構図そのものも『釈氏源流』と一致しており、何らかの曇猷伝絵を手本にして発想された可能性は高いように思います。

四、少康伝と一遍伝

最後に、神奈川・清浄光寺（遊行寺）所蔵「一遍聖絵」に目を向けます。正安元年（一二九九）の年記を持つ、全一二巻（第七巻は東京国立博物館所蔵）で構成されています。そのうちの第三巻には、熊野本宮で一遍が熊野権現の示現にまみえるという場面があります。詞書に基づくと、熊野本宮に参詣した一遍が、熊野権現より「御坊のすゝめによりて一切衆生はじめて往生すべきにあらず。阿弥陀仏の十劫正覚に、一切衆生の往生は南無阿弥陀仏と決定する所なり。信不信をえらばず、浄不浄をきらはず、其札をくばるべし」との託宣を得て、他力本願の深意を理解し、念仏札を配る賦算による布教活動が確立した場面です。さらに、熊野九十九王子の顕現かとも思われる童子百人ばかりが集まって、一遍に請うて手に手に念仏札を受け取ると「南無阿弥陀仏」と唱えながらいずこともなく去っていったというエピソードが続きます。熊野権現の示現とその直後の童子への賦算は、賦算による布教活動が熊野権現の神託によって裏付けを得たことを示しており、この絵巻において最も重要な宗教的意義を有する場面です。以下では、このうち童子への賦算場面【図15】について、『釈氏源流』下巻第一五四段「少康念仏」【図16】との内容と図様の一致に注目したいと思います。

少康とは、貞元年間（七八五～八〇五）初頭に、洛陽の白馬寺で善導の『西方化導文』に感銘を受け浄土門に帰依したと伝わる中国の浄土僧で、日本でも浄土五祖（曇鸞・道綽・善導・懐感・少康）の第五として重んじられています。浄土五祖説は日本で成立したものと見られますが、少康伝そのものは多くの仏書に見ることができ、『釈氏源流』では南宋の天台僧・

図 15　清浄光寺（遊行寺）蔵「一遍聖絵」第 3 巻

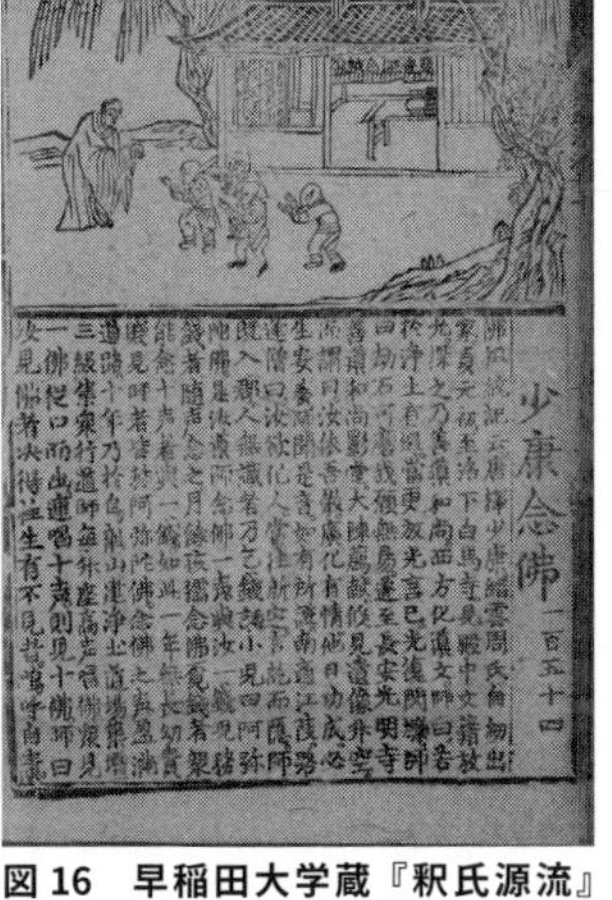

少康念佛　一百五十四

図 16　早稲田大学蔵『釈氏源流』下巻一五四「少康念仏」

志磐が咸淳五年（一二五八）に編纂した『仏祖統記』が参照されています。中でも、口称念仏を重んじ、布教の一手段として小児に阿弥陀仏を念じさせ、一声ごとに一銭を与え、また念仏を多く称えた者にも給付したとの逸話は『釈氏源流』において、本文にも絵にも採用されています。これが先に見た「一遍聖絵」における童子への賦算場面と通じることには疑問の余地がありません。特に絵において、少康は手に一銭硬貨を持ち、一遍は手に念仏札を持つという違いこそあれ、彼らの姿勢は手を掲げて集まってくる童子らの姿勢ともに相通じています。一遍伝における童子への賦算という逸話そのものが、少康伝を下敷きにしている可能性は高く、「一遍聖絵」における当該の場面も、何らかの少康伝絵が手本となった可能性は十分考えられます。

おわりに

以上のように、『釈氏源流』を、本書に先立って中世前半の日本で制作された絵巻と比較することで、両者の間に多くの共通点を見出すことができました。また、ここで比較対象とした「華厳宗祖師絵伝」と「一遍聖絵」がいずれも、絵画様式上も宋時代絵画からの影響が指摘されている作品であるということは重要な視角となります。

古代・中世日本における「やまと絵」という概念の重層性について、かつて秋山光和氏は、平安時代の日記や文学作品に散見される「唐絵」また「やまと絵」という言葉を分析し、各々の意味について、以下の二段階で理解すべきであるという視点を提唱しています[3]。やまと絵という言葉は、第一段階として、平安時代には「日本風」の主題を描いた屏風や障子絵などの大画面を指し、中国的主題を描いた唐絵に対立する概念として用いられました。ところが第二段階として、鎌倉時代後期から室町時代にかけて、新たに中国宋・元から舶載された水墨を主体とする絵画や、その影響を受けて日本で制作された絵画を唐絵（後に漢画）と呼ぶようになります。これに伴いやまと絵という言葉は、平安時代以来の伝統様式自体を指すようになり、その範囲が肖像画や絵巻などの小画面にも適用されるようになったという展開です。

さらに、谷信一氏は、一四世紀における「唐絵」という言葉が指し示す範囲について秋山氏よりはやや広く、次のような見方を示しています。[4] すなわち、『室町第行幸記』（飛鳥井雅氏、大東急記念文庫蔵）永徳元年（一三八一）三月一一日条に「四幅一対、唐絵、和尚」と記されていることによって、牧谿（和尚）画を唐絵と呼んでいることが判明する一方で、『祇園執行日記』（『八坂神社叢書（一）』所収）応安五年（一三七二）一二月一一日条に「観音ノ唐絵、思恭、一鋪」の記録も見られることから、墨画と彩色画を区別せずに舶載の宋元（及び明）画を唐絵と呼んでいた実態が浮き彫りとなります。

以上の先行研究でも注目されているように、鎌倉時代から室町時代にかけて、幅広いジャンルの宋元画が日本にもたらされ、これが中世初頭の日本絵画に大きな影響を与えていたことが、この時代の絵画史を考えるうえで重要な前提となります。そのような状況を踏まえるならば、「華厳宗祖師絵伝」や「一遍聖絵」に見られる、後世の『釈氏源流』との図様の顕著な一致は、『釈氏源流』成立に先立つ時代に日本にもたらされた豊富な宋元画によって架橋されたものと推定できます。現在は失われた宋元画の痕跡が、時代と場所を隔てて一方では『釈氏源流』に、他方では日本の中世絵巻にとどめられているのです。さらなる考察は今後の課題となりますが、『釈氏源流』を仏教説話画の造形語彙集とみなすならば、そこには東アジア絵画史の新たな一頁を開く、豊かな可能性が秘められています。

参考文献

1　畑麗「釈迦堂縁起絵巻の研究――仏伝図としての視点を中心に――」（『鹿島美術研究』二五、二〇〇八年）
2　土谷真紀『初期狩野派絵巻の研究』（青簡舎、二〇一九年）

3　秋山光和「「唐絵」と「やまと絵」」（『平安時代世俗画の研究』吉川弘文館、一九六四年）
4　谷信一「「唐絵」（同『室町時代美術史論』東京堂、一九四二年）

付記：本報告は以下の日本学術振興会科学研究費研究課題の成果である
「経典・説話の融合と寺社縁起絵巻の生成――経説絵引の形成を通じた検討」（代表・山本聡美、JSPS21K00151）
『釈迦堂縁起』の総合的注釈研究」（代表・本井牧子、JSPS23H00602）
「中世拠点寺院の蔵書と美術に基づく人と知のネットワーク解明」（代表・近本謙介、JSPS20H00012）
「16世紀の社寺縁起絵巻の総合的研究」（代表・本井牧子、JSPS19K00348）

図版出典

図1　「16世紀の社寺縁起絵巻の総合的研究」（代表・本井牧子、JSPS19K00348）において撮影した画像を作品所蔵者の許諾を得て使用。
図2・4・14・16　早稲田大学図書館より画像提供。
図3　百橋明穂『日本の美術（二六七）仏伝図』（至文堂、一九八八年）より転載。
図5・6・9・11・13　東京国立博物館他編『国宝鳥獣戯画のすべて』（NHK、NHKプロモーション、朝日新聞社、二〇二一年）より転載。
図8　『続日本の絵巻（八）華厳宗祖師絵伝（華厳縁起）』（中央公論社、一九九〇年）より転載。
図7・10　九州国立博物館編『国宝 大絵巻展』（九州国立博物館、二〇〇八年）より転載。
図12　東京国立博物館他編『特別展 鳥獣戯画 京都 高山寺の至宝』（東京国立博物館、朝日新聞社、二〇一五年）より転載。
図15　神奈川県立歴史博物館編『国宝 一遍聖絵』（遊行寺宝物館、二〇一五年）より転載。

シンポジウム❹

『釈氏源流』を通してみる明代絵入り刊本の出版と流通

河野貴美子

今回のシンポジウムは、圓道重刊本『釈氏源流』が早稲田大学図書館の所蔵となったことを機に企画したものです。そこでここからは、まず『釈氏源流』の刊本について概観した後、現在増上寺が所蔵する重刊本、および圓道重刊本を中心に、明代における絵入り刊本の出版と流通について報告したいと思います。

一、『釈氏源流』刊本概観

『釈氏源流』は、洪熙元年（一四二五）に初版が刊行されます（A。以下、【図1参照】）。これは現在、蘇州の西園寺に零本が伝わるのみです。[1] しかしこの洪熙元年刊本を元にした明の嘉靖三五年（一五五六）の覆刻本[2]（B）によって、『釈氏源流』は当初上下二巻にそれぞれ二〇〇話ずつ、合計四〇〇話を収め、上図下文の形式で刊行されたテキストであったことがわかります。

シンポジウム

ところが『釈氏源流』は、この覆刻本とは別に、初刊本の刊行後まもなく、正統元年（一四三六）に若干話を増減して重刊本が刊行されます（C）。この重刊本は現在、中国国家図書館[3]と、増上寺に所蔵が確認されるのみの稀覯書ですが、今回は増上寺蔵本の実見調査に基づいて報告します。重刊本は、宣徳九年（一四三四）に廬陵の王栄顕に作成が委ねられたもので、木記には南京の「姜普成」という人物が刊行にかかわったことがみえます。また奥書によると増上寺蔵本は、慶長元年（一五九六）に源誉存応に寄進されたものとあります[4]。

続く圓道重刊本（D）は、正統元年重刊本を元に作成された刊本です。刊記[5]によれば、北京大興隆寺の比丘圓道が重刊した板木を用いて、北京の衍法寺の比丘本讃が印刷刊行したもので、早稲田大学図書館が所蔵するのは富岡鉄斎の旧蔵書であった圓道重刊本です。なおこの圓道重刊本も、現在早稲田本以外には、イギリス大英図書館と、中国首都図書館にのみ確認できる稀覯書です。しかし北京の大興隆寺で刊行されたこの刊本は、刊行後広く伝播し、その後の『釈氏源流』の流布に少なからぬ影響を及ぼしたようです。

というのも、その後一六四八年に朝鮮禅雲寺で刊行された『釈氏源流』（E）の巻上首刊記に「大興隆寺　発心刊施流通」とみえることから、この朝鮮刊本は、北京大興隆寺の圓道重刊本を元とすると考えられるのです。しかも禅雲寺本に付された河浩然の序には、松雲師（松雲惟政〈一五四四～一六一〇〉）が日本から持ち帰った伝本を元に刊行したとの経緯がみえ、中国、日本、朝鮮半島を行き交う『釈氏源流』の伝播の様子が伺えます[6]。また禅雲寺本と同じ一六四八年に刊行された和刻本『釈迦如来応化録』[7]（F）は、挿絵のない上巻のみのものですが、所収話は禅雲寺本とほぼ一致しており[8]、両者が密接な関係にあることがわかります。さらには、清の永珊親王が改編し『釈迦如来応化事蹟』と題して刊行した本[9]（G）にも「衍法蘭若」、すなわち圓道重刊本を刊行した衍法寺の名前がみえることから、これもまた、圓道重刊本を元に展開したテキストと考えられます。

なお『釈氏源流』は、明の憲宗の改編になる成化二二年（一四八六）の刊本[10]（H）があります。これは各半張ごとに左右に絵と文を記す形式に改編されたものですが、それを受け継ぐ朝鮮仏岩寺刊本[11]（I）とともに、これらは比較的多くの伝本が残るのに対して、C正統元年重刊本、そしてD圓道重刊本は、伝本も少なく、詳しい紹介もなされてこなかったものです。そこで次に、これら重刊本において削除、増幅された部分に焦点をあてて、その内容や背景をみていきます。

図1 『釈氏源流』刊本概観

A洪熙元年（1425）刊本↓B嘉靖三五年（1556）覆刻本
←C正統元年（1436）重刊本↓D明代後期圓道重刊本
←E朝鮮禅雲寺本（崇禎後戊子（1648））
F和刻本『釈迦如来応化録』（正保五年（1648））
G清・永珊親王改編『釈迦如来応化事蹟』（嘉慶一三年（1808））
H明・憲宗改編成化二二年（1486）刊本↓I朝鮮仏岩寺本（康熙一二年（1673））

二、正統元年重刊本（増上寺本）および圓道重刊本（早稲田本）

（1）構成（洪熙元年初刊本からの変化）

まず、これら二種の重刊本（C、D）の構成は、A洪熙元年初刊本を覆刻したB嘉靖覆刻本と比べると、左にあげるように、二話を削除する一方、新たに一〇話を加え、上巻二〇六話、下巻二〇二話の構成となっています。また、絵と文章には変化はないものの題目のみが改編されている段もあります。

削除

「釈迦垂迹」（嘉靖覆刻本上一）

「毒酒不死」（嘉靖覆刻本下六七）

追加

「大赦修福」（上九・仏本行集経）

「提婆鑿眸」（上二〇〇・提婆伝）、

「天親造論」（上二〇一・成道記註）

「神僧応供」（上二〇二・法住記）

「十大明王」（上二〇三・十忿怒明王経）

「護法諸天」（上二〇四・諸天伝）

「達磨西来」（上二〇六・仏祖通載）

※「受戒行慈」（下六七・釈氏通鑑）

※「普応国師」（下二〇一・仏祖通載）

※「善世禅師」（下二〇二・八支斎戒序略）

題目改編

「買花供仏」（上一、嘉靖覆刻本の題は「如来因地」〈上二〉）

「慧約説戒」（下四二、嘉靖覆刻本の題は「梁皇受戒」）

「道岸説戒」（下一〇六、嘉靖覆刻本の題は「和帝受戒」）

以下、新たに加えられた一〇話のうち、※を付した下巻の三話について、具体的にみてみます。

まず、下巻第六七話は、嘉靖覆刻本では「毒酒不死」という話だったものを、重刊本では「受戒行慈」と題する隋の文帝の仏教関係記事に替えています。これは、本話に先立つ下巻第六三話から第六五話も隋の文帝や煬帝に関する話であることから、（直前の第六六話とは連ならないものの）隋の皇帝の話を連続させる意図による改編かと思われ、また興味深いことに、この場面の図は、下巻第六〇話とほぼ同じ図様が使い回されていて、重刊に際しての挿絵の作成の実態が垣間見えます（肥田路美氏のご教示による）。

続いて下巻末尾に新たに加えられた二話についてみてみます。

下巻第二〇一話「普応国師」は、元を代表する禅僧中峯明本の話です。明本は天目山の高峯禅師の元で仏道に励み、やがて悟りを得ます。元の仁宗皇帝が召し出そうとしますが、それには応えなかったので、皇帝は明本に袈裟と号を与え、また明本が師から受け継いだ師子院には師子正宗禅寺の額を賜ったとあります。

本話の出典の『仏祖通載』（『仏祖歴代通載』）は、元の禅僧念常の撰で、『釈氏源流』においては重刊本で追加された上巻巻末第二〇六話（「達磨西来」）と本話とのみに出典としてみえます。なお、本話の本文は、『仏祖歴代通載』が虞集（一二七二～一三四八）の撰になる「大元勅賜智覚禅師法雲塔銘」を引用する部分と多く重なります。虞集は奎章閣学士などを務めた当時一流の文人で、当該の塔銘はその虞集が勅を受けて撰述した文です。

明本の名は広く知られ、元の皇帝の帰依も受け、また朝鮮や日本からも多くの僧侶がその元に参じました。『釈氏源流』編纂の時代に近い話の中から、明本の話が選ばれ、追加されたのは必然ともいえます。ただ、明本にまつわるエピソードはさまざまに残る中で、『釈氏源流』においては『仏祖歴代通載』が用いられていることの理由には、この重刊本制作の場に新たに『仏祖歴代通載』が持ち込まれる等の事情があったかとも想像されます。

次に、下巻巻末に加えられたもう一話、第二〇二話「善世禅師」の話についてみます。本話は、「八支斎戒序略」が出典として示されていますが、その引用元となった資料については未詳です。なお「八支斎戒序略」を出典とする話は『釈氏源流』においてはこれのみです。

内容は、印度カシュミール出身の僧薩訶拶釈理が、元の至正年間に中国へやって来て、仏の教え、とりわけ「八支了義浄戒」を熱心に人々に説いていたところ、やがてそれが明の太祖の知るところとなり、善世禅師の称号や功績を称える銀章を賜るなど、その活動は手厚く守られた、というものです。

『金陵梵刹志』（明・葛寅亮撰）などの資料には、印度から中国に渡ってくる僧侶は梁の達磨大師以後多くはなくなったとあり、[12]善世禅師の来朝は元の朝廷にとっても、また明の朝廷にとっても特別の意義をもって迎えられた様子が知られます。渡来僧ということでは、C正統元年重刊本は上巻末にも、達磨がインドから来航したことを語る「達磨西来」の話を増補していることから考えますと、重刊本の作成にあたって、新しい時代のエピソードを増補することとともに、インドから中国への仏僧渡来の記事に注目する意識があったかとも思われます。

（2）正統元年重刊本（増上寺本）の制作背景

それではこのC正統元年重刊本（増上寺本）は、いかなる人によって制作されたのでしょうか。先ほども触れたように、増上寺本の木記や刊記には、南京の姜普成という人物の名がみえました。そして増上寺本の柱に刻まれた施主者名をみますと、下巻の冒頭に、この姜普成の名が確認できます。[13]また、増上寺本の場合は、施主者名の刻入が、上巻の仏伝部分に比べて、下巻、つまり中国における仏教普及を語る話の部分に圧倒的に集中しています。[14]このことからは、姜普成ら、南京の官人たちが、中国仏教の歴史や現況に関心をもって本書を作成した様子が想像されます。

（3）正統元年重刊本（増上寺本）から圓道重刊本（早稲田本）へ

続いて、南京から北京に場所を移して刊行されたD圓道重刊本（早稲田本）について、C正統元年刊本（増上寺本）との関係など、若干触れておきたいと思います。例えば、下巻巻末第二〇一話、二〇二話の部分などは、増上寺本においては欠損がひどく、早稲田本によって全容を補うことができます。なお増上寺には刊本を転写した江戸期の写本（正保三年〈一六四六〉写、還無（げんむ）（弁蓮社業誉。増上寺二一世）書写識語）も所蔵されていますが、欠損部分の絵は早稲田本とは一致せず、江戸の絵師が独自に補い描いたものと思われます。

一方早稲田本の絵は、増上寺本に比べ虎が一頭少なかったり（下巻第四五話「法聡伏虎」）、鳥が一羽少なかったり（下巻第八二話「慈蔵感禽」）、龍の部分が省略されたり（下巻第一五二話「澄観造疏」。【図2・3参照】）しています。このように早稲田本は、増上寺本に比べて刊刻は粗雑です。しかし先に触れたように、朝鮮禅雲寺本（E）や清朝に改編された『釈迦如来応化事蹟』（G）は、北京で刊行された圓道重刊本に基づき作成されたものと思われ、後世への影響、継承という点ではこの圓道重刊本の存在が大きく貢献したといえます。そしてその理由としては、正統元年重刊本が南京の姜氏による印行（家刻本）であるのに対して、圓道重刊本は北京の大寺院における出版であることから、より広く流布したものかとも考えられます。

図2　増上寺蔵正統元年刊『釈氏源流』下巻一五二「澄観造疏」

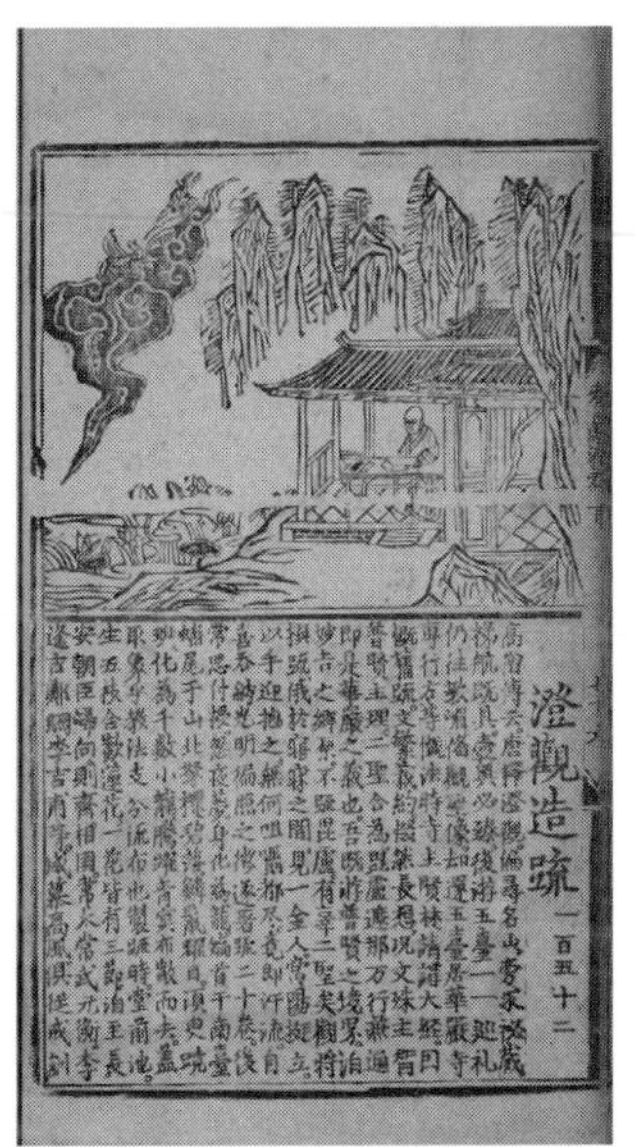

図3　早稲田大学図書館蔵［明］刊『釈氏源流』下巻一五二「澄観造疏」

（4）圓道重刊本の伝播

次に、D圓道重刊本の後世への伝播として、E朝鮮禅雲寺本との関係について簡単に述べたいと思います。一六四八年に朝鮮で刊行された禅雲寺本は、先にも述べたとおり、刊記に大興隆寺の名前がみえ、また序文には日本から持ち帰られた本を元に刊行された旨が記されているわけですが、上巻第一話は、重刊本（C、D）が削除した「釈迦垂迹」[15]から始まり、また上巻第二話の「最初因地」は和刻本とのみに共通する独自記事であり、重刊本とは若干異なるヴァージョンとなっています。しかしこの冒頭部分以外の上巻所収話は重刊本と一致していて、重刊本の情報を基本的に反映したものとはいえます。ところが、禅雲寺本の下巻は、現存する諸本によって複雑な異同があり、刊行、印刷の過程で、さまざまな改編や補填があった様子がみられます。例えば、禅雲寺本のうち「全羅道高敞本」[16]は、重刊本と比べると、下巻の一四五話から一四八話、そして、一六五話から一六八話の部分が欽葉となっており、またそのほかにも錯簡かと思われる箇所があります。また、同じく禅雲寺本のうち「全羅道兜率山本」[17]では、「全羅道高敞本」の欽葉部分が、Hの憲宗改編成化刊本によって補われています。[18]朝鮮には重刊本系統と、憲宗本系統の両方とが伝播し、その双方が利用された様子も知ることができるわけです。

三、富岡鉄斎収集明代絵入り刊本

さて、早稲田大学図書館が所蔵する『釈氏源流』は、明治・大正を代表する文人、画家で、かつ蔵書家であった富岡鉄斎（一八三七〜一九二四）の旧蔵本です。そこで最後に、富岡鉄斎が蒐集した明代絵入り刊本について、簡単に触れます。

鉄斎の蔵書は数万冊に及びましたが、そこから九〇部余りを選び抜いた『富岡文庫善本書影』（大阪府立図書館編、小林写真製版所出版部、一九三六年）には、『釈氏源流』のほか、明代の絵入り刊本が複数含まれており、それらが鉄斎の夥しい蔵書の中でも「善本」であったことがわかります。また、鉄斎の死後に行われた富岡文庫の入札目録（『富岡文庫御蔵書入札目録』一九三八年、『富岡文庫御蔵書　第二回 入札目録』一九三九年）にも、明代の絵入り刊本が幾種か含まれています。例えば、『新刊皇明諸司廉明奇判公案』（明万暦三三年〈一六〇五〉刊、余象斗集、四巻、一冊）は、いわゆる公案、裁判小説ですが、『富岡文庫善本書影』にも掲載された善本で、第二回の『入札目録』で売却に出されたものです。現在京都大学に所蔵されている鉄斎旧蔵の当該明刊本は、伝本の少ない当該書籍の研究の進展に大きく資する、いわゆる域外漢籍資料として近年も活用されています。[19] こうした明代の絵入り刊本が鉄斎の画業、あるいは日本の美術史といかなる関係にあるものか、それらについても、今後考察を続けていきたいと思います。

おわりに

以上概略のみを辿ってきましたが、『釈氏源流』は、明清の出版や中国内外への書物の流通状況の考察を可能とする、恰好の資料といえます。また、『釈氏源流』の重刊本の増補にみえる新たな記事は、各時期に利用された資料を反映し、また、インド僧の来航が中国にもたらしたインパクトや、元・明の皇帝と仏教との関係を示すものとも読めます。また、絵入り刊本の絵の制作環境や絵師の実態なども考察を及ぼすべき課題です。さらには、富岡鉄斎の蒐書をはじめ、近現代における古典籍の移動や研究は、いわゆる「域外漢籍」研究のテーマとしても重要なものです。また、今回のシンポジウムや展示を計画する過程で、コメンテーターの李銘敬氏が、新たな伝本の存在を見出されていて、『釈氏源流』をめぐっては、掘れば掘るほど新たな課題が沸き起こってきますが、それらについてはすべて今後の継続課題とせざるを得ません。[20]

注

1 中国美術全集編輯委員会編『中国美術全集 絵画編20 版画』(上海人民美術出版社、一九八八年)参照。

2 北京市文物局蔵本(中国書店、二〇一二年影印)参照。

3 鄭振鐸編著『中国古代木刻画選集』第二冊明・初期(人民美術出版社、一九八五年)参照。

4 巻上末刊記に「大明永楽二十年歳次壬寅、検閲、抄写、編集、命二善人顧道珍書、王恭画、喩景濂刊一。又於二宣徳九年十月一命二盧陵王栄顕重刊一。正統元年歳在二丙辰一、孟冬十月吉日、堅密室沙門釈宝成題」、巻上末木記に「聚宝門来賓楼姜家印行」、巻下末刊記に「大報恩寺堅密室印行　聚宝門来賓楼姜普成印施」、巻上奥書に「今此疏寄附之志趣者／為二興隆仏法三国伝来無相之旨兼又／拙僧往詣楽邦十善御廻向一也／慶長元[丙／申]十二月十五日／証蓮社忍誉助信(花押)／増上寺源誉上人」とある。

5 巻上刊記に「板在阜成関外衍法寺西方丈比丘本讃印行」、巻下刊記に「伏願施二財衆善人等一見存獲福幽顕蒙レ恩世出世間福徳智恵在二仏光中一吉祥如意。大興隆寺募縁比丘圓道発心重刊」とある。

6 河浩然序に「松雲師奉二使日本一索二是書一帙上下一……」とある。禅雲寺本は東国大学校仏教記録文化遺産アーカイブ https://kabc.dongguk.edu/ に数種の伝本の書誌情報と写真が公開されている。

7 早稲田大学図書館所蔵(六冊。ハ4-502)。

8 全二〇八話。但し第一三七話のみ題目と出典が異なる(「上幡供仏」(賢愚因縁経)。禅雲寺本は「造幡供仏」(百縁経))。

9 仏伝二〇八話。冒頭の永冊「重絵釈迦如来応化事迹縁起」に「余初自二衍法蘭若一得二前明刻本釈氏源流一部一」とある。岩瀬文庫に同治八年(一八六九)の重印本を所蔵。巴蜀書社(一九九八年)、上海古籍出版社(一九九四年)、文物出版社(二〇二〇年)等の影印がある。

10 全四巻、合計四〇〇話(Bに同じ)。巻首に成化二二年八月一五日「御製釈氏源流序」を付す。内府刊本。『中国古代版画叢刊』二編二輯(上海古籍出版社、一九九四年)等の影印がある。

11 『域外漢籍珍本文庫』子部・第一六冊(西南師範大学出版社・人民出版社、二〇一二年)に影印がある。

12 『金陵梵刹志』巻三七（国立中央研究院蔵本、広文書局一九三六年影印）所載の明西天仏子国師智光の「西天班的荅禅師誌略」に「梁普通中、菩提達磨大師至レ自二天竺一……自レ是以降、由二西土一而来者蓋不レ多レ見」とある。

13 下巻第一張柱に「信官姜普成　助刊伏愿／［　］」、第二張柱に「信官姜普成　助［　］／仕途栄顕福壽康寧」とみえる。「信官」とあることから、姜普成は仏教に帰依する官人であったか。

14 上巻は全一〇三張のうち柱に施主者名の刻入があるものは六張、下巻は全一〇一張のうち七八張に施主者名の刻入がある。

15 B嘉靖覆刻本の上巻第一話は「釈迦垂迹」。

16 東国大学校　仏教記録文化遺産アーカイブ『釈氏源流』新集成文献書誌15参照。

17 東国大学校　仏教記録文化遺産アーカイブ『釈氏源流』新集成文献書誌5〜8参照。

18 「全羅道兜率山本」は、下巻一四五話から一四八話（重刊本では下巻一四三話「誦偈出獄」、一四四話「神人捨地」、一四五話「懐空去虎」、一四六話「武侯後身」に相当）の欽葉部分に憲宗本の「韓愈参問」「楽天参問」を、一六五話から一六八話（重刊本では下巻一六三話「韓愈参問」、一六四話「楽天参問」、一六五話「文帝嗜蛤」、一六六話「船子和尚」に相当）の欽葉部分に憲宗本の「文帝嗜蛤」、「船子和尚」をそれぞれ補入している。

19 中原理恵「『廉明奇判公案』について」（『立命館文学』六六四、二〇一九年一二月）、潘建国（野澤亮訳）「明代公案小説の本文の抽毀と東アジアでの伝播——余象斗の『皇明諸司廉明奇判公案』を例として——」（河野貴美子・杜暁勤編『中日古典学ワークショップ論集　第一巻——文献・文学・文化——』汲古書院、二〇二四年）等参照。

20 北京大学図書館編『北京大学図書館蔵李氏書目』中（北京大学図書館、一九五六年）、李盛鐸著、張玉範整理『木犀軒蔵書題記及書録』（北京大学出版社、一九八五年）、また陳琦『中国水印木刻的観念与技術』（中国画報出版社、二〇一九年）に『釈氏源流』伝本の情報が載る。これらの伝本の詳細については今後の検討課題である。

参考文献

・河野貴美子「早稲田大学図書館所蔵　富岡鉄斎旧蔵明刊『釈氏源流』について」（『早稲田大学図書館紀要』六九、二〇二二年三月）。
・河野貴美子「〈新収資料紹介〉富岡鉄斎旧蔵明刊『釈氏源流』」（『ふみくら　早稲田大学図書館報』一〇一、二〇二二年三月）。
・小峯和明「日本と東アジアの〈仏伝文学〉」（小峯和明編『東アジアの仏伝文学』勉誠出版、二〇一七年）。
・小峯和明「『釈氏源流』の伝本をめぐって」（説話文学会編『説話文学研究の最前線　説話文学会55周年記念・北京特別大会の記録』文学通信、二〇二〇年）。
・Tsai Suey-Ling（蔡穂玲）, *The life of the Buddha: Woodblock Illustrated Books in China and Korea*, Harrassowitz Verlag - Wiesbaden, 2012.
・畑麗「釈迦堂縁起絵巻の研究――仏伝図としての視点を中心に――」（『鹿島美術研究年報』二五別冊、二〇〇八年一一月）。

コメンテーターより① 『釈氏源流』の図像伝播・異時同図法・仏法と王法の関係について

張　龍妹

読書会の最初のメンバーですが、四人の先生方の専門的なお話に対し、とてもコメントできるわけがないですが、自分の関心から、「東アジアにおける『釈氏源流』図像伝播のあり方」、「『釈氏源流』の挿絵に「異時同図法」が生かされているのか」、「『釈氏源流』における仏法と王法の関係はどうなっているのか」、この三点からむしろ質問させていただく、あるいは教えていただきたいと思います。

まず、東アジアにおける『釈氏源流』の図像伝播のあり方ですが、中国の寺院における仏伝の図像は「壁塑」、「壁画」、「青磁」の三種類に分けられるかと思います。「壁塑」というのはレリーフのことで、「山西省平遥県双林寺釈迦殿」は「壁塑」の代表作であります。「双林寺」の前身は「中都寺」で、北斉に創建されましたが、現在残っている建築物はほとんど明代のものであります。釈迦殿には釈迦像とその脇侍の文殊と普賢の他に、四面に釈迦誕生から入滅までの物語が彫刻されています。その内容は明らかに『釈氏源流』からとっていますが、それぞれの場面の命名（タイトル）が異なっています。例えば、「箭穿金鼓」というのは、「諸王捔力」段に提婆達多が三つの鼓を射通したのに対し、悉達太子は「七個鉄鼓」を射通した場面であります。また「双林入滅」とあるはずのものが、「釈迦涅槃」となっています。一般信者にわかりやすくするための改変と推測されます。「双林寺」なのに、「双林」の意味がわからなくなってしまったかもしれません。

隋・開皇六年（五八六）に創建され、北宋皇祐四年（一〇五二）に改名された河北省正定県隆興寺摩尼殿の壁画は、明版『釈氏源流』の挿絵を元に、成化二二年（一四八六）八月から同二三年（一四八七）一二月の間に、摩尼殿を修復する際に製作されたものであります。全部で一二〇余の場面から構成されていて、規模からでも他に類を見ないものであります。壁画は釈迦の生涯を時間順に展開するようになっています。[▼1]

福建省福州定光寺の青磁画は毘盧殿両側の回廊から始まり、幅一メートル近くもあり、全長二五〇メートルに及び、「乗象入胎」から「大法東来」に到るまでの仏伝を描いています。オンラインで一九一面の物語が確認できるが、[▼2]巴蜀書社から出版されている「光緒七年比丘開慧募刻本」の『釈迦如来応化事蹟』のタイトルと一致しています。

それから、現在存在している壁画をみると、まず表題が通俗化していることが挙げられるかと思います。双林寺の「双林入滅」が「釈迦涅槃」になっていたり、定光寺の「大法東来」は多くの紹介文では「白馬駄経」となっていたりします。また、意味不明な表題も見られます。隆興寺摩尼殿の壁画に、「隔城撩勝」と題するものがあります。絵自体は太子が遠く景色を眺めているようなものですが、研究者によってこれは本来は「諸王捔力」で、小峯和明先生がさっき挙げた太子が象を投げた後に外の景色を見ているところではないかと推測されています。おそらく、時代の隔たりによって絵画の意味自体わからなくなって、このような表題が付けられたのではないかと思われます。

さらに、壁画そのものが中国化、地方化が進んでいることが挙げられます。例えば山西省大雲寺の「太子別父」とか「太子遠行」などは、『釈氏源流』にない話ですが、中国的な発想で、父親が存命中に遠方へ行くことが不孝ですからわざわざこういうタイトルを設けられたでしょう。また、明・至徳一二年から嘉靖一四年（一五一七～一五三五）に初めて描かれた石家荘毗盧寺釈迦殿の壁画ですが、毗盧寺の毗盧殿の壁画は中国四大壁画の一つに数えられ、保存状態も良いが、釈迦殿の壁画は破損がひどく、実態を知るのはなかなか難しいですが、一つだけ言えることは、仏伝の通俗化、地方化であります。釈迦殿は四面に壁画があり、確認できる表題に「佛出双脚」という、『釈氏源流』の「佛現双脚」に当たるようなものもあります。さらに、「奔走西域」「蘆溝橋践行」「与孔子問答」「金牛太子換（還）本国見父王」「西宮生太子離（狸）猫底（抵）換」といった不思議な話があります。[3]「奔走西域」「蘆溝橋践行」は中国の地名、さらに石家荘近辺の地名が出ているところが面白い。また「与孔子問答」などは当時の三教合一の思想を表したものと考えられます。さらに「西宮生太子離（狸）猫底（抵）換」は中国の伝説「狸猫換太子」故事を取り入れたものと推測されていましたが、当時石家荘周辺で流行していた『金牛太子宝巻』の物語が取り入れられていることが判明されました。[4]

思うに、文字の読めない信者たちにとって、このような寺院にある大規模な絵画は、仏教の布教のために大きな力を発揮したことと思われます。小峯先生が東アジアの寺院などをたくさん訪査されていますが、版本の紹介などはよく先生から伺っていますが、このような壁画あるいはレリーフなど、東アジアの各国にも存在しているかどうか、それぞれどのような特徴があるのか、各国における布教の一端を知ることになるかも知れませんので、教えていただいたいです。

それから、私は「異時同図法」という言葉も小峯和明先生から初めてお聞きしましたが、中国で現在、異時同図法という言葉はよく使われています。しかし、果たしてそれが異時同図法の絵画なのかどうかはなかなか判断できません。例えば『釈氏源流』上巻第五五話「観菩提樹」ですが、左側は太子が沐浴しているところで、右側はおそらく天人から召し物が捧げられる場面です。これが二つの場面が一つの絵に収まったもので、異時同図法と言えるのでしょうか。

もう一例を挙げますと、これは「明帝感夢」ですけが、右側は夢を見ているところで、吹き出しは夢の内容に当たりますが、左側は夢の内容を大臣に問い合わせているところと思われます。同じ二場面から構成されたもので、異時同図法と言えるのでしょうか。中国では、同じ絵画空間の中で主人公を繰り返し出現させるものと定義し、『洛神賦図』『後赤壁賦図』『韓熙載夜宴図』およびジェンティーレ・ダ・ファブリアーノ（Gentile da Fabriano、一三六〇年／一三七〇年頃〜一四二七年）の『東方三博士の礼拝』などをその例とする論が見られます。[5] これらはともに複数の場面から構成されたもので、例えば、『韓熙載夜宴図』は「聴楽」「観舞」「暫歇」「清吹」「散宴」という一般的には五つの場面から構成されていると言われています。

「異時同図法」というのは敦煌莫高窟２５４窟の「薩埵太子捨身飼虎図」や法隆寺玉虫厨子のそれが典型ではないかと思います。つまり、一つの連続した動作の経過を絵画化したものです。縦に描く場合は「捨身飼虎図」のようになりますが、絵巻のように横に展開する場合は、『信貴山縁起』「尼公の巻」と『伴大納言絵巻』の舎人の子供の喧嘩場面が典型的でありましょう。前者は尼公の祈祷、後者は喧嘩の始終、を連続した一コマとして挿入されています。『韓熙載夜宴図』などと顕著な違いは、挿入された場面の人物行動は物語の進行方向とは逆になっているところであります。そのようにみると、『釈氏源流』には基本的に複数の場面を描いたもので、連続した一つの動作を描くものはないように思われます。

最後に、吉原浩人先生が『釈氏源流』が中国の仏教の歴史という点で道教と仏教の関係を分析されましたが、私が興味をもっているのは仏法と王法の関係です。絵画などからも見られるように、太子の宮廷における生活がクローズアップされる作品がたくさんありまして、さまざまなところで「皇帝即如来」とか「皇帝即転輪聖王」などの文句が見られます。皇帝をいわゆる釈迦如来のような存在として崇め、仏法を広めるためにそのように権力に依存してきた一面があるかと思います。『釈氏源流』下巻第四九話「罷道為僧」では、道佛優劣の論争において僧侶が勝利したため、皇帝が「法門不二、真宗在一」などと詔を下し、道士を僧に帰依させました。世俗的な王権が仏道を保護する利益は実に多いのですが、一方、微妙な表現などに仏法と王法の関係を正しく整理しようとしている意図があるのではないかと思われます。

例えば下巻第一六話「図澄神異」における「図澄」という高僧ですが、彼は後趙の皇帝石勒（二七四〜三三三）と石虎（二九五〜三四九）に仕えました。石勒が後趙の創建者で、石虎は三代目の皇帝になりますが、とくに石虎のほうが暴君で殺戮を繰り返していました。しかしこの図澄はこの二人の信頼が厚く、好遇されました。例えば、この一段の中に、「勒死虎即位奉澄過勒」（勒死に、虎即位し、澄を奉ずること勒を過ぎたり）とあり、勒死んで石虎が即位するに及び、澄を待遇すること勒よりも過ぎているとあります。

隋の費長房による『歴代三法記』では、「佛図澄入鄴、而石虎殺戮減半、澠池宝塔放光」（佛図澄鄴に入り、而して石虎殺戮減半す、澠池の宝塔光を放ちたり）と、図澄が鄴という後趙の首都に入ってから、石虎の殺戮が半減し、その池の仏塔も光を放つようになった、とその仏教的功績を讃えています。暴君だった人物に厚遇され、その手を借りて布教した功績は評価されても、「勒」とか「虎」と呼び捨てしているところを見ると、暴君を決して評価しない意図が読み取れるように思われます。

それから、『釈氏源流』では多くの高僧が皇帝に迎えられてそれに仕えることが称賛されていますが、例えば「詔迎六祖」（下巻一〇一話）は、皇帝に召されても赴かない慧能の話であります。唐中宗からの勅使に対し、「謝辞以疾」と、慧能は病を理由に辞退しました。この話は、皇帝からの徴召を辞退することができないではないかという理由から、胡適をはじめ、一時随分疑問視されていました。しかし、王維の『六祖能禅師碑銘』、柳宗元の『曹溪第六祖賜謚大鑑禅師碑 並序』、劉禹錫の『大鑑禅師碑 並序』など同時代の文人の文章にも、また『歴代法宝記』『曹大溪別伝』などのような伝記にも記載されており、内容に多少の出入りはあるものの、皇帝の徴召を拒否した点は共通しており、事実だったと現在では受け止められるようになっています。

皇帝に召されることはこの上ない名誉であり、また布教にとっても有益なことであるに違いないが、武則天に仕えた北宗の神秀について、『釈氏源流』は「北宗神秀」（下巻第九九話）を設けているが、それに対し、慧能については「南派慧能」「詔迎六祖」（下巻第一〇〇話と一〇一話）と二段を設けています。他にも「三詔不赴」（下巻第七二話）では聖天子たる唐太宗から三度招かれても赴かない道信の事績があります。これらは仏教信仰の地方性を体現した段落でもありますが、[6]王権に依存する神秀よりも慧能の勅命拒否をより評価しているように読み取れます。

仏法を広めるために皇帝の力を借りなければなりませんが、しかしそれは決してあるべき姿ではありません。とくに図澄のように暴君に仕えることは推奨されていないように思われます。「勒」「虎」と呼び捨てるところに仏教の正統的なあり方を主張しようとする意図があるのではないかなと個人的に思っています。

注

1　孔蓓「河北省正定県隆興寺摩尼殿仏殿壁画内容辨識」（『美術与設計』二〇二〇年五月）。
2　https://www.fotoe.com/sub/106322/4（二〇二三年一一月一一日閲覧）。
3　張永波、田亜涛「石家荘毗盧寺釈迦殿壁画考釈」（『文物建築』第五輯、北京科学出版社、二〇一二年）。
4　張熙、郭静「石家荘毗盧寺釈迦殿『金牛太子』壁画考辨」（『河北大学学報（哲学社会科学版）』四三―三、二〇一八年五月）。
5　王加「中西方絵画中的『異時同図』」（『大匠之門』三三、二〇二一年一二月）。
6　邢東風「中国禅宗的地方性――従胡適的禅宗史研究説起」（『佛学研究』二〇〇五年、二九四～三一四頁）。

コメンテーターより②
『釈氏源流』の編纂と版本について

李　銘敬

『釈氏源流』の仏伝文学での位置づけ、東アジアでの広範的且つ多媒体的な受容状況（小峯和明先生）、『釈氏源流』下巻冒頭部に収められた仏教の中国伝来説話群の引用文献を手掛かりにしてその仏教史観や日本での受容（吉原浩人先生）、宋元の仏教説話画から継承された造形語彙集だという視点から『釈氏源流』と日本中世絵巻との接点（山本聡美先生）、そして正統元年（一四三六）の重刊本と明代後期の圓道重刊本をはじめ、『釈氏源流』の各版本（河野貴美子先生）を、それぞれの問題点として、四人の先生方のお話しを拝聴させていただき、大いに啓発されました。その補足として、私の研究興味から、次の二点を申しあげたいです。その一つは『釈氏源流』と王勃撰『釈迦如来成道記』（以下は『成道記』と略す）・釈道誠撰『釈迦如来成道記注』（以下は『成道記注』と略す）との関係性、もう一つは、『釈氏源流』の版本と早稲田大学所蔵本（大興隆寺刊本）所収説話、特に冒頭部二話「釈迦垂迹」「最初因地」についてのことです。

一、『成道記』『成道記註』との関連性について

中国では、早期的な仏伝として僧祐『釈迦譜』（梁天監年間、五〇三～五一五）と道宣『釈迦氏譜』（麟徳元年、六六四）が挙げられます。しかしそれら僧侶の手になる作品に対して、王勃『成道記』（成立は唐咸亨二年冬から四年〈六七一～六七三〉までとする）▼1は、文人が自ら創った仏伝文学の最初の傑作です。それは対句を駆使して仏陀の生い立ちから出家、修行、成道、説法、涅槃及び入滅後の仏法弘通までの歴史を二〇〇句くらいで纏めた仏伝の小品であり、仏伝、遺教の結集と宣揚、神州中国への仏教伝来からなるその内容構成が『釈氏源流』のそれと一致しているし、四字句の題目の命名も『成道記』によるものが多い。例えば、「釈迦垂迹」は「觀夫釋迦如來之垂迹也」、「純陀後供」は「受純陀之後供」、「金棺自舉」は「繇是金棺自舉、遶拘尸之大城」、「聖火自焚」は「畢以兜羅緻氎、聖火自焚」とあるように、『成道記』の原文から拾い上げて作成されたものが少なくありません。また説話の部分には『成道記註』から取材した内容も見出される。例えば、「釈迦垂迹」や「天親造論」などの話は『成道記註』から直接に採録されたものです。ここで少し例を示します。

釋迦垂迹

釋迦者、梵語也、華言能仁、即娑婆世界化佛之姓也。垂迹者、菩提之為極也、神妙寂通、圓智湛照、道絶形識之封、理顯生滅之境。然釋迦如來最初得佛之後、大悲利物、示有始終。聖人之利見於世也、則必有降本垂迹開迹顯本之妙存焉。夫本者、法身之謂也。迹者、八相之謂也。由法身以垂八相、由八相以顯法身、本迹相融、俱不可思議。豈實誕於王宮、寧真謝於雙林。但愍群迷長寢、同歸大覺、緣來斯化、感至必應。若應而不生、誰能悟俗、化而無名、何以導世矣。是以標號釋迦、名種刹利、體域中之尊、冠人天之秀。然後脱屣儲王、真觀道樹、

捨金輪而馭大千、明玉毫而制法界。今約如來因行、引經論、敘聖源、用明法王一代化儀始終之義、此所以度衆生之垂迹也。[2]（『釈氏源流』）

釋迦者、梵語也、華言能仁、即娑婆世界化佛之姓也。謹按長阿含經云、昔有轉輪王、姓甘蔗氏、聽次妃之譖、擯四太子至雪山北。自立城居、以德歸人、不數年間、蔚為強國。父王悔憶、遣使往詔、四子辭過不皈。父王乃三歎曰、我子釋迦。因命氏焉。如來者、梵云多陀阿伽度、秦言如來、十號之一也、謂從如實道來成正覺也。成道者、法王啓運之謂也。夫諸佛之道、無得為得、非常道也。且釋迦如來成道已來甚太久遠、非即今世以慈悲大誓化現身相、接物利生、示有始末、故云成道。

唐書、王勃、高宗朝博士、福時第三子也。與兄勮、勔俱有才名、時稱為王氏三珠樹。勃少與楊炯、盧照隣、駱賓王齊名海内、號為四傑。乾封中、沛王聞其才名、辟入府。時諸王尚鬬鷄、勃戲為檄英王鷄文、高宗怒曰、此即交搆之漸。乃黜虢州參軍。有『滕王閣記』『釋迦畫像記』『維摩畫像碑』並盛行於世。

觀夫釋迦如來之垂迹也。

觀夫者、發語之端緒也。釋迦如來、見上註。垂迹者、祐法師云、蓋聞菩提之為極也、神妙寂通、圓智湛照、道絶形識之封、理畢生滅之境、豈實誕於王宫、寧真謝於固林哉。但憫群萌長寢、同歸大覺、緣來斯化、感至必應。若應而不生、誰與悟俗、化而無名、何以導世。是以標號釋迦、擅種刹利、體域中之尊、冠人天之秀。然後脱屣儲宮、真觀道樹、捨金輪而馭大千、明玉毫而制法界。此其所以垂迹也。[3]（『成道記註』）

天親造論

成道記註、天親菩薩是無著菩薩俗中親弟、法中小師。始宗有部、造五百論、明小斥大、天竺無敢敵者。無著是初地菩薩、觀其弟大乘根緣將熟、乃假疾召歸。甫近一驛、遣一弟子往接、至夜同館宿、其弟子夜誦大乘一偈云、若人欲了知、三世一切佛、應觀法界性、一切惟心造。天親聞之、豁悟解大乘正理。且悔昔誹斥、深咎何補、原其罪本、但是舌根、乃起手執利刀、欲截其舌。無著遙知、伸臂捉住、諭之曰、汝悟大乘、蓋其時矣。昔以舌毀、宜以舌讚、可補其過。且斷舌不言、其利安在。天親受教乃止、洎覲本師、諦聽慈旨。造『大乘論』『百法論』『五蘊論』『二十唯識論』『三十唯識識』等論。無著首暢大乘、在阿瑜闍國大講堂中入法光定、夜昇兜率天宮、請聖慈尊說『瑜伽論』、廣明五分十七地義、金剛經義。無著約十八住處、造論二卷。天親約斷二十七疑、造論三卷。

（『釈氏源流』）

或千部鬱興

天親菩薩是無著菩薩俗中親弟、法中小師。始宗有部、造五百論、明小斥大、天竺無敢敵者。無著是初地菩薩、觀其弟大乘根緣將熟、乃假疾召歸。甫近一驛、遣一弟子往接、至夜同館宿、其弟子夜誦大乘一偈云、若人欲了知、三世一切佛、應觀法界性、一切唯心造。天親聞之、豁然悟解大乘正理。且悔昔誹斥、深咎何補、元其罪本、但是舌根、乃起手執利刀、欲截其舌。無著遙知、伸臂捉住、諭之曰、汝悟大乘、蓋其時矣。昔以舌毀、宜以舌讚、可補其過。苟斷舌不言、其利安在。天親受教乃止、洎覲本師、諦聽慈旨。便造『大乘論』、累五百部、故天竺呼為千部論師焉。

或聞經而夜升兜率

無著菩薩入法光定、夜升兜率天、請問慈氏金剛經義。慈氏說八十頌、申明大義。無著約十八住處、造論二卷。天親約斷二十七疑、造論三卷。（『成道記註』）

とあるように、「釈迦垂迹」の一話は「釈迦如来」と「觀夫釋迦如來之垂迹也」、「天親造論」の一話は「或千部鬱興」と「或聞經而夜升兜率」といった『成道記』原文についての注文をそれぞれ部分的に抜き出し、その間を弥縫する文字を施して構成させたものだと分かります。また「諸王捔力」の話では、「帝釋取箭、上天起塔供養」という文言が『成道記注』にしか見えません。このように、『釈氏源流』が『成道記』『成道記注』とは密接な関係にあることが看取できます。それなので、『成道記』を『釈氏源流』の冒頭部におくことは、内容的な源を示すために撰者宝成自らがそうしたのではないかと推測されましょう。

さらに、宝成と『成道記』との関連性について、明の宣徳八年（一四三三）に刊行された道誠撰『釈氏要覧』に所附の宝成の手になる跋からしても見て取れるのでしょう。

明刻本釋寶成跋

錢塘道誠大師要覧集、乃出家學道之規範也。行世久矣、舊板湮沒。釋寶誠自幼得此集、嘗隨身四十年矣。泊宣德元年以來、皇上覃昭曠之恩、普度天下行童。率同志顧道珍繕寫、謹捐衣資、洎信官姜普成等命工刊板、印造流通。俾若見若聞、於法於義、了然無惑。開示後來、如説而行、令法久住、傳列祖心燈不絶、續如來慧命無窮者。大明宣德八年龍集癸丑孟夏四月如來結制日、大報恩寺堅密室沙門釋寶成謹誌[4]

とあり、宝成が幼時から四〇年間、道誠撰『釈氏要覧』を身元から離さずに持って読んでいたという文言から、彼が道誠の著書の愛読者であることが明白であります。よって、道誠『成道記注』乃至王勃『成道記』の存在も彼にはよく知っているはずです。さらに言えば、上述した受容関係を合わせて考えると、『釈氏源流』の編纂縁起がこの辺にあるのではないかと推測されます。『成道記』を巻首におくこと自体も、最初から宝成がそうしたのかもしれません。

二、『釈氏源流』の版本と早稲田大学所蔵本の位置づけ

これまで数回にわたって行った調査によりまして、試みて『釈氏源流』の版本を四つの系統に分け、正統元年（一四三六）に刊行した「聚宝門来賓楼姜家印行本」を第一系統本に、成化二二年（一四八六）に憲宗皇帝が御製した内府刊本、すなわち『御製釈氏源流』を第二系統本に、嘉靖三五年（一五五六）に釈浄用らが正統以前の版本を翻刻したものを第三系統本に、第一系統本の巻上にあたる仏伝部分を内容としたものを第四系統にします。以下、やや詳細に紹介してみます。

二―一、第一系統本

『釈氏源流』の版本については、現在知られる諸版のうちで、中国国家図書館古籍館所蔵の鄭振鐸旧蔵本が最も早い時期の一種で、正統元年に刊行された「聚宝門来賓楼姜家印行本」です。巻上「釋音」の前後には、それぞれ撰者宝成が洪熙元年（一四二五）と正統元年に撰した「刊記」と「題記」が見られます。それを次のように示します。

如来應跡投緣、随機闡教、化啓惰陳、道終須跋。漢明感夢、靈應弥彰。諸祖継出、弘揚此道、文積巨万、簡累大千。像法浸末、信樂弥衰、文句浩漫、尠能該覽。備抄衆典、顯證深文、控會神宗、辞畧意曉、標題圖畫、取則成規、因曰釋氏源流。募緣鋟梓、用廣流通、使見聞者、可不勞而博矣。旹洪熙元年歳在乙巳秋七月解制日四明釋　寶成誌（『刊記』）

大明永楽二十年歳次壬寅檢閲、抄寫、編集、命善人顧道珍書、王恭畫、喩景濂刊。又於宣徳九年十月、命廬陵

王榮顯重刊。正統元年歳在丙辰孟冬十月吉日堅密室沙門釋寶成題。（『題記』）

『刊記』は明代早期の「北京大興隆寺刊本」と嘉靖三五年（一五五六）の刊行本などにも見られるが、『題記』は現在、この正統元年の刊行本にしか見えません。両者を合わせてみれば、『釈氏源流』は永楽二〇年（一四二二）に編纂が完成し、洪熙元年（一四二五）、善人の顧道珍に書く、王恭に畫く、喩景濂に刊するように命じ、本書初めての刊行になります。そして、九年後、宣徳九年（一四三四）一〇月に、廬陵の王栄顕に再刊せしめるが、それが一年経つと正統元年（一四三六）に変わり、同年一〇月に刊行される運びになるので、そのために宝成が題記を附したのであろうかと見られます。そうすると、正統元年の刊行版は本書の第二次の刊行物に当たります。その書誌は、筆者の調査により下記の通りに整理してみました。

冊子本、1秩2冊、附簽に「XD1056、2冊、釋迦如来成道應化事蹟記、鄭10336」と書く。明朝綴じ、四周双辺、双魚尾、上大黒、無界格。紙高34・5糎、紙幅25糎、框高29・2糎、框幅18糎。上図下文、図の框高14・2糎、文の框高15・1糎。毎半葉18行、毎行16字、楷書書き。上冊（XD1056-2）は破損厳重で、「摩耶托夢」以前の部分を欠き、さらに「耶輸應夢二十六」までの部分は毎半葉の下半部分が破損している。「大赦修福九」「提婆鑿眸二百」「天親造論二百一」「神僧應供二百二」「十大明王二百三」「護法諸天二百四」「達磨西来二百六」など成化二二年刊行本にみえぬ七話が載る。下冊は下方の書口部分が破損が厳しく、版心に書名と頁数の書き入れがあり、内題「釋氏源流巻下」の下方に「大報恩寺沙門釋寶成編集」と書く。内題の直下に「長楽鄭振鐸西諦藏書」（簡体字・行草、方印）、また第一話の題目「諸祖遺芳一」の真下に「北京図書館藏」（篆書、長方印）と、二枚の蔵書朱印が捺印される。「贍巴國師二百」の後に「普應国師二百一」・「善世禅師二百二」といった二話が続くが、その破損も厳重である。

図１　中国水印版画大展本（「水印千年版刻千秋——中国佛教版画浅述」による）

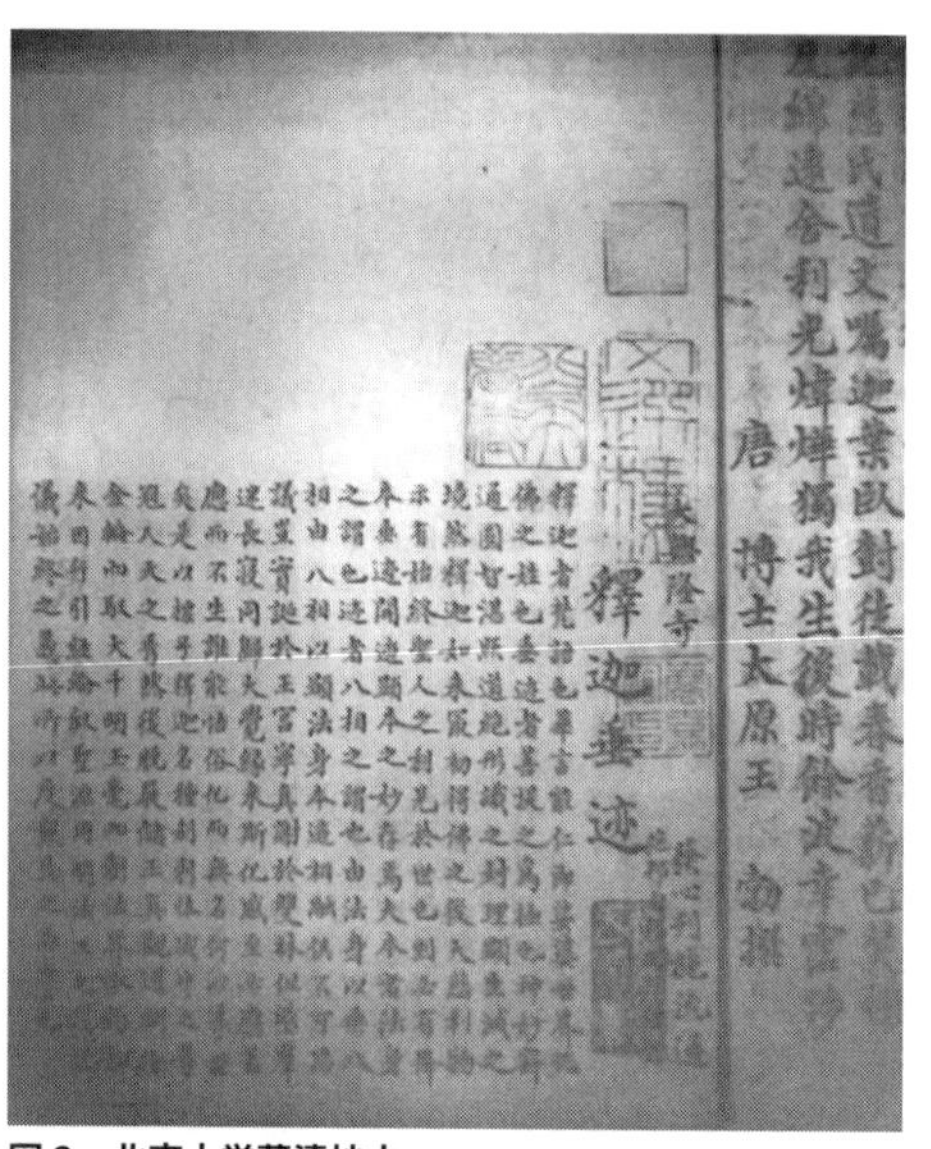

図２　北京大学蔵清抄本

本刊行版は成化二二年（一四八六）の内府刊行本（右図左文、四冊で所収話数が四〇〇話）に比べれば、最も特徴的なところは、上図下文であることと、所収話数が四一〇話だということです。なお、第二冊の各葉の下魚尾の下方には、例えば「信人丘福助刊　伏願／奉公清吉　魔障無侵」（「勧度僧尼」六十五）というように、刊行助成者の名前と祈願文が大量に刻み込まれることも目立ったところです。

管見によれば、正統元年版の系統本には、上述した洪熙元年の刊行本以外、「大興隆寺刊本」といった数種があります。具体的には、（1）「水印千年——中国水印版画大展」（二〇一八年一月）の展示本。（2）天一閣書目・三・釈家類の著録本（23「釋氏源流」二巻、四冊」（未見）。（3）北京大学蔵清抄本（李盛鐸旧蔵）、二巻、四冊本。（4）早稲田大学現蔵本（富岡鉄斎旧蔵）、二巻、六冊本。（5）天理大学蔵朝鮮版、四巻（春夏秋冬）か、存二巻（春夏）、などが挙げられます。この数種の巻首と巻末に付された刊記を併せて見たところ、「大興隆寺比丘本讚發心刊施流通」

（巻首）と「大興隆寺募縁比丘圓道発心重刊」（巻末）という二種が分けられます。前者には（1）があり、後者には（2）（3）（4）（5）などがあります。また、前者の巻首刊記が後者の（3）（5）にもあるものの、そこに「比丘本讃」という四文字がなくてそれにあたる部分を空けて「發心刊施流通」の文字が続いており、不完全な刊記になっています。（4）早稲田現蔵本巻上末（第三冊）の版心に「板在阜成関外衍法寺西方丈、比丘本讃印行」と刻まれる版記を加えて考えると、「募縁比丘圓道」の重刊本は「比丘本讃印行」の版木を利用して、しかも再刊する際に、「比丘本讃」を削除したのではないかと思われます。

二〇一八年一月に浙江美術館・中国美術学院が主催の「水印千年――中国水印版画大展」には『釈氏源流』が出品されており、翁連溪「水印千年　版刻千秋――中国佛教版画浅述[5]」所附の「作品賞析・3」には本作品の数枚の写真が掲載され、そのうちに内題を有する一枚があり、上図下文で、上図の右側に内題「釋氏源流巻上」、その下方、即ち下文第一話「釋迦垂迹」の右側に「大興隆寺比丘本讃　發心刊施流通」といった刊記が記されます。なお、現在は蘇州の寒山寺で開催中の「宝蔵興焉――千年仏教典籍展」において出品されている『釈氏源流』があり、冊子で二巻四冊、外題は「釈氏源流巻上（下）前（後）」と書く。栄宝斎の所蔵品らしいが、展示の説明ラベルによれば「明の宣徳刻本」とされている[6]。別途にネット上で得た情報[7]と合わせて確認したところ、これは「水印千年――中国水印版画大展」に展示された版本が修繕されたものであります。

（3）（4）（5）を纏めてみれば、「大興隆寺募縁比丘圓道発心重刊」は上図下文、元は上下二巻、四冊或いは六冊、巻上には二〇八話・図、巻下には二〇二話・図で、合計四一〇話・図が収められます。四冊本の（3）は以下の通り、第一冊はその冒頭に「釈迦如来成道応化事蹟記」をおくが、第一話「釈迦垂迹」の題目の右方に「大興隆寺□發心刊施流通」といった刊記、第二冊は第二〇六話「達磨西来」以後に初版の序（ただし「旹洪熙元年歳在乙巳秋七月解制日四明釋　寶成誌」といった最後の文言なし）と「上巻釋音」が載っており、第四冊はその末尾に「下巻釋音」が続くが、そのはじめに双行割注で「伏願施財衆善人等見存獲福幽顕蒙恩世出世間福／徳智慧佛光中吉祥如

意　大興隆寺募縁比丘圓道発心重刊」という刊記が掲げられます。また巻上では第一話「釈迦垂地」と第二話「如来因地」を空けて第三話「買華供佛」をはじめて第一話として番号を付け出すことになっています。巻上第三話「買華供佛」（話数の番号では第一話となる）と巻下第四二話「慧約説戒」の二話は、成化二二年刊行本系統の諸本ではそれぞれ「如来因地」と「梁皇受戒」に当たり、題名が異なっております。それのみならず、内容も完全に違った話も有します。例えば巻下第六七話「受戒行慈」は、『釈氏通鑑』によって採録された隋文帝の菩薩戒受戒の話ですが、成化二二年の系統本において本話の番号にあたるのが「毒酒不死」で、『続高僧伝』を出典とした、隋の釈童進が毒酒を飲んで長寿不死を得たという内容の全く相違した話です。

『天一閣書目』「釈家類」には、「釋氏源流二巻、不著撰人名氏、王勃序弁銘」と著録されているが、未見。しかしそれの清抄本（「揚州阮氏録天一閣秘本」）があり、元は李盛鐸の旧蔵で、現在、北京大学古籍部（李3277）の所蔵になります。冊子本で二巻四冊、巻上は二冊、第一冊は本文が墨付き五六葉で、うちに「釈迦如来成道応化事跡記」が三葉[8]で、後の五三葉には「釈迦垂迹」「最初因地」「買花供佛一」から「夫人満願一百四」までの一〇六話が写されており、第二冊は本文が墨付き五一葉で「鸜鵒請佛一百五」から「達磨西来二百六」までの一〇二話と「洪熙元年刊記」「巻上釋音」が写され、二冊で二〇八話の仏伝説話・序・釈音が写されています。巻下も二冊、第三冊は本文が墨付き五一葉で「諸祖遺芳一」から「南派慧能一百」までの一〇〇話、第四冊は本文が墨付き五二葉で「詔迎六祖一百一」から「善世禅師二百二」までの一〇二話と「下巻釋音」「刊記」が写されています。

第一冊では墨付きになる前の半葉の冒頭下方には「揚州阮氏録／天一閣秘本」（白文朱印）「北京大／学蔵」（朱印）という両印が左右に並ぶ。第五葉の前半葉の上方が空白で、下方の右に楷書の双行大字で「釈迦垂迹」の題目を、さらにその右隣に「大興隆寺（その後に五、六字ほどの空白を開けて）發心刊施流通」と書く。題目の上方に「文選楼」「麐嘉館印」（「麐」は「麟」の異体字）と、揚州阮元と李盛鐸の藏書印が捺印されます。下方に「揚州阮氏録／天一閣秘本」の長方形印があり、その左に「范邦甸、邦呥、邦瞵録」という一行が書き添えてあります。范邦甸とは、字は禹甫、清の鄞県の県学生であり、浙江の学政官である阮元の命を奉じて、家族の兄弟六人とともに『天一閣書目』一〇巻を編纂したことがあります。[9] よって、この『釈氏源流』の抄録本も彼ら兄弟が書写したものと見てよい。なお、抄本では「元琬勧誡七十一」「元奘取経八十五」(第三冊)など「避諱」のために「玄」を「元」と改めたり、「浮江石像十八」と「支遁誡勖十九」(第三冊)の二話が繰り返して二度抄録されたり、「天宝雨莘四十一」(第三冊)と「懶瓚食淺一百三十六」(第四冊)には「華」と「残」をそれぞれ「莘」と「淺」と誤写したりしたなどの状況が見られます。

早稲田大学所蔵本は富岡鉄斎の旧蔵で、各冊に「君子居之何陋之有　鐵斎」という円形朱印があり、二巻、線装冊子本、六冊。上図下文、巻上(第一~三冊)は二〇六話、版図二〇六枚。巻首に「釈迦如来成道応化事蹟記」をおくが、存一葉、欠三葉。本文は「買花供佛一」からはじまり、その前に「釈迦垂地」と「如来因地」との二話と二図が欠。第一冊第一一葉(「飯王応夢二十一」「路逢老人二十二」)の題目下に、割書で「宣武門信官／肖通施刊板一塊」「信官肖通／刊板」という寄進の記録が刻み込んであります。第三冊の末に「洪熙元年刊記」・「上巻釋音」という内容をもつ一葉があり、その最後に「板在阜成関外衍法寺西方丈比丘本讃印行」という刊記があります。巻下(第四~六冊)には一九四話・図が存し、第六冊末「下巻釋音」の下に割注で「伏願~大興隆寺募縁比丘圓道発心重刊」の刊記が記されます。「諸祖遺芳一」「佛先現瑞二」「僧燦求法五十七」「慧思妙法五十八」「韓愈参問一百六十三」「楽天参問一百六十四」「螺渓興教一百八十一」「懇留利生一百十二」という八話・図を欠きます。なお、「儀文行布九十二」「万里日廻九十四」「七歳傳衣九十五」「待鶴移巣一百一十九」「普應国師一百一」「善世禅師一百二」といった六話の話番号を表す数字が誤っており、それぞれ「九十一」「九十三」「九十四」「一百二十九」「二百一」「二百二」とすべきであります。

天理大学所蔵の朝鮮版は春夏秋冬の四巻からなるもののはずですが、春と夏の二巻のみが存します。春の巻の冒頭には、成化二二年刊行本の「御製釈氏源流序」と「崇禎後戊子(＝清康熙四七年〈一七〇八〉)五月晋陽後人河浩然序」

の二つの序文が附されます。

二―二、第二系統本

この系統本には二種があり、（1）景泰年間（一四五〇～五六）の刻本『釈氏源流応化事跡』であり、左図右文、版図四〇〇枚、成化二二年（一四八六）刊行本の前身かとされます。北京首都図書館所蔵本があり、未見。[10]（2）成化二二年に憲宗皇帝御製の内府刊本『御製釈氏源流』、元来の上図下文を右図左文に、上下二巻を四巻に、四一〇話・図を四〇〇話・図に改めたもの。カットされたのは「最初因地（佛本行経云）」「大赦修福」「提婆鑿眸」「天親造論（成道記註）」「神僧應供」「十大明王」「護法諸天」「達磨西來」「普應国師」「善世禅師」といった一〇話です。『中国古代版画叢書』二編二輯所収本（上海古籍出版社、一九九四年）、韓国顕宗一四年（一六七三）揚州佛巌寺刊本（附音釈、四巻、『域外漢籍珍本文庫』第三輯・子部・第一六冊所収本、西南師範大学出版社・人民出版社）、『釈氏源流應化事跡』四巻（美国議会図書館所蔵本）などはみな『御製釈氏源流』の再版本です。

二―三、第三系統本

嘉靖三五年（一五五六）に釈浄用らが正統以前の版本を翻刻したもので、その刊記は「順天府宛平縣萬佛寺二茶和尚、廣東潮州府僧綱司護印淨用及淨川志諒募縁重刻」と、刊行地と刊行人が記されています。上図下文、上下二巻ですが、その内容は成化二二年刻本と一致しており、四〇〇話・図となります。『釈氏源流』（中国書店、一九九三年）、王孺童点校『釈氏源流』（清代初期の翻刻、中華書局、二〇一九年）などは本系統本の再版です。なお、蘇州西園寺現蔵本があり、明朝綴じ、下巻のみで、西園戒幢佛学研究所図書館館長補佐の楼暁尉氏から提供された写真資料によれば、下巻「道進心直十七」から「聞雷悟道一百八十七」までの一七〇話が残る零本であって、第一系統本と相違した「梁皇受戒四十二」「毒酒不死六十七」という二話を有するので、これも本系統本に属するものだと考えます。

二―四、第四系統本

諸種があり、（1）報恩寺沙門宝成編集『釈迦如来応化録』。『釈氏源流』第一系統本の巻上にあたる仏伝の部分を内容とするもので、日本正保五年（一六四八）に西田勝兵衛が開板した版本で、上下二巻、巻首「釋迦如来應化録上（下）、報恩寺沙門寶成編集」とあり、「釈迦如米成道記」の所附や図はなく、二〇八話からなり、第二系統本にみえない「最初因地（佛本行経云）」「大赦修福」「提婆鑿眸」「天親造論」「神僧應供」「十大明王」「護法諸天」「達磨西來」という八話が揃います。早稲田大学所蔵本や日本続蔵経所収本（NO.1511）などがあります。（2）四川省剣閣県覚苑寺壁画の制作による版本。明代天順年間（一四五七～一四六四）制作の壁画、一四舗二〇五図、中に成化本に見えぬ「010 大赦修福」「201 提婆鑿眸」「203 神僧應供」「204 天親造論（成道記註）」「205 達磨西來」などの五図が含まれます。黄河編著『明代彩絵全図・釋迦如来應化事迹』（河北美術出版社、二〇〇三年）所収。（3）清・永珊編『釋迦如來應化事迹』。乾隆五八年（一七九三）に編成、嘉慶一三年（一八〇八）和碩豫親王裕豊が刊行したものです。同治八年（一八六九）の印行本があり、「永珊撰・重繪釋迦如來應化事迹縁起」「唐博士太原王勃撰・釋迦如來成道記」を付す。二〇八話・図あり、中には『御製釈氏源流』に見えない「013 大赦修福」と「206 天親造論」の二話・図が含まれ、また元来の一話を二話に分けるものも見えます。例えば、「如来因地」↓「002 買華供佛」・「003 布髪掩泥」、「瞿曇貴姓」↓「005 瞿曇貴姓」・「006 呪成男女」などの諸話です。西尾市岩瀬文庫（281-2）や国文学研究資料館などの所蔵本があり、『釋迦如來應化事迹』（上海古籍出版社、一九九四年）、仏伝・『釋迦如來應化事迹』注訳（王孺童注訳、中国人民大学出版社、二〇〇九年）など再版本が多いです。

以上見てきたように、四つの系統本において、早稲田大学所蔵本は正統元年刊行版の系統本にある大興隆寺刊本の一種に属し、上冊に「釈迦垂地」「如来因地」という二話・二図、巻下には第一話・第二話、第五七話・第五八話、第一六三話・第一六四話、第一八一話・第一八二話などの八話・八図、合わせて一〇話・一〇図を欠く残欠本だということが分かります。

なお、なぜ第二系統本になると、第一系統本の二一〇話の説話から一〇話を減らして二〇〇話に変えたのでしょうか。そうした問題も興味深いですが、別の機会で検討したいです。

（本稿は中国人民大学科学研究基金「唐宋佛教文学典籍在東亜的伝播研究」〈21XNL014〉の成果です）

注

1 李銘敬「王勃『釈迦如来成道記』研究序説」、小峯和明編『東アジアの仏伝文学』所収（勉誠出版、二〇一七年）。

2 『釈氏源流』説話の引用は卍新纂続藏経『釈迦如来応化録』No.1511 による。以下も同。

3 宋・道誠『釈迦如來成道記註』の引用は卍新纂続藏経 No.1509 による。以下も同。

4 宋釈道誠撰・富世平校注『釈氏要覧校注』（中華書局、二〇一四年）附録二、第五九八頁。

5 https://www.sohu.com/a/224249311_288958（2018-02-27 06:18 最終閲覧）。

6 西園戒幢佛学研究所図書館館長補佐の楼暁尉氏から提供された写真による。

7 「寒山寺 宝藏興焉——千年佛教典籍展、布展紀事＃寒山寺＃蘇州展覧＃古籍善本」https://www.bilibili.com/video/BV1ZJ4m1A7iB（2024.05.26 最終閲覧）。

8 「国立中央図書館」（現在の台湾故宮博物院）所蔵の明代初期とされる刊行本のこの部分にあたる複写によると、元は四葉あるはずだが、第一葉が欠となる。

9 浙江档案数據庫・浙江歴史名人辞典（https://www.zjda.gov.cn/）による。

10　金維諾著『中華仏教史・仏教美術巻』（山西出版伝媒集団・山西教育出版社、二〇一三年）第三六六頁参照。

附記　諸版本の調査に際して、国家図書館古籍館の陳紅彦館長・顔彦組長・李彦娜女史、北京大学図書館古籍部・北京大学出版社典籍与文化事業部の馬辛民部長・同外国語学院の向偉博士、蘇州西園寺戒幢佛学研究所図書館館長補佐の楼暁尉氏、首都図書館歴史文献閲覧室及び関係各位には多大なご協力をいただきました。深く感謝の意を表します。

説話文学会大会関連展示

説話の文学・美術・宗教：『釈氏源流』と仏伝展　出品目録

会期：2023 年 6 月 26 日（月）～ 7 月 7 日（金）
会場：早稲田大学総合学術情報センター２階展示室

展示番号	資料名	員数・材質	法量（縦）	所蔵者	早稲田大学図書館請求番号
第１部　『釈氏源流』と出版された仏伝					
1	富岡鉄斎旧蔵　釈氏源流	全 6 冊	各 36 cm	早稲田大学図書館	貴重書庫 ハ 04 06209
2	釈迦如来応化録 上、下／寳成編	全 6 冊	各 27 cm	早稲田大学図書館	ハ 04 00502
		1 冊（下三）	28 cm	個人蔵	
3	釈迦如来成道記 上、下／王勃撰、道誠註	全 2 冊	各 27 cm	早稲田大学図書館	文庫 05 00412
4	明成化説唱詞話叢刊／ 1973 年復刻版	全 12 冊		早稲田大学図書館	文庫 19 F0400 Z860:1
5	釈迦如来御本地　上、中、下	全 3 冊	各 25.5 cm	早稲田大学図書館	文庫 30 E0180
6	釈迦八相物語　第一～八	全 5 冊	各 26 cm	早稲田大学図書館	文庫 06 00935
7	釈迦御一代記図会 巻之一～六	全 6 冊	各 26 cm	早稲田大学図書館	へ 13 00593
8	釈迦実録　巻之一～五	全 5 冊	各 23 cm	早稲田大学図書館	へ 13 01809
9	釈迦八相倭文庫	合巻 102 冊	各 18 cm	早稲田大学図書館	へ 13 03836
10	善光寺縁起	全 1 冊	27 cm	早稲田大学図書館	ハ 04 00716
第２部　蔵書家富岡鉄斎					
11	富岡鉄斎旧蔵 釈氏源流 共箱	1 合		早稲田大学図書館	
12	書簡／富岡鉄斎 （大正四年 細川開益堂宛）	2 通		個人蔵	
13	十六羅漢図／ 富岡鉄斎	紙本淡彩　全 2 幅	各 134.2 cm	早稲田大学 會津八一記念博物館	
第３部　ゴルドン文庫から見る仏伝の造形					
14	釈迦涅槃図	絹本彩色　1 幅	91 cm	早稲田大学図書館	古書資料庫 モ 02 00110
15	釈迦涅槃図	絹本彩色　1 幅	87 cm	早稲田大学図書館	モ 02 00108
16	釈迦涅槃図／道益図	木版彩色　1 幅	33 cm	早稲田大学図書館	博物収蔵庫別置 モ 02 00116
17	舎利容器	1 基		早稲田大学図書館	モ 02 00418
18	仏伝図（釈尊と五比丘）	木版彩色　1 枚	31 cm	早稲田大学図書館	モ 02 00100
19	釈迦五百羅漢図 ／ 元禄六年（1693）識	木版墨摺　1 枚	88 cm	早稲田大学図書館	モ 02 00103
20	羅漢図	絹本彩色　1 幅	53 cm	早稲田大学図書館	モ 02 00269
21	十六羅漢図	絹本彩色　1 幅	108 cm	早稲田大学図書館	モ 02 00249
22	十六羅漢図	絹本彩色　1 幅	106 cm	早稲田大学図書館	モ 02 00250
23	熾盛光仏	絹本彩色　1 幅	73.6 cm	早稲田大学図書館	モ 02 00097

III ラウンドテーブル

説話文学研究――つぎの六〇年に向けて

趣意文

近本謙介

説話文学研究が創設以来六〇年の間に切り拓いてきた視界は多大かつ広範であり、日本文学諸学会のみならず、隣接諸学との相互乗り入れや価値の共有も進展を見せている。その一方で、研究対象や方法論が多様化したことによる問題や、今後に向けて克服すべき課題が顕在化してきた点も直視しなければならないであろう。

説話文学会の還暦にあたり、学会の越し方行末を見つめ、つぎの六〇年に向けての海図をできる限り描出してみたい。ラウンドテーブルでは、四名の報告者から、説話集・説話、軍記・唱導、絵巻・絵画資料、能・芸能を念頭に置いた発話をお願いする。もとより説話文学研究の歩みは、これらの領域や分野を横断・超克する視座の獲得にも大きな意義があったので、発話内容において、相互に連関する話題や方向性が提示されることは、むしろ歓迎すべきことである。また、限られた時間での議論となるため、網羅的に研究史や課題を振り返るのではなく、現状の問題点を踏まえつつ、今後に向けての建設的な提言を期待している。

説話集研究の現状と今後

本井牧子

京都府立大学の本井と申します。このたびのラウンドテーブルでは、コーディネーターの近本謙介氏から「説話集・説話」というお題を頂戴いたしました。率直に、正直に申しまして、たいへんに難しいお題であると感じております。おそらくこれは多くの方々が感じていらっしゃると思うのですが、説話集、あるいは説話そのものの研究というのは、現在の説話研究において、決してメインストリームとはいえない状況にあると思うからです。ただ、逆にこういった状況だからこそ、あらためて考えなければならないことでもあるとも思いますので、説話集と説話研究の現状と今後について、わたくしなりにお話しさせていただきたいと思います。どうぞよろしくお願いいたします。

一、説話集研究の現状――五〇周年記念事業とそれ以降

まずは、いま申しあげたような研究状況を、一〇年前の説話文学会設立五〇周年を例に確認しておきたいと思い

ます。まず大会のプレ企画として、例会シンポジウム「説話研究の潮流」が開催されました（二〇一二年四月二一日、於駒沢大学。『説話文学研究』四八、二〇一三年七月。以下、シンポジウム等については開催情報と掲載誌の書誌を掲載し、登壇者、タイトル等の詳細については適宜割愛します）。その席上では、民俗学、中世神道・神祇信仰、地域資料調査、東アジアの資料学という観点からの説話研究について、具体的な提言がなされました。つづいて開催された五〇周年記念大会（二〇一二年六月二三・二四日、於立教大学）では、ハルオ・シラネ氏の講演『黄金伝説』と世界文学としての説話集」につづいて、第一セッション「説話とメディア――媒介と作用――」、第二セッション「説話と資料学、学問注釈――敦煌・南都・神祇――」、第三セッション「説話と地域、歴史叙述――転換期の言説と社会――」という三つのセッションが展開されました。シンポジウムにもとづく書籍（説話文学会編『説話から世界をどう説き明かすのか　説話文学会成立五〇周年シンポジウム［日本・韓国］の記録』笠間書院、二〇一三年）に寄せられた小峯和明氏の序文にあるように、シンポジウムでは、「かつての国文学内の説話文学ジャンルの域をはるかに超え」た「人文学総体にかかわる、あらゆる問題群が」議論されており、説話の研究状況が活況を呈していることが確認されています。この流れはこれ以降も基本的に継承され、本日の講演会・シンポジウム「説話の文学・美術・宗教」へとつながっています。一方で、五〇周年大会ではテーマとして正面から説話集がとりあげられることはありませんでした。また、これ以降の説話文学会のシンポジウムをみても、後で触れる無住をテーマとしたものがあるものの、説話集そのものをテーマに冠するものはなく、二〇一五年度大会の講演会「仏教説話の流れ」（二〇一五年六月二七・二八日、於二松学舎大学。『説話文学研究』五一、二〇一六年八月）が、学会として説話集の問題を比較的正面からとりあげたほぼ唯一の企画ということになります（以下の三つの講演が行われました。多田一臣氏「『日本霊異記』をどう捉えるか――自土意識（国家意識）の視点から」、荒木浩氏「対外観の中の仏教説話と説話集――「諸教要集」をめぐって」、伊東玉美氏「仏法の語り方――『発心集』から見た『宝物集』」）。

ただし、この一〇年ほどに限ってみても、荒木浩氏や森正人氏のご研究に代表されるような、説話集研究として重要かつ本質的な研究が公にされていることはまず強調しておかなければなりません（荒木浩『説話集の構想と意匠　今昔物語集の成立と前後』（勉誠出版、二〇一二年）、森正人『古代説話集の生成』（笠間書院、二〇一四年））。また、昨年度説話文学会賞を受賞された川上千里氏のご研究も、『今昔物語集』の作品論に正面から取り組まれたものでした（川上知里『今昔物語集攷　生成・構造と史的圏域』花鳥社、二〇二一年）。先ほど触れましたシンポジウム「仏教説話の流れ」の各講演も含め、文学史を見通す巨視的な視点が貫かれた説話集・説話の研究が着実に進められていることは間違いありません。

しかしながら、学会全体を俯瞰したときには、説話集・説話そのものを読む研究から、説話からさまざまな分野へと拓くという方向にシフトしているということは、しばしば指摘されるとおりで、五〇周年記念大会を記録した書籍が「説話から世界をどう説き明かすのか」というメインタイトルになっていることは象徴的です。

いまさらことあたらしく申しあげることではありませんが、そもそも説話研究の出発点においては、物語文学や和歌文学と比肩しうる、研究の対象としうる〈文学〉〈ジャンル〉として「説話文学」というものが構想され、「説話文学」たる「説話集」を対象として研究が進められてきました。それが、研究の深化とともに視界が周辺の隣接分野へと大きく拓かれ、その結果として研究対象が著しく拡大してゆくなかで、〈メディア〉〈言説〉としての説話研究へと大きくシフトし、説話集研究という作品研究、説話そのものについての研究というのは背面に退いた印象は否めません。

このような研究状況において、というよりも、むしろ、このような状況であるからこそ、あらためて、作品としての説話集、個々の説話そのものは、どのように読まれているのか、読めているのかということを、問うてみる必要があるのではないかと思います。単純な原点回帰という意味ではなく、大きく外に拓かれた研究状況を受けて、それがあるからこそかえって（一周まわって）説話集や説話そのものの「読み」へと向かうベクトルが、意識されてよいと思うのです。そしてそれを進めるのは、文学の側の人間であると思うのです。安直な言い方かもしれませんが、説話集や説話そのものを読むという営み自体は、文学の側からのアプローチとして継続されなければならないもので、説話研究全体を下支えする上でも、今後かえって重要になると考えています。その上で、そういった説話集・説話を読むという研究を、外へ拓く研究とどのように切り結んでゆけるのか、というのが今後の課題であると思います。

二、「架橋」の試み——書籍・シンポジウムから

ここで、最近の書籍やシンポジウムの例をみてみたいと思います。このふたつの研究の方向性を意図的に組み込んで企画された書籍として、まず、小助川元太氏・橋本正俊氏編のアジア遊学『室町前期の文化・社会・宗教『三国伝記』を読みとく』(勉誠出版、二〇二一年)を挙げておきたいと思います。アジア遊学のタイトルとして特定の作品名を挙げたものは、最近では延慶本『平家物語』があるくらいで、副題とはいえ『三国伝記』という説話集の作品名が冠された号が刊行されたことは、説話集研究の現状から、たいへんよろこばしいことだと拝見しておりました。ただ、『三国伝記』の文字が背表紙に入っていないのは少々残念な気がいたします。ともあれ、この「『三国伝記』を読みとく」というサブタイトルの内実は、「『三国伝記』から読みとく」「『三国伝記』を読みとく」というふたつの「読み」、つまり『三国伝記』を通して、室町前期の文化的状況を読みとくという、外に拓く読みと、『三国伝記』という作品、説話集を再評価する、作品論というべき読みというふたつを目指したものであることが序言に示されています。前半の二章と、後半の二章がそれぞれに対応し、第三章が説話集としての作品論、第四章が、説話の原拠に触れつつ、他の資料や作品との比較から説話叙述の方法や姿勢を論じるという、説話研究としてなじみ深いアプローチの研究となっています。この書籍は、文学と歴史学との共同研究から生まれたものとのことですが、こういった異分野協働のかたち自体は、吉川弘文館のシリーズ「歴史と古典」などのようにこれまでも行われ

てきたものです。歴史学を含め、さまざまな分野からの研究が活況を呈している領域・時代だからこそ、『三国伝記』の読み、作品論もまた深化するという相乗効果がみられる例かと思います。

次に、こういったふたつの研究の方向性をどのように有機的に結びつけてゆくのかということがポイントになってくると思いますが、そのひとつのモデルケースとして、例会シンポジウム「無住――その信仰の軌跡」（二〇一六年九月二四日、於名古屋市立大学、『説話文学研究』五二、二〇一七年九月）と、大会シンポジウム「律をめぐる宗教的環境と説話文学との架橋」（二〇一九年六月二九・三〇日、於名古屋大学、『説話文学研究』五五、二〇二〇年九月）とを挙げたいと思います。前者は無住をテーマとしたものですが、当然ながら『沙石集』『雑談集』等を視野に入れたものです。大隅和雄氏による思想史の側からのご講演があり、小林直樹氏は律、米田麻里子氏は禅、土屋有里子氏は無住関連の文書から、それぞれ無住とその著述に関してご発表なさいました。例えば小林氏によって『沙石集』の書名や成立意図と密接に関連する『宗鏡録』の本質的な影響など、非常に重要な指摘がなされたことをはじめ、いずれも『沙石集』の読みにかかわるご発表で、説話集の編者としての無住を正面から論じたものでした。それに対して、後者では、仏教史の分野で近年進展の著しい、律にかかわる研究成果が、西谷功氏と大谷由香氏から発表されました。文学側からの話題の中心は北京律・南都律における唱導ではありましたが、土屋氏はこれらの発表を受けて、無住の関東における活動を再検討するコメントを寄せられました。オーガナイザーの近本謙介氏からは、このシンポジウムが先の無住シンポジウムとの「相乗的研究成果への進展」を意図したものであることも説明されており、全体として「宗教的環境と説話文学との架橋を図る」ことを目指したとされています。その射程は無住に限ったものではありませんが、『沙石集』といった説話集研究においても、この目論見は成功しているといえるかと思います。例えば西谷氏は『沙石集』や『雑談集』の説話（言説）を通して、当時の宗教環境を実際を照射しようとしていらっしゃいます。こういった、外へと拓く研究と、作品そのものの読みへと向かう方向の研究とが、有機的に結びついて、それぞれにとって有効で刺激的な議論が展開され、参加者をも含めて共有されるという、シンポジウムとして理想的なかたちだったのではないでしょうか。これらのシンポジウムが、説話文学会という場で成功したのは、説話集や説話そのものへ向かう文学側の意識が、参加者に共有されていたからこそだと思います。説話集研究における学会の役割や共同研究のありかたということを考える上でも、この「架橋」というのは重要なキーワードであり課題となると思います。

今後、さまざまなかたちでの異分野の連携がさらに試みられると予想されますが、そうなったときに、文学の側からは何が提供できるのかとあらためて考えてみますと、それはやはり、説話集なり説話なりの読みを示すということ以外にないのではないでしょうか。大きく拓かれる状況だからこそ、文学の側では、説話集や説話そのものの読みを追求する姿勢をもちつづけなければならないと思います。くしくも次の説話文学会九月例会は、『宇治拾遺物語』がテーマということで、説話集をテーマとする久々のシンポジウムとなりますので、たいへん楽しみにしております（附記 例会シンポジウム「『宇治拾遺物語』を考える」は二〇一九年九月一六日、専修大学において開催されました）。

三、説話集・説話の読みを示す——注釈的研究の可能性

結局のところ、申しあげたいのは、説話集や説話そのものをしっかり読もうということにつきるのですが、さらにはその読みを共有できるかたちで提供することも重要だということを最後に付け加えておきたいと思います。読みにかかわる成果を研究論文で示すことはもちろんですが、それを作品として読めるかたちにして提供する、例えば注釈書なども、説話研究がこれだけ外に拓かれ、研究者も国際的・学際的に広がっているという状況にあるからこそ、いっそう必要とされていると思います。小学館の新編日本古典文学全集（〜二〇〇二年）、岩波書店の新日本古典文学大系（〜二〇〇五年）といった大規模な古典文学の叢書の刊行から二〇年ほどが経過し、説話集に限ったことではないかもしれませんが、注釈書の刊行というのは目立ちにくくなっているかと思います。作品としての読

みを示す上でも、説話そのものの読みを示す上でも、注釈書というのは非常に有効であるはずです。

ここで管見に入った二〇一〇年代以降の説話集の注釈書をみてみたいと思います。注釈・訳注にもさまざまな位相のものがありますが、浅見和彦氏、伊東玉美氏の編著に代表される、研究者以外の、ひろい層の読者へと開かれた文庫版などの訳注があることは特筆すべきかと思います（浅見和彦・伊東玉美責任編集『新注 古事談』（笠間書院、二〇一〇年、同訳注『新版 発心集 現代語訳付き』上下、角川ソフィア文庫、二〇一四年ほか））。そういったものを、研究者以外にも届けてゆくことは、説話研究の裾野を広げ、後進を育てる意味でも、重要であると思います。

専門書としての注釈の刊行は多くないなかで、神戸説話研究会から、これまであまり正面から研究されることのなかった、池上洵一氏のことばを借りれば「知られたる未研究対象」たる『世継物語』の注釈が一冊の書籍のかたちで刊行されたことは、説話集研究上、大いに意義のあることだと、これは研究会メンバーのひとりとして、宣伝の意味もこめて強調しておきたいと思います。翻刻、校訂本文、語釈、現代語訳を示し、余説というかたちで説話の読みにかかわる問題をとりあげるという、非常にオーソドックスな、古典的な形式ではありますが、これはやはり読みを示すためには必須の過程だと思います。もちろん、いたらない点や課題もすでにみえてきておりますが、今後の研究進展のための第一歩として、まずは参照できるかたちを提供したことに意味があると考えております。

一方で、文学以外の立場から施された注釈があることも目を引きます。『考証 日本霊異記』（本郷真紹監、山本崇・駒井匠編『考証 日本霊異記』上中、法藏館、二〇一五年・二〇一八年）やビギナーズ・クラシックスの『古事談』（倉本一宏編『古事談』角川ソフィア文庫、二〇二〇年）は、歴史の側からの注釈書です。例えば、先ほどの『沙石集』の例をみても、文学側からのアプローチにより、無住の宗教的基盤となるテキストが明らかにされていると同時に、仏教史の側からのアプローチにより、これまで未詳とされてきた儀礼の実態にかかわる部分などが判明した例なども報告されていました。異分野の研究成果が統合されて、『沙石集』そのものの読みが更新されていく、その結果が、ある段階で注釈書というかたちで共有されるとありがたいと、個人的には強く思っております。（例えば小川剛生氏の一連の兼好研究により、『徒然草』そのものの読みの解像度が格段にあがったように、宗教的環境の解明が『沙石集』そのものの読みに反映されたものを拝読できるのを楽しみにしております。）

異分野の「架橋」ということでいえば、注釈における分野融合の可能性も、考えられると思います。先に歴史学と文学との共同研究の例を挙げましたが、本日前半のテーマにもあった美術史との協働の試みということで、狭義の説話集ではありませんが、現在進めている『釈迦堂縁起』絵巻の注釈の事例を、最後にご紹介しておきたいと思います。絵巻の注釈ということでは、神戸説話研究会から『春日権現験記絵』の注釈が刊行されています（神戸説話研究会編『春日権現験記絵注解』和泉書院、二〇〇五年）。この注釈にあたっては、あくまでも説話研究の立場から、詞書を説話として読むという姿勢を貫くことが徹底されました。絵にかんしては、われわれ文学の人間は素人であるから、無責任に中途半端なことはいってはならない、自分たちにできるのは詞書を説話として読むことである、というスタンスで、かなりストイックに注釈をつけてゆきました。そうやって説話研究の立場からこだわって読んだ結果が、研究会の中心メンバーであった近本氏の研究をはじめとする、南都の宗教的環境の研究へとつながり、それが先ほどみたシンポジウムなどのかたちでさらに展開してゆくという流れがあったかと思います。ただし、その分、絵の分析については踏み込めなかったわけですが、絵巻は絵と詞とで成り立っているものですから、総合的な読解のためには詞だけでなく絵の注釈も両方必要です。それならば美術史の方を巻き込んで、絵については分析をお任せしようということで、たちあがったのが釈迦堂縁起研究会です。先ほどご登壇なさった山本聡美氏にもご参加いただいて、文学・美術史との協働で現在注釈を進めているところです。先にもみたように、異分野の研究者による研究会や論集などはこれまでもいろいろと試みられておりますが、釈迦堂縁起研究会では、文学・美術史のメンバーが一堂に会して、輪読形式で、絵と詞とを読み進めてゆくというかたちをとることが大きな特徴です。この形式は絵詞研究会の形式にならったもので（絵詞研究会編『時雨物語絵巻の研究』臨川書店、二〇一六年ほか）、さまざまな分野から研究が盛んな『玄奘三蔵絵』の研究状況に刺激を受けたものでもありました。『釈迦堂縁起』は狩野元信の絵を伴う絵巻の優品としてつとに有名ですし、先ほどもお話がありましたように『釈氏源流』版本と図様を共有するなど、仏伝の絵画化の問題を考える上でも重要な作品です。一方で詞書の方も、説話集や唱導の世界でさまざまに展開する、仏伝や、三国伝来の釈迦瑞像にまつわる縁起や霊験譚といった説話が、作品の構想上大きな役割を果たしていることなども明らかになってきており、『沙石集』や『太平記』、物語草子や芸能などとの関連が看取されるところもあるなど、説話の観点からも興味深い話題を多く含みます。道はまだ遠くはありますが、異分野からのアプローチを読みに還元して、最終的には『釈迦堂縁起』絵巻というひとつの作品の読みを示すことを目指したいと考えております。説話からさまざまな世界が拓かれているという研究状況だからこそ、そういった拓かれた研究成果なり問題意識なりを、ひとつの作品の読みというところに還元してゆくために、異分野の研究者が、同時に同じものをみて、その読みを深めるという方法は、非常に有効であると思っております。

以上、駆け足ではありましたが、説話研究が拓かれたいまだからこそ、あらためて説話集という作品、説話そのものの読みを追求することがいっそう必要になってくるであろうこと、さまざまな分野を架橋・融合した作品研究・説話研究の可能性について、お話させていただきました。わたくし自身の活動や関心にひきつけた部分が多く、かなり偏った話題になってしまったことをおわびして、ひとまず終わらせていただこうと思います。ありがとうございました。

附記　当日は時間の関係で触れることができませんでしたが、『日本説話索引』（説話と説話文学の会編、全七巻、本稿執筆時点で第四巻まで既刊、清文堂出版、二〇二〇年～）の刊行は、説話集・説話研究史に大きく資するものであることを申し添えておきます。

軍記物語研究と説話文学研究

牧野淳司

以下は、会場で読み上げた原稿である。当日は参加者から厳しい批判をいただいた。実際、二〇〇〇年以降の重要な研究成果に触れていないこと、表題で「軍記物語研究」と言いながら、延慶本『平家物語』を研究してきた立場からの発言に終始することなど、至らない点が多い。「つぎの六〇年に向けて」とするには、狭い視野からの提言になってしまったことを反省したい。ただ、今回の記念論集で、ラウンドテーブルについては、当日の発言を再現した読み原稿風にするということなので、当日の内容に手直ししていない。その点、ご容赦されたい。

一、軍記・平家と説話

私はこれまで、延慶本『平家物語』について、特に唱導との関係性を中心に研究してきました。それで、軍記・唱導の方面から、「説話」研究にどのような課題があり、今後何が必要か、考えたことを話します。漠然と感じていることを、確実な根拠を示さずに述べることになりますが、おゆるしください。

登壇することになって迷ったのは、軍記か唱導か、どちらを重視して発言するかです。私はこの数年、唱導と日本の古典文学との関係性を考究しています。ですので唱導研究の可能性を述べたいとも考えたのですが、こちらは別に何か形にしようと思っています。一方、軍記研究については、その問題点を意識せざるを得ないことが多くあるので、こちらから考えることにしました。もっとも、「軍記」と「説話」の問題は、これまでも度々考えられてきたことです。すべては挙げられませんが、可能な範囲で振り返ってみます。

そのために今回は、国文学研究資料館の国文学・アーカイブズ学論文データベースで、「平家」「説話」もしくは「軍記」「説話」をキーワードとして、論文を検索してみました。厖大な数になりますが、そのうち、平家もしくは軍記と説話を全体的に論じていると予想されるものを拾うと、資料の「一、軍記・平家と説話」に出したリストができます（本稿では当日の発表資料で提示したリストは省略）。この中で印を付したものが比較的新しいものですが、これらを読んで、どのような問題が考えられてきたかを見てみます。なお、二〇〇〇年を最後に、この二〇年ほど、軍記と説話について包括的に述べたものが見つかりませんでした。これが何を意味するのか気になりますが、とりあえず二〇〇〇年頃までの状況を順に確認します。一つ一つ丁寧に要約していくと大変ですので、少々乱暴ですが、細かい議論は省略して、大きな問題を取り上げます。

日下力・水原一・長谷川端・杉本圭三郎「〈シンポジウム〉「軍記と説話」」『説話文学研究』二一、一九八六年は、説話文学会で行われた「軍記と説話」というシンポジウムの記録です。登壇者はもとより、フロアも交えて丁丁発止のやり取りが興味深いですが、特に印象に残るのは、軍記は説話か、という問題です。特に日下力氏と水原一氏の立場の違いが鮮明です。日下氏は軍記と説話を分けて考える立場で、軍記の表現主体の姿勢を重視しています。一方、水原一氏は軍記は説話であるとし、そこから出発することを主張しています。構想論が不要というわけではないですが、まずは素材論を優先する立場です。

山下宏明「平家物語と説話文学論」『説話と軍記物語（説話論集　第二集）』清文堂、一九九二年は、軍記物語研究で「説話」が持つ意味を三点ほど述べました。一点目は水原一氏の研究を意識したもので、「説話」により作者ありきの物語論が相対化され、軍記研究は新たな流れに入ったとしています。二点目は永積安明氏の研究を意識したもので、衆庶の発想に基づく「説話」を取り込むことで、王朝物語とは異なる新しい文学としての軍記物語が評価されたとします。三点目は柳田国男から始まる伝承論・語り論に触れたもので、「語り」への注目は盲僧琵琶のフィールドワークを行う兵藤裕己氏の視座に継承されて成果を挙げているとしました。「説話」が軍記研究にもたらしたものを的確にまとめたものと言えます。

佐伯真一「軍記物語と説話」『説話とその周縁（説話の講座　第六巻）』勉誠社、一九九三年は、黒田彰氏の論を重視しています。黒田氏は、注釈・唱導・幼学の世界が文学史の基底にあり、その土壌から花開いたのが軍記であり、説話であるという見取り図を示しました。そういった動向を踏まえて、佐伯氏は「説話が説話を生む」動態に注目しています。現実の出来事を解釈する際の枠組みとして説話的なものをストックしている社会・文化があり、その枠組みが次から次へと新たな説話を生み出していく、その様相の中に『平家物語』をとらえようというのです。刺激的な見方です。説話を生んだ基盤への理解こそが、作品の志向や社会的位相を考える上で重要だとしています。

水原一「説話の群影」『平家物語　説話と語り（あなたが読む平家物語　2）』、有精堂、一九九四年では、日本文学の中には「説話」が充満しているという発言が目を引きます。『平家物語』はもちろん、王朝物語も説話集も歌物語も『竹取物語』も「物語」であると同時に「説話」であるというのです。後にも述べるように今後、日本文学史を書き直していくべきだと思いますが、その際に「説話」が重要概念の一つであることが、ここに示されていると思います。

佐伯真一「物語生成への説話・伝承の参加」『平家物語の生成（軍記文学研究叢書　5）』汲古書院、一九九七年は、再び佐伯氏の論ですが、牧野和夫氏・山本ひろ子氏・名波弘彰氏・阿部泰郎氏・武久堅氏ら、特筆すべき研究を示しながら、「説話」の視点が軍記物語研究に豊穣な成果をもたらしている状況が示されています。ただし、個別説話研究により、問題が拡散し、作品論へ繋がらない面があることも指摘されます。軍記研究者の課題として、説話形成論を織り込んだ上で、いかに物語全体に関わる論を展開するかという問題が浮上しているということです。

横井孝「平家物語の説話摂取」『平家物語　主題・構想・表現（軍記文学研究叢書　6）』汲古書院、一九九八年は、水原一氏の論に対して、諸本の〈方法〉や志向、文学の方法として装われたものを見定めようとする松尾葦江氏の論などに触れています。その上で、いずれの立場をとるにしても、近現代文学的な「構想」の概念にとらわれていては『平家物語』を中世という時代に引き戻すことはできないとしています。「中世に戻す」ということはぜひとも必要なことであると、私も思います。

小峯和明「軍記文学と説話」『軍記文学とその周辺（軍記文学研究叢書　1）』汲古書院、二〇〇〇年は、説話研究の立場からの提言です。小峯氏は、そもそも「軍記」が切り取られて集中的に研究される状況そのものが奇妙であると言います。近代の実証主義歴史学から物語的歴史が排除されて、「文学」という受け皿が用意され、その中に「軍記」というジャンルも作られたということです。一方、「説話」も近代になって発見されたものでした。近代国文学の研究ジャンルとしての「説話」は民衆史観の申し子であったのです。しかしその後「説話」の範囲はどんどん拡大していきました。「説話」は、もともとの語義から遠く離れて、あらゆるジャンル・時代に遍在するものとなってきているというのです。今後の方向性としては、説話集編纂論、構造論に踏みとどまる道も示されますが、ジャンルを越えた媒体論・生成論に進む道が示されています。中世の学問、唱導、講釈、口伝、言談、法会仏事などの儀礼、因縁・譬喩、経典注釈、直談などに関心が向かうということです。実際、この方向で「説話」研究は進展してきたと言えます。「説話」と「軍記」については、両者を対置するのは有効でなく、軍記を「ひろき歴史記述の地平におしもどして読み直すべき」と提言しています。故事先例、その縮約である諺、成語、格言としての説話、それらをまるごと含む歴史記述としてみるべきだということです。このことは今あらためて確認すべき重要なことであると思います。後でもう一度触れます。

他に取り上げるべきものは多いとは思いますが、このくらいにとどめます。これらから分かったことを、五点にまとめます。一つは、戦後歴史社会学派により、軍記物語が民衆の文学として評価されたことです。このような評価は「説話」に注目することで生まれたと言えます。二つ目は、水原一氏の影響力が大きいことです。これ以降、構想論は後退し、説話論が盛んになります。三つ目は、「軍記物語」が近現代に作られたジャンルであるということです。言われなくても分かっていることですが、「和歌」や「物語」、「日記」に比べても、近現代の価値観を深く反映した特殊な囲い方であることを、我々はしっかり認識すべきです。四つ目は、学術用語としての「説話」も近代的用語であることです。ジャンルを越えて拡大したところが「軍記物語」とは違いますが、近代以前にはっきりとした輪郭を持って存在しているわけではない点は「軍記物語」と共通しています。「軍記物語」と「説話」は近代に生まれたという共通性と、閉じたか開いたかという違いを持つと言えるでしょう。五つ目は、四つ目と関係しますが、現在使われる学術用語の「説話」は、あらゆるジャンル・時代・領域に遍在するものとなっているということです。

二、その後の歩み

以上が二〇〇〇年頃までの状況ですが、その後はどうなったでしょうか。個々の論文や著書を取り上げて見通しを示すことが必要ですが、今回はそこまで行うことができませんでした。私自身は一九九〇年代後半から研究を開始しているので、自分の研究がどのような位置にあるのか見定めるためにも、この時期の研究の流れを追うことは必要なことです。ただ、漠然とした印象ですが、この時期、個々に取り上げるべき貴重な成果は多いのですが、大きな問題の枠組みは、二〇〇〇年頃までに出尽くしているような気がします。大雑把に言えば、この二〇年間は個別研究が続いた。特に延慶本重視の傾向は継続したと思います。延慶本以外の諸本でも、個別の「説話」研究が進展しました。その中で、延慶本について、『延慶本平家物語全注釈』（汲古書院）が完結したことは大きな成果だと思います。このような注釈作業に力が入れられた時代ということはできるでしょう。私は、最初に申しましたが、延慶本を中心に研究してきました。それはこのような大きな流れの中にあったわけです。もう一方の唱導資料研究も、中世の説話・唱導・学問・注釈研究の恩恵を受けて、可能になったことです。そうすると、私が取り組んできた延慶本研究も唱導資料研究も、時代の流れに乗ったもので、実に平凡です。新しく切り開いたものがあったらよかったのですが、それは簡単でもないですし、流れに乗ることが悪いことばかりではないので、これでよかったのかとも思います。ただ、今後も同じでよいかというと、そうでもないとも思います。現状で直面している課題も多いです。最近の研究から数点、考えてみました。

大津雄一『挑発する軍記』（勉誠出版、二〇二〇年）は、近年、軍記の「作品論」が少ないことを問題視しています。

> 軍記というテクストに新たな問いと答えと価値を発見するためには、批評する意志を持つ者が新しい知恵と方法を身に着け、それを試みなければならない。

とあります。今、軍記を読むならば、なぜ軍記なのかが問題になります。私は授業で『平家物語』を講義していますので、今なぜ『平家物語』なのかを意識します。ですから、大津氏の発言には共感します。大津雄一「『平家物語』の権力——王法と仏法の視点から」（高木信編、本橋裕美編集協力『21世紀日本文学ガイドブック3　平家物語』ひつじ書房、二〇二三年）も、同じ大津氏の論ですが、

戦後、永積安明は、治承・寿永の内乱を武士という領主階級による革命的運動としてとらえ、平家の没落を同

情的に描きながらも、「歴史の進歩、変革の必然性」を、全体として動かしがたいものとして語ったのが『平家物語』であると論じた。しかしそれは、明白な誤りである。マルクス主義的発展史観に従う永積のロマンティックな読みに過ぎない。

とあります。『平家物語』を変革期を描く物語と評価した永積安明氏の論を誤りであったと断言しています。我々はもはや、『平家物語』を変革の文学、民衆の文学であると評価することはできません。しかし、教育現場や社会では、戦後の歴史社会学派が提示した『平家物語』観が根強く残存しています。この状況に真摯に向き合うことが必要と思います。

佐伯真一『軍記物語と合戦の心性』(文学通信、二〇二一年)、第一章、「軍記」概念の再検討(初出は二〇一一年)には、

もしも『義貞軍記』のような武士と合戦の全面肯定を「軍記」(軍書)の本質だとするならば、『将門記』や『平家物語』は、明らかにそこからはみ出しているということを、まずは認識せねばならないのではないか。

とあります。「軍記物語」は武士の文学ではないということは、氏の一連の研究により、もはや明らかです。

私は大津氏や佐伯氏の論に納得する面が多いですが、これらに触れると、現在『平家物語』研究が置かれた状況は厳しいと思います。『平家物語』を民衆の文学、武士の文学とする見方が強く残る反面、それらの評価は誤りであることが明白だからです。では、『平家物語』はいったい、いかなる物語なのか。それを言っていかなければなりません。特に大学で日本文学専攻に身を置いて、『平家物語』を研究しているのであれば、それなりの責任があります。ただ、この問いに答えるのは、それほど簡単ではないようにも思えます。次で見てみようと思います。

三、問題点のいくつか

問題点を五点ほど挙げてみます。一点目は、『平家物語』の全体を論じる時に使う用語が乏しいことです。「主題」や「構想」には、近代的価値観がつきまといます。「説話」によって、これらの有効性に限界があることが分かった後、どのような用語で論じることができるのか。中世のテクストに主題や構想がないわけではないでしょう。ただ、それらをより適切に捕捉できる用語を我々はまだ手にしていないように思われます。

二点目は、物語全体を論じる必要があると同時に、個々の「説話」を詳しく分析する作業がまだ残されていることです。この数十年、「説話」研究は豊穣な世界を開拓してきました。それとともに軍記物語関係の研究も拡大・深化しました。『延慶本平家物語全注釈』も完結し、全体を論じるための準備は整ったと見るべきかもしれませんが、まだ続けるべきことが多くあります。意見は分かれるかもしれませんが、こちらを優先すべきという雰囲気の方が、今の学界では強いと思います。ただ、それればかりになると、研究と社会との間がますます離れてしまいそうです。個別の具体的研究成果は蓄積されますが、戦後歴史社会学派の軍記物語評価は無傷のまま残り続けます。それでよいのか、疑問です。

三点目は、ジャンルが強固に残っていることです。「軍記物語」は近現代の概念でそれを解体することが目指されてきたのですが、容易に進んでいません。私も「軍記物語研究と説話文学研究」というタイトルを出した時点で、その枠組みから解放されていません。そのことを意識していくことが必要です。そしていずれ、新しい枠組みが出てくるようにもっていかなければなりません。さしあたっては、中世の知的体系に遡って、個々のテクストを位置づけ直すことを考えるべきでしょう。そのための研究・資料はかなり蓄積されてきているように思えます。

四点目は、一点目と重複することではあるのですが、近代的「文学」観からなかなか自由になれないことです。

現代に生きる我々は文学にロマンを求めがちです。政治権力や社会から距離をとったところで自己を見つめる営みに価値を置く心性です。また、敗者・弱者・周辺に寄り添っているという幻想です。「説話」はどうでしょうか。幻想がないとは言い切れません。「唱導」についてはどうでしょう。唱導には権力に寄り添った面もあり、その点で低く評価される場合がしばしばあります。ただ、それだけではないですし、権力対反権力という二項対立も違うような気がします。

最後に五点目は、「説話」研究の問題です。説話研究は拡大・深化し、豊かな世界が照らし出されました。魅力的な研究が多数あります。そしてその仕事は、思想史や日本史、美術史など隣接分野にも刺激を与え、共同成果も多く出ています。一方、他時代・他ジャンルの「文学」研究とうまく接合しているかというとそうではないように見えます。「説話」研究が「文学」研究を揺さぶり切れていないのではないか、という思いがあります。これからは文学史の書き換えに、これまで以上に積極的に挑戦していくべきではないでしょうか。

四、これからどうするか

思いつくままに問題点を乱暴に述べましたが、これからどうしたらよいかも少し考えてみました。説話文学会は、五〇周年と五五周年に振り返りと展望を行っているので、それらをあらためて眺めてみました。軍記と説話という視座は影を潜めていますが、軍記物語を考える際に有益な発言もあります。二つの論文を取り上げます。

河野貴美子「東アジアの資料学の観点からみた説話研究」(『説話文学研究』四八、二〇一三年)は、今日「説話」として扱われる著作が、中国の書物の体系の中でどのように位置づけられていたか、触れています。「小説」「説話」が歴史の「史」でもあったことが分かります。ここから考えられることは、説話の「史」としての側面が軍記の性質に深く関係していることです。日本において、もろもろのテクストがどのような配置にあったかを描き出すこと

ラウンドテーブル

が必要です。それができれば『平家物語』という物語を正しく中世に戻すことができるはずです。

井上亘「日本文化史と説話研究――戦後歴史学が失ったもの」（『説話文学研究の最前線』文学通信、二〇二〇年）は、中国においては、経史の書が実は歴史説話集であったと言っています。これを見ても、歴史の「史」が、やはり重要であるとあらためて思われます。先に取り上げた小峯和明氏の論も「歴史記述の地平におしもどして読み直す」ことが必要と言っていました。このことを再認識したいと思います。日本の私撰国史および歴史物語から平家物語などに至る、「史」のテクストの性格の変遷を追うことが必要です。また、河野氏と井上氏の論は、『平家物語』を東アジアに開けるかという問題をあらためて提起します。説話を素材として歴史を語るテクスト群の生成と特質を追いかけて、その中に『平家物語』を位置づけることを試みるべきでしょう。

こういった論を読んで私が想起したのは、『源氏物語』蛍巻の物語論です。「神世より世にあることを記しおきけるななり。日本紀などはただかたそばぞかし。これらにこそ道々しくくはしきことはあらめ」と光源氏は発言します。実際、『源氏物語』以後、物語が日本紀にとってかわります。『栄華物語』と『大鏡』です。日本では「史」と「物語」の逆転現象が起こります。

平安末の「文学」「典籍」については、澄憲が「源氏一品経」供養表白の中で、その序列を言っていることがよく知られています。典籍の頂点に君臨しているのは、内典と外典です。次は史書、その次に漢詩が来て、最後に本朝の和歌と物語という位置づけです。常識的体系に見えますが、源氏供養は実は、これを覆す営みであったと私は思います。源氏供養により『源氏物語』は経典に匹敵する位置に押し上げられたと思うのです。こういった動きもあって、日本では和歌と物語が正典の地位を獲得したのだと思います。なお、日本の古典については、前田雅之氏の論（『古典と日本人　「古典的公共圏」の栄光と没落』光文社新書、二〇二二年など）の影響を受けています。

これらを踏まえて荒っぽい見取り図を描くと、こうなります。日本のテクストの中心には内典・外典があったが、そこに和歌と物語も君臨した。それをとりまく形で「史」が形成された。それは物語・説話で作られた「史」であった。そして古典に権威を与え続けたのが、学問・注釈・唱導で、その営みとともに、多くの「史」が続々と生み出された。それはさまざまな形をとった。結果として多様なテクスト世界が生み出された。そのテクスト全体を見通していくことができるとよいです。そうすれば、その中で『平家物語』を正しく把握できると思います。

最後は大変乱暴な議論になりました。以上で発言を終えます。ありがとうございました。

説話と絵画をめぐる研究の動向と展望

恋田知子

本ラウンドテーブルについて、近本謙介氏より絵巻や絵画との関わりということで仰せつかりました恋田知子です。近本氏が目指されたラウンドテーブルの趣旨に適う報告かどうか、甚だ心許ないのですが、説話と絵画をめぐる研究の動向と展望についてささやかな私見を述べたいと存じます。

本井氏のご報告とも重なりますが、まず五〇周年記念論集で小峯和明氏が提示された「説話研究の世紀」の論考より掲げました。

ここで議論されたことどもは、もはやかつての国文学内の説話文学ジャンルの域をはるかに超え出て、人文学総体にかかわる、あらゆる問題群が俎上に載せられたといってよい程で、今日の研究状況で最も説話が活況を呈していることをあらためて浮き彫りにしたといえる。説話という器があらゆる領域の問題群を呼び寄せ、引きよせ、包含し、呑み込む巨大な坩堝と化している、そんな思いにひたることができる。まさに説話の宇宙の

体現であり、さまざまな人が集い、自在に行き交う知と学の広場が開かれたという感慨を禁じ得ない。▼1

傍線を付したように「説話という器があらゆる領域の問題群を呼び寄せ、引きよせ、包含し、呑み込む巨大な坩堝と化している」との見解は説話文学会全体における認識として共有され、一〇年経過した現在においてもなお変わらないものであると存じます。とりわけ絵画をめぐってはこうした説話との関係性を最も反映した分野といえるでしょう。

一、説話文学会の絵画をめぐる研究動向

試みに絵画をめぐる研究動向として、五〇周年以降この一〇年の説話文学会例会・大会におけるシンポジウムを以下の通り掲出いたしました。

◇二〇一七年九月例会　シンポジウム「画中詞研究への視座――絵と言葉のナラトロジー」
→『説話文学研究』五三、二〇一八年八月

◎オーガナイザー　山本聡美

・井並林太郎「画中詞の成立――「矢田地蔵縁起絵巻」を中心に」
・山本聡美「宝蔵絵の再生――伏見宮貞成親王による「放屁合戦絵巻」転写と画中詞染筆」
・江口啓子「画中詞の創作――『住吉物語』絵巻と『稚児今参り』絵巻」
・三戸信惠「美術からみた画中詞――書記空間と絵画空間の関係性から考える」

◇二〇一八年九月例会　シンポジウム「お伽草子と説話」

◎オーガナイザー　徳田和夫
・基調講演　徳田和夫「お伽草子の説話／説話のお伽草子」
・伊藤慎吾「玉藻前と犬追物起源譚――故実とお伽草子――」
・ケラー・キンブロー「お伽草子『二十四孝』と渋川清右衛門の女訓書」
・ロベルタ・ストリッポリ「『平家物語』の女性説話とお伽草子・能・民間伝承」
→『説話文学研究』五四、二〇一九年九月

◇二〇一八年大会　シンポジウム「判官物研究の展望」
・山本陽子「つなぐ霞――物語表象から――」
◎オーガナイザー　小林健二
・基調報告　鈴木彰「判官物と『義経記』の位相」
・齋藤真麻理「『御曹子島渡り』と室町文芸」
・本井牧子「判官物の絵巻化――『義経奥州落絵詞』の形成――」
・西村知子「『義経記』の展開と変容――『異本義経記』を一例として――」
・伊海孝充「義経の悲運を〈語る〉劇――判官物の能の手法――」
→『説話文学研究』五四、二〇一九年九月

◇二〇二一年度一二月例会　シンポジウム「図像説話と女」
◎オーガナイザー　堤邦彦
・恋田知子「一七世紀後半の絵巻と女性――『子易の本地』を例として――」
・橋本章彦「女の救いと絵語り・文字語り――『熊野観心十界曼荼羅』「賽の河原」をてがかりに――」
→『説話文学研究』五八、二〇二三年九月

・鈴木堅弘「《常宣寺縁起絵巻》と地獄絵《受苦図》の交点――女人往生と和泉式部伝承の視点から――」
・堤邦彦「女霊の表象――古浄瑠璃に始まるもの」

画中詞・お伽草子や判官物の物語絵・図像説話といったように、とくに絵画との関わりを重視したさまざまな観点によるシンポジウムが計四回、開催されております。これら以外のシンポジウムや個別の発表においても絵を中心とした考察が占める割合は確実に増えております。説話と絵画をめぐる研究は、学際および国際化という近年の研究動向とも相まって最も活況を呈しているテーマのひとつといえるでしょう。

本テーマの現状と課題については、小峯和明監修・出口久徳編『絵画・イメージの回廊』（シリーズ日本文学の展望を拓くの〈2〉、笠間書院、二〇一七年）に明確に打ち出されており、大いに参考となります。そこでは、「物語をつむぎだす絵画」、「社会をうつしだす絵画」、「〈武〉の神話と物語」、「絵画メディアの展開」の四部の構成を取り、出口氏による「総論――絵画・イメージの〈読み〉から拓かれる世界――」にその趣旨と概要が示されています。とくに、第1部の小峯氏による「絵巻・〈絵画物語〉論」において、「文学、美術、歴史などの専門分野の如何を問わず、物語本文と絵画を同等に扱い、相互に連関づけて読み込む方策を会得する必要に迫られているのであ」り、「むしろ美術や歴史、文学、民俗、宗教等々、それぞれの分野からの読みとりを提示しあい、検証しあう協働のまなざしが肝要であ」るとする指摘は近年の研究動向とも付合し、重要なものでしょう。ここ一〇年の研究動向に鑑みましても、もちろん個人による優れた研究成果が多数得られていることは重々承知しておりますが、それと同時に、隣接する諸学による協働や共同研究の成果としての展示、研究集会、論集の刊行が続々なされており、活気を帯びています。

なお、この一〇年は大変個人的なことで恐縮ですが、私自身に照らせば、国文学研究資料館（以下、国文研）より慶應義塾大学に転任いたしまして、コロナ禍とも相まって研究環境が大きく変化した一〇年でもありました。国文研に所属していたからこそ集中的に携わることのできた共同研究や連携展示などでは貴重な経験を得られた一方で、コロナ禍でさまざまな対応を余儀なくされ、急速に変化せざるを得なかった大学教育の場も現在進行形で体感しております。この一〇年で研究機関と教育現場の双方を経験できたことで実感した現状の課題と展望についても少しく私見を述べたいと存じます。そこでまずは、この一〇年の研究動向について特筆すべき三点に絞って概観してみたいと思います。

二、近年の研究動向

前述の小峯氏の指摘に代表されるように、文学研究は時代や分野を問わず、隣接諸学による協働がますます加速しております。説話と絵画をめぐっても、従来の学問領域を超えて国内外の研究者の集う共同研究や国際研究集会が活発に行われており、その成果が展示や論集といった形でもなされています。そもそも物語絵は中世に限定されるものではなく、もとより時代や分野といった学問的境界も曖昧な側面を有しており、あらゆる領域との協働が求められやすいものともいえるでしょう。そこで、ここではとくに「仏教説話画」、「一七世紀の絵入り本」、「非物語絵画」の三つのトピックを設けることにより、説話と絵画をめぐる研究の動向を確認したいと思います。もちろんそれぞれのトピックで重なる部分もあり、厳密に分けられるものではなく、また必ずしも共同研究をもとに展開したものとも限りませんが、近年の学界全体としての動向を探るべく、個人の成果よりも共同研究の成果論集を中心に取り上げることといたします。

二―一、仏教説話画――経典絵／寺社縁起絵／高僧伝絵

経典絵や寺社縁起絵・高僧伝絵といった宗教テクストをめぐっては、夙に仏教学や歴史学、美術史学など諸学と

の多面的な連携が図られ、欧米や中韓を中心とした海外の研究者を含め、領域融合的な成果が蓄積され続けています。なかでもとくに注目されるのは、『道成寺縁起』や『玄奘三蔵絵』など個別の作品について、作品を生成・享受する環境を含めて多角的に論じる視点が設けられた展示や論集の刊行です。[2] 本日のシンポジウム「説話の文学・美術・宗教――『釈氏源流』を軸に」も、まさにその一例として興味深く拝聴いたしました。

さらに、近本謙介編『ことば・ほとけ・図像の交響』（勉誠出版、二〇二二年）は、文字・儀礼・図像という多様な宗教テクストを総合的に把握する試みであり、法会や儀礼を立体的に浮かび上がらせており、今後の宗教テクストをめぐる国際共同研究に重要な示唆をもたらしています。共同研究という形式の如何に拘わらず、諸学による最新の成果を持ち寄り検討してゆく場は今後も一層求められることでしょう。

二―二、一七世紀の絵入り本――奈良絵本・絵巻／屏風絵／絵入り版本

同様に、隣接諸学による協働として活況を呈していますのが、奈良絵本や絵巻、屏風絵、絵入り版本といった一七世紀に最盛期を迎える物語絵です。くしくも近時、天理大学附属天理図書館蔵の貴重な絵巻や奈良絵本が新たにオールカラーの高精細画像で刊行されました。[3] 辻英子氏の一連の研究[4]を踏まえましても、デジタル公開全盛の中にあっても公開や閲覧が限られている所蔵機関については、今後もオールカラーでの書籍刊行をぜひご検討いただきたいと願うばかりです。このような資料へのアクセスの整備は研究分野を問わず、若手や海外を含めた研究者層の裾野を広げる意味でも極めて重要であり、研究全体としての機運の高まりと一層の深化を促すものでしょう。物語絵についていえば、いわゆるお伽草子の絵巻や絵本のみならず、幸若舞曲や軍記物などについて大名文化の中で把握する研究[5]が活発になされつつある点も特筆すべきものがあります。

とくに共同研究の成果として刊行された中根千絵・薄田大輔編『合戦図　描かれた〈武〉』（勉誠出版、二〇二一年）、および中根千絵・森田貴之編『奈良絵本『太平記』の世界　永青文庫所蔵『絵入太平記』全挿絵影印ならびに研究』

（勉誠出版、二〇二二年）は貴重な画像資料とともに詳細な論考が付され、ありがたい成果です。「中世に現れた合戦図が近世的な価値体系の中でどのように再編されていったのかを、中世から近世への過渡期となる一七世紀の政治的・文化的諸状況を踏まえつつ、「文化としての〈武〉」という観点から解き明かしていく」[6]という問題意識は近年の軍記研究においても共有されており、このような時代意識や学問領域を超えた研究の深化が今後も期待されます。

二―三、非物語絵画――風俗図／景観図

さらに、近年の動向として注目されるのが、風俗図や景観図といった非物語絵画と説話との接点です。前掲の書籍等において、小峯氏は絵巻について、「物語・詩歌絵画」と「非物語絵画」の二種類に区分されていますが、とくに非物語絵画は説話との関わりにおいても注意すべきものがあります。例えば近年、齋藤真麻理氏によって精力的に検討され、共同研究も進められている一七世紀狩野派の「戯画図巻」[7]は詞書を付さないものの、それまでの説話や物語を重層的に表象する絵画として注目すべきものがあります。関連して、詩歌絵画との関わりで捉えられてきた「月次絵」[8]についても、物語絵と近世初期風俗図との親近性を重視するならば、例えば一七世紀後半に集中して絵巻に仕立てられた『十二月絵巻』のような事例もあわせて検討してゆく余地があるでしょう。

以上、とくに近年の研究動向として概観した三つのトピック、すなわち「仏教説話画」・「一七世紀の絵入り本」・「非物語絵画」は、二〇二二年の中世文学会春季大会シンポジウム「中世文学と絵画」[9]のパネリストによるそれぞれの発表にも通じる視座であり、今後も引き続き重視されるべきトピックといえるのではないでしょうか。

三、現状の課題と展望

以上の研究動向を踏まえまして、現状の課題と展望についても若干述べておきたいと存じます。その際大いに参

考となるのが、説話研究に限らず、古典研究の現在と展望を示した『リポート笠間』六三号（二〇一七年一一月）の特集です。特集1「日本文学研究と越境、学際化、国際化――二〇一七年の現在地」と特集2「古典のひらきかた――まだまだ、あきらめない！」は、時代やジャンルを超えた研究者による現状把握と提言が具体的に示されており、二〇二三年現在においても有効かつ重要な指摘といえるでしょう。

三―一、深化する領域融合・国際化

『リポート笠間』六三号の特集1「日本文学研究と越境、学際化、国際化」に照らすならば、領域融合・国際化は近年の刊行論集[▼10]にも顕著なように、ますます深化の様相を呈しています。理文の融合や東アジアの思想と絵画の関係に特化した論集のみならず、先にも触れたような一七世紀という中近世の転換期を重視した視座は、領域・時代の横断がますます進化してゆく現状においてもやはり有効なものでしょう。研究者人口が減少し、学会自体の縮小や統合なども現実化してゆく将来を見据えても、例えば「中近世」のような転換期への視点は益するところも少なくないと考えます。説話と仏教、和歌といった各分野合同の大会や例会の企画だけでなく、中世・近世あるいは中古・中世など時代ごとの学会の協働も一層推進してゆくべきではないでしょうか。

同様に、国際共同研究が当たり前のように行われている現状[▼11]にあって、例えば阿部泰郎／阿部美香／近本謙介／レイチェル・サンダーズ／瀬谷愛／瀬谷貴之編『ハーバード美術館　南無仏太子像の研究』（中央公論美術出版、二〇二三年）は、実際にこのシンポジウムおよび現地調査に参加させていただいた実感からしても、在外資料を実見して各自の見解を提示し合った上で、多面的に論じるような国際共同研究は極めて意義深く、今後もさらに進化してゆくことが期待されます。

なお、このハーバード大学で開催されたシンポジウムでは、私もニューヨーク公共図書館のスペンサーコレクションとハーバード大学美術館に中巻と下巻がそれぞれ収められている『因果業鏡図（いんがごうきょうず）』[▼12]について、パネル報告をいたしました。阿部美香氏のご提案とお力添えによりまして、シンポジウムに先立ち、全文翻刻とともに発表内容全文を提出し、論旨の英訳と合わせて臨んだことで、ハーバード大学の学生や院生を含め、共通の理解と活発な質疑が得られ、今後の国際共同研究と教育の実践例として大変貴重な体験となりました。国文研での国際共同研究やワークショップもそうですが、学生や院生の教育実践に繋げてゆくような試みが今後もますます求められることでしょう。

三―二、地域・社会にひらく

『リポート笠間』六三号の特集2「古典のひらきかた」に即せば、国文研在籍時に携わった連携展示「祈りと救いの中世」やないじぇる芸術共創ラボ展「時の束を披く」などは地域や社会にひらくという点でモデルケースとなり得るものでしょう。[13] 例えば、神奈川県立金沢文庫での連携展示では、展示にかかわる講演や講習会だけでなく、地域のボランティアの方による展示解説もなされており、地域社会を巻き込むような展示のあり方として一層促進されるべきであると感じました。科研などの共同研究によって地域の資料展示を所蔵機関と学会などが協働して開催し、[14] あるいは地域資料をクリエーターや企業とコラボレーションして、社会に展開させる試みもさらに求められてゆくのではないでしょうか。

同様に教育現場におけるさまざまな実践とともに、読みやすい本文の提供や解説によって研究者人口の裾野を拡げてゆく努力も欠かすことはできません。研究分野が細分化され、深化してゆく一方で、領域の融合や国際化が求められる現状にあっては、個別の作品を多様な観点で多角的に捉える協働はもとより、それらを活かしながら古典を一般にひらく努力[15]も必要不可欠でしょう。そのためにも最新の成果を踏まえた丹念な注釈の施された活字本文とともに絵のカラー図版を提示してゆくことが同様に求められると教育の現場において強く感じております。

三―三、デジタルツールの活用と発展

二〇一三年に刊行された楊暁捷・小松和彦・荒木浩編『デジタル人文学のすすめ』（勉誠出版）における問題意識や提言は、コロナ禍以降急速にデジタル環境が整備されたことで今後も一層の共有と進展がなされてゆくことでしょう。国内外を問わず貴重な古典籍の高精細画像を自宅にいながら瞬時に確認できるというだけではなく、それらを研究資源として利活用できるような整備が進むことが大いに期待されます。以下に例として示したのは、コロナ禍の二〇二〇年に大学に着任し、すぐさまオンライン授業に対応せざるを得なくなった際に日々活用し、助けていただいた各機関のデジタルツールです（すべて二〇二四年一月八日最終閲覧）。

- 国文学研究資料館　国書データベース　https://kokusho.nijl.ac.jp/
- 東京大学史料編纂所データベース「図像をさぐる」歴史絵引データベース・肖像情報データベース
  https://wwwap2.hi.u-tokyo.ac.jp/ships/shipscontroller
- 国立歴史民俗博物館　洛中洛外図屏風「歴博甲本」人物データベース
  https://www.rekihaku.ac.jp/rakuchu-rakugai/DB/kohon_research/kohon_people_DB.php
- 国際日本文化研究センター　怪異・妖怪画像データベース
  https://www.nichibun.ac.jp/YoukaiGazou/
- 人文学オープンデータ共同センター　顔貌コレクション（顔コレ）
  http://codh.rois.ac.jp/face/
- 人文学オープンデータ共同センター　キュレーションツール IIIF Cura tionViewer
  http://codh.rois.ac.jp/software/iiif-curation-viewer/
- 神奈川大学デジタルアーカイブ『絵引』原画データベース

顔コレ

IIIF Cura tionViewer

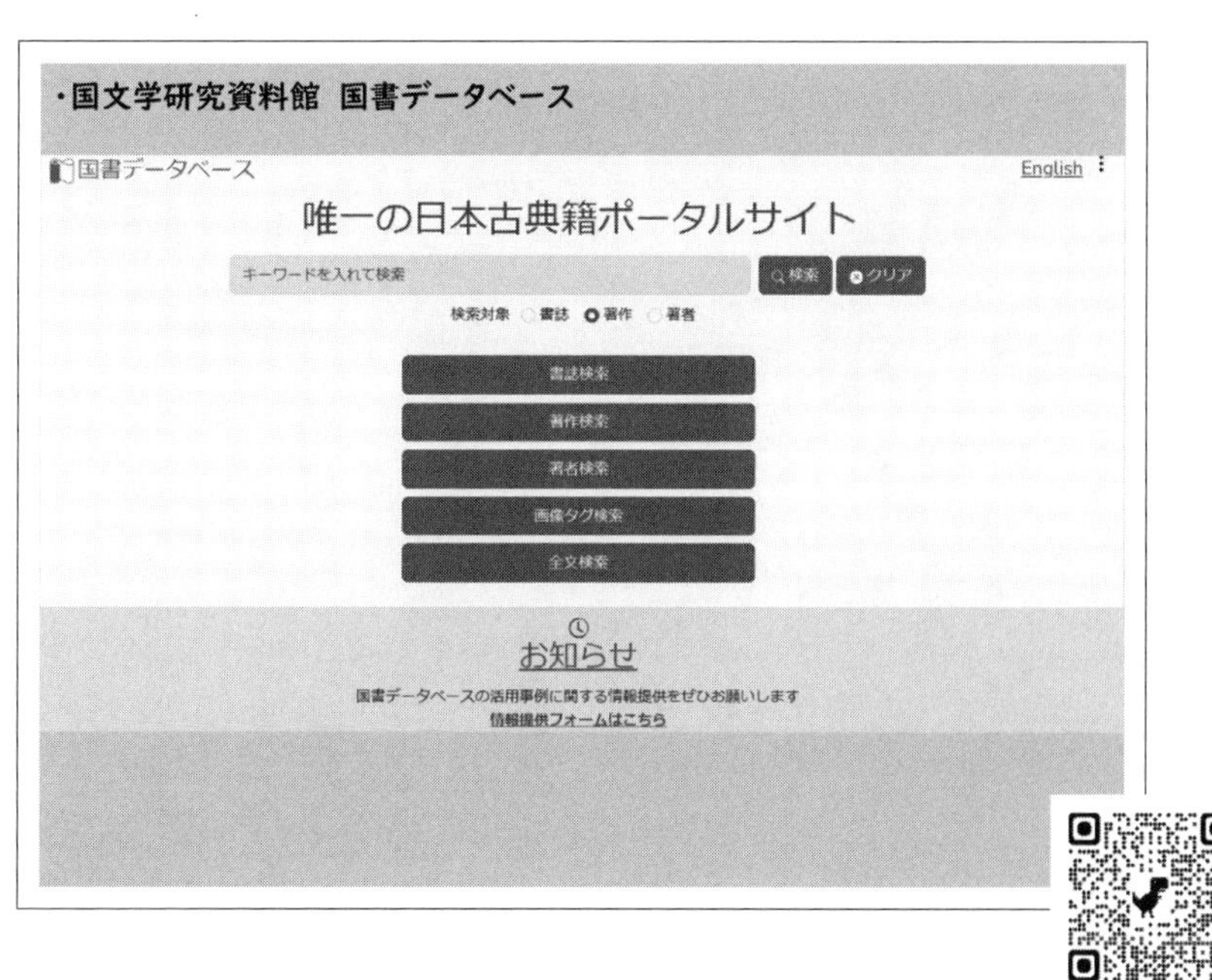
・国文学研究資料館　国書データベース
国書データベース
English
唯一の日本古典籍ポータルサイト
キーワードを入れて検索
検索
クリア
検索対象　書誌　著作　著者
書誌検索
著作検索
著者検索
画像タグ検索
全文検索
お知らせ
国書データベースの活用事例に関する情報提供をぜひお願いします
情報提供フォームはこちら

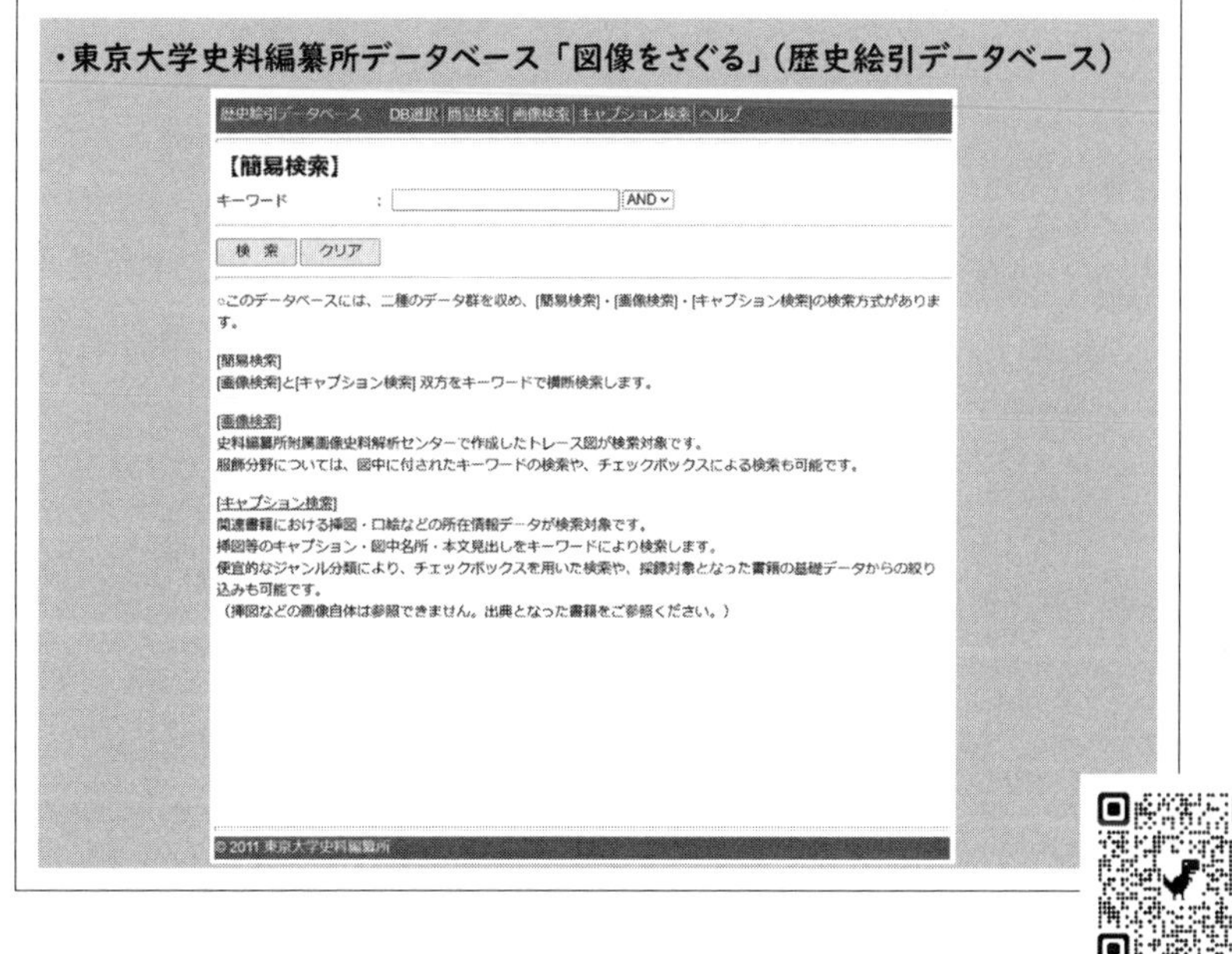
・東京大学史料編纂所データベース「図像をさぐる」（歴史絵引データベース）
歴史絵引データベース　DB選択｜簡易検索｜画像検索｜キャプション検索｜ヘルプ
【簡易検索】
キーワード　：　AND
検　索　クリア
○このデータベースには、二種のデータ群を収め、[簡易検索]・[画像検索]・[キャプション検索]の検索方式があります。
[簡易検索]

[画像検索]と[キャプション検索] 双方をキーワードで横断検索します。

[画像検索]

史料編纂所附属画像史料解析センターで作成したトレース図が検索対象です。

服飾分野については、図中に付されたキーワードの検索や、チェックボックスによる検索も可能です。

[キャプション検索]

関連書籍における挿図・口絵などの所在情報データが検索対象です。

挿図等のキャプション・図中名所・本文見出しをキーワードにより検索します。

便宜的なジャンル分類により、チェックボックスを用いた検索や、採録対象となった書籍の基礎データからの絞り込みも可能です。

（挿図などの画像自体は参照できません。出典となった書籍をご参照ください。）

© 2011 東京大学史料編纂所

・国立歴史民俗博物館　洛中洛外図屏風「歴博甲本・乙本」人物データベース

－「歴博甲本」に登場する1426人の人物像について，キーワードで情報を検索できます－

甲本 左隻 第1扇　於：幕府（柳の御所）東通り

◉甲本(のみ)　○乙本(のみ)　○甲本・乙本

検索キーワードを入力　検索実行　リセット

1426人の全てを表示							
せいべつ 性別	おとこ 男	おんな 女	こども 子供	あかんぼう 赤ん坊			
みぶんなど 身分等	くげ 公家	ぶし 武士	そうりょ 僧侶	にそう 尼僧	のうみん 農民	いぬじにん 犬神人	かよちょう 駕輿丁
ふくそう 服装	かりぎぬ 狩衣	ひたたれがた 直垂型	かたぎぬばかま 肩衣袴	ほうえ 法衣	こそで 小袖	どうぶく 胴服	つけひも 付紐
かぶりもの 被り物	えぼし 烏帽子	あみがさ 編笠	ぬりがさ 塗笠	かずき 被衣	ぬの 布	ずきん 頭巾	かぶと 兜
かみがた 髪型	たぶさがみ たぶさ髪	ていはつ 剃髪	すいはつ 垂髪	たばねがみ 束ね髪	ほうはつ 放髪	ほうはつ 蓬髪	まげ 髷
ひげ 髭	くちひげ 口髭	あごひげ 顎髭	ほおひげ 頬髭				
もちもの 持ち物	かたな 刀	おうぎ 扇	やり 槍	かさ 傘	ふくろ 袋	つえ 杖	おうご 朸
ばしょ 場所	だいり 内裏	ばくふ 幕府	てい 邸	けいだい 境内	とおり 通	たんぼ 田圃	かわ 川
こうい 行為	あるく 歩く	すわる 座る	みる 見る	まつ 待つ	のむ 飲む	かつぐ 担ぐ	おがむ 拝む
そのた その他	こうほ 後補	ほひつ 補筆	はくめん 白面	さげお 下げ緒	させき 左隻	うせき 右隻	

National Museum of Japanese History

・国際日本文化研究センター　怪異・妖怪画像データベース

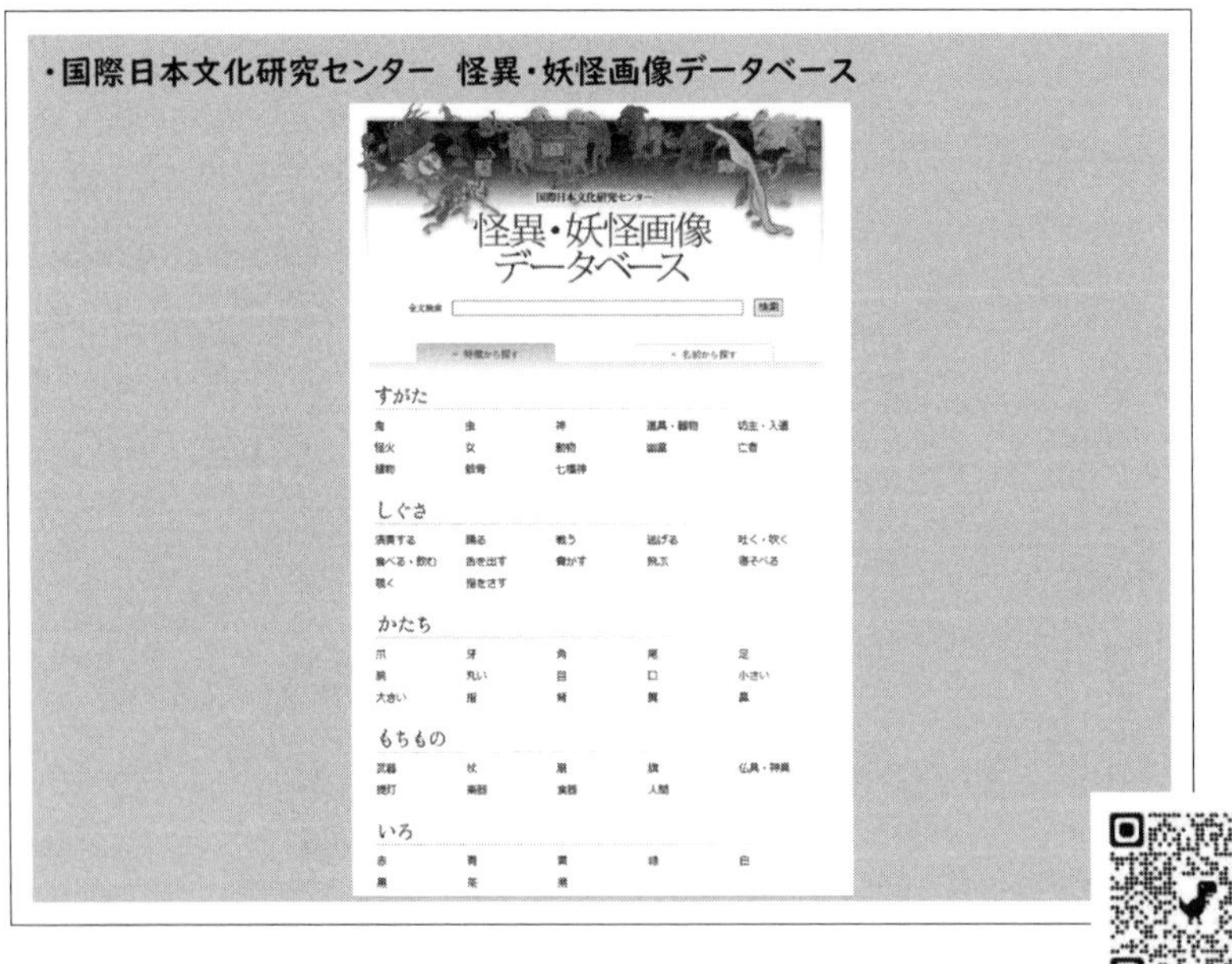

・神奈川大学デジタルアーカイブ『絵引』原画データベース

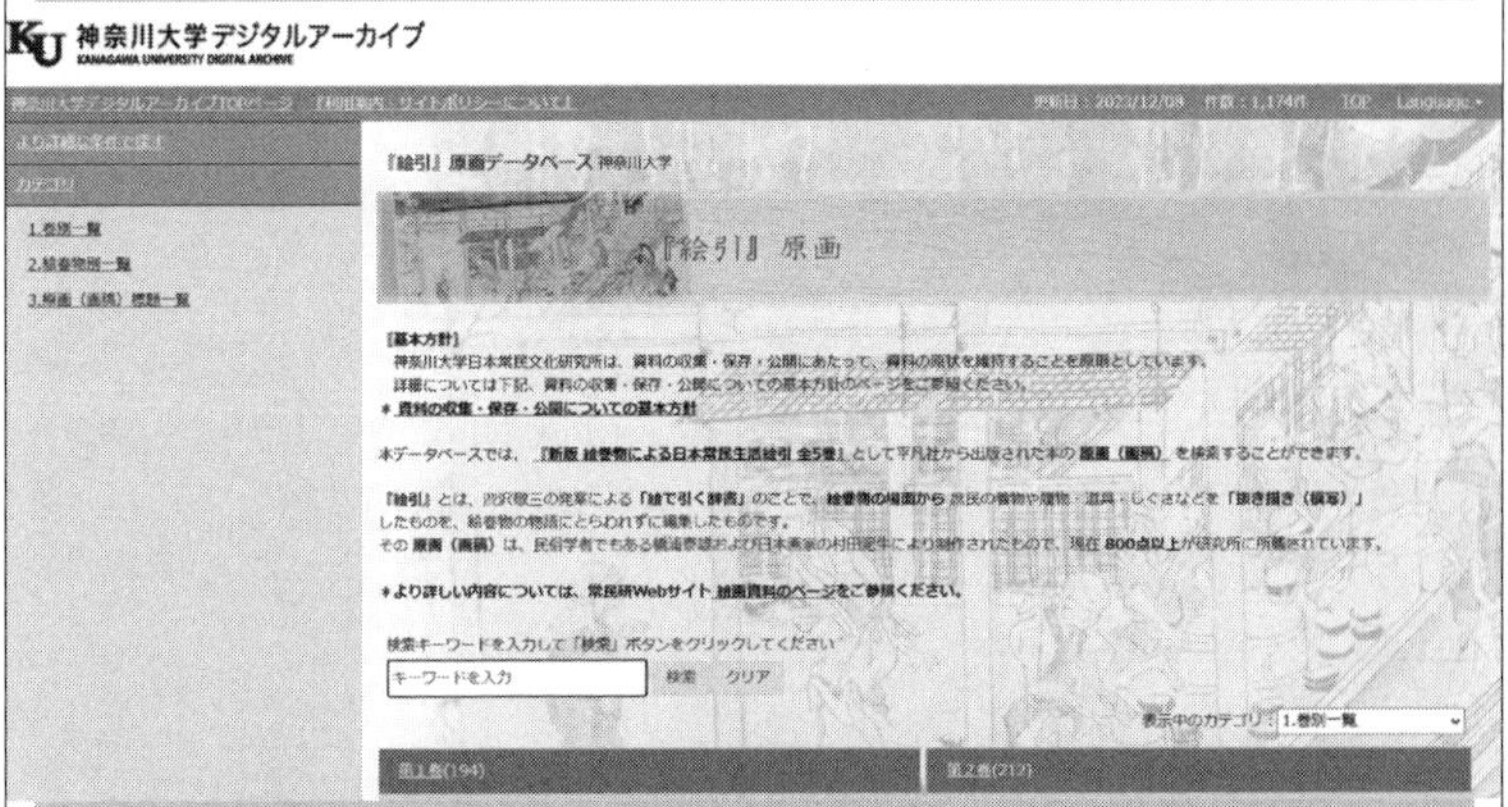

https://www.i-repository.net/il/meta_pub/G0000723jmdrawings

右に示したようなデジタルツールは、例えばかつて刊行された澁沢敬三編『新版　絵巻物による日本常民生活絵引』全五巻、総索引一冊（平凡社、一九八四年）[16]の増補デジタル版が切望される現状において、今後の進化が大いに期待されるものであり、研究・教育との連携や共有も強く求められるものでしょう。国文研にはこうした活動にもぜひお力添えいただければと思っております。

以上、説話と絵画をめぐる研究の動向と展望に照らしつつ、人文学全般にも及ぶ課題と展望についてもまことに雑駁ながら粗々申し上げました。本ラウンドテーブルの趣意文にございました「つぎの六〇年に向けて」というよりは、もう少し近い未来のことに終始してしまいました。この後の議論のための話題提供として、フロアを含めた皆さまからご意見、ご教示を賜れれば、大変ありがたく存じます。宜しくお願い申し上げます。

注

1 説話文学会編『説話から世界をどう解き明かすのか――説話文学会設立50周年記念シンポジウム「日本・韓国」の記録』（笠間書院、二〇一三年）参照。

2 和歌山県立博物館特別展示「道成寺と日高川――道成寺縁起と流域の宗教文化――」（二〇一七年）や佐久間秀範・近本謙介・本井牧子編『玄奘三蔵　新たなる玄奘像をもとめて』（勉誠出版、二〇二一年）などがある。

3 天理大学附属天理図書館編『新天理図書館善本叢書第四期　奈良絵本集』全八巻（八木書店、二〇一八年～二〇二三年）。

4 辻英子『海を渡った日本絵巻の至宝』研究編・影印編（笠間書院、二〇一七年）、『在外日本学関係資料の調査研究』研究編・影印編（汲古書院、二〇二一年）など多数。

5 海の見える杜美術館特別展示「幸若舞曲と絵画　武将が愛した英雄たち」（二〇一九年）、小林健二編『絵解く戦国の芸能と絵画――描かれた語り物の世界――』（三弥井書店、二〇二〇年）など。

6 中根千絵「序言」（『合戦図　描かれた〈武〉』勉誠出版、二〇二一年）参照。

7 福岡市美術館「国宝鳥獣戯画と愛らしき日本の美術」（二〇二二年）、齋藤真麻理編『「戯画図巻」の世界　競う神仏、遊ぶ賢人』（KADOKAWA、二〇二四年）など参照。

8 岩永てるみ・阪野智啓・髙岸輝・小島道裕編『「月次祭礼図屏風」の復元と研究　よみがえる室町京都のかがやき』（思文閣出版、二〇二〇年）など参照。

9 石川透「シンポジウム「中世文学と絵画」趣旨」、藤原重雄「洛中洛外図屏風の祖型を探る――行事図像の理解：歴博甲本の能舞台――」、山本聡美「愛執と闘諍の図像――中世文学と仏教説話画――」、齋藤真麻理「酒呑童子絵の水脈――弥勒信仰と物語の圏域――」（『中世文学』六八、二〇二三年六月）参照。

10 井上泰至編『資料論がひらく軍記・合戦図の世界　理文融合型資料論と史学・文学の交差』（アジア遊学二六二、勉誠出版、二〇二一年）、島尾新・宇野瑞木・亀田和子編『和漢のコードと自然表象　十六、七世紀の日本を中心に』（アジア遊学二四六、勉誠出版、二〇二〇年）、水野裕史編『儒教思想と絵画　東アジアの勧戒画』アジア遊学二七一、勉誠出版、二〇二二年）など参照。

11　佐野みどり先生古稀記念論集刊行会編『造形のポエティカ　日本美術史を巡る新たな地平』（青簡舎、二〇二一年）など、在外資料を含めた国際的で多彩な研究としては美術史よる成果が目覚ましい。

12　恋田知子「経説絵巻の一展開――スペンサー・コレクション蔵『因果業鏡図』をめぐって――」（国文学研究資料館編『絵が物語る日本――ニューヨークスペンサー・コレクションを訪ねて』三弥井書店、二〇一四年）。

13　国文学研究資料館連携展示「祈りと救いの中世」、神奈川県立金沢文庫連携展示「顕れた神々――中世の霊場と唱導――」（二〇一八年）、国文学研究資料館ないじぇる芸術共創ラボ展「時の束を披く　古典籍からうまれるアートと翻訳」（二〇二一年）など。

14　例えば、共同研究による最新の成果展示として開催された岡山県立博物館テーマ展示「正宗敦夫と正宗文庫」（二〇二三年）や、神奈川県立金沢文庫特別展「廃墟とイメージ――憧憬、復興、文化と生成の場としての廃墟――」（二〇二三年）などは大いに参考となる。

15　例えば、松尾葦江編『ともに読む古典　中世文学編』（笠間書院、二〇一七年）、荒木浩編『古典の未来学　Projecting Classicism』（文学通信、二〇二〇年）、伊藤慎吾編『お伽草子超入門』（勉誠出版、二〇二〇年）などの試みがある。

16　本書については、Maruzen eBook Library による閲覧は可能である。

ラウンドテーブル❹

説話の観点からみた能楽研究の動向と展望

高橋悠介

一、能・狂言と説話

説話と関わる芸能としては、能楽に限らず、宴曲や歌謡、幸若舞曲など、他にもある程度まとまった長さの詞を含む中世芸能もありますが[1]、今回は能楽研究に限って、また主には今世紀に入って以降の動向と展望をお話ししたいと思います。

能は、和歌、説話・物語、軍記、伝承、縁起など、様々なものを取り込んで、演劇に仕立てており[2]、世阿弥は伝書において、演技と台本やその典拠の関係についても論じています。例えば『風姿花伝』第三問答条々では、「本説正しく、めずらしきが、幽玄にて、面白き所あらんを、よき能とは申べし」としており、能の内容が人々に知られた古典など、しかるべき本説（典拠）に基づいていることを重視していました。これは第六花修にも似た記事があるのですが、一方で世阿弥は、言葉の続き具合の美しさや、見せ場の作り方、演技を基本とした書き方などにも言及しており、そうした演劇としての性格から、典拠の説話が変化を蒙ったり、典拠にない彩りや工夫を加えられたりしたのは当然のことです。作能法に関する世阿弥伝書『三道』には、本説の性質によって、段構成が変わるような事例も示されているものの、一曲の構成法はある程度、規定されており、そうした中で素材の説話をどう活かすかということになります。

これらの説話素材と能作品の関係については、主には、個別の作品論で研究が進められてきました。また、近年の能楽学会の特集シンポでも、源氏物語と能や、曽我兄弟の伝承と能をテーマにした例があります。[3] 個別の作品論以外にも、小林健二氏による能楽と絵画資料との相関関係の研究、[4] 三宅晶子氏による歌舞能の展開という観点からの研究、[5] また岩崎雅彦氏・小田幸子氏・山中玲子氏などによる演出研究、[6] 後述する作品成立環境論など、多様な視角から研究が進んでいます。狂言研究については研究者が少ないものの、説話と関わる作品研究としては、橋本朝生氏や稲田秀雄氏・岩崎雅彦氏・大谷節子氏・田口和夫氏などによる研究が挙げられます。[7]

能の作品研究に関しては、作者が誰か、ということもしばしば問題にされます。作者考定とも関わって、作品の特徴や、作品間の関連性がより深く把握されるようになってきたのは確かです。一方で、世阿弥伝書『五音』『申楽談儀』などから作者が特定できるものを除くと、作者考定は作業仮説の面があり、特に意見が分かれるような曲については、推定だけが一人歩きしないように注意が必要です。

それから、能における様々な説話の享受の多くは明らかになった一方で、近世にかけて、能の影響が他分野に広がった様相も課題で、これは近世文学の研究者と能の研究者との共同研究のような取り組みがもっとあってもいいのかもしれません。

二、演劇としての能の特徴と、説話の摂取

説話を素材にして演劇としての能作品ができる時に、説話がどう変容するかを考える上では、演劇としての性格も考える必要があります。例えば、多くの能の曲ではシテとワキの対話の中から原拠となった説話が引き出されてきますし、演技・型、見せ場（世阿弥の用語では「詰め所」）や舞の設定、音曲との関係などがあります。また、作り物等を前提とした表現として、例えば引回しという布で覆われた作り物の中にシテが入っていて、途中でそこから出て来るような場合、詞章も、そうした段取りをふまえた展開で書かれる訳です。世阿弥時代における大幅な改作の例も知られており、多くの曲ができた後の室町期における本文改訂の例についても、落合博志氏の御論がありますが、[8]上演を重ねる過程で改作されるという性格もあります。

複式能の二場構成の定型を持つものも多く、前後の間に間狂言が入りますが、[9]前場ではシテが主には三人称の形で比較的長めに話を語るのに対し、後場ではシテがその説話の当人として登場するなどの定型があります。ある人物にまつわる説話を、前場と後場にどう配するかで、説話の再構成の仕方も変わってきます。構成の定型や、見せ場の作り方は、世阿弥が開拓した面が大きいですが、例えば『伊勢物語』の古注に基づく能《井筒》と、『源氏物語』を源流とする能《野宮》では、素材は全く違うものの、《野宮》の構成や見せ場の作り方は《井筒》の影響を大きく受けており、別な説話を素材とする曲であっても、先行する曲の影響下に、新たな曲が作られる側面があります。

それから、一曲を構成する各々の小段の機能・特徴や、音楽的な面との関係で、言葉が構成されるという特色もあります。能一曲が句数・文体の定型、音階、拍子合／拍子不合（あわず）などの特徴を持つ小段が組み合わさった構造になっていることは、横道萬里雄氏によって日本古典文学大系の『謡曲集』で示されていますが、[10]説話がまとまりのある形で取り込まれる時に、シテやツレとワキの台詞の掛合の中に説話が再構成される場合と、クセという小段に代表

されるような、比較的長い韻文の小段の中に取り込まれるのとでは、やはり説話の受容・変容のあり方が異なります。台詞の掛合から韻文パートに入っていく、その全体の中に、ある説話が再構成されるようなことも多くあります。現在進行の形で再現される説話もあれば、ワキからの尋ねに応じて過去の話が展開される形で示される説話もあります。いずれも、演劇として冗長になる部分は、切り詰めて再構成されることになります。これは研究目的次第で、各小段の特徴などの込み入ったことを、必ずしも把握しなくてもいいのですが、能作品における説話のあり方を考える際、こうした面から理解を深められることもあろうかという点になります。

また、能は、韻文／散文の両面をあわせ持ち、特に韻文では和歌的修辞や連歌寄合に基づく作詞法が多く取られます。そうした修辞の効果により、多くの曲は「詩劇」とも言える性格を持ちます。詩劇という点から注目される観点としては、古くは小西甚一が、世阿弥グループの作品にみられる、一曲を通して響くような「統一イメージ」について論じ、横道萬里雄はこれを「統象」と言い換えていますが、近年は、天野文雄氏による「情調」という概念を使った作品分析が注目されます。天野氏は一曲の主題を支える情緒、情趣あるいは雰囲気という意味で情調という言葉を使っていますが、例えば禅竹作の可能性が高い能には、雨による情調を醸し出す曲が多いだけでなく、《小塩・芭蕉・龍田・玉鬘・西行桜・野宮》などの終曲部で、山風や山嵐が吹き付け草花が吹き散らされる場面で締め括られる例が多いという現象も、禅竹能楽論がいうところの「荒れたる美」と関わる情調と位置づけています。▼11 そうなると、例えば統一イメージ論でいう所の「月」のイメージを行き渡らせているといったレベルを超えて、筋立てそのものに情調が関わっているということになりますから、これは説話の再構成の仕方にも関わる機構として考える余地も出て来るように思います。

三、近年の作品研究上の問題提起や、新しい動向

能の説話的背景は様々な角度から追求されてきましたが、前世紀の研究史では、伊藤正義（一九三〇～二〇〇九）による古典注釈学への着目や中世日本紀論の意義は大きく、伊藤正義校注の新潮日本古典集成『謡曲集』の頭注や各曲解題は、曲の理解を大きく進めた点で、一九八八年の完結から三〇年以上経った今でも参照軸になっています。伊藤正義の議論は、説話・軍記・謡曲といった文芸とその拠りどころとなった古今注や日本紀説などの関係を認識させるだけでなく、その問題提起を受けた後の研究史の展開で、古典注釈、寺院の学問、唱導、縁起、神道説などが交錯する中世の宗教的な知の世界にも視界を広げた面があります。これは能楽研究とも関わりつつ、より大きな射程を持つもので、阿部泰郎氏による芸能を含めた中世宗教文化の探求や、[12]伊藤聡氏の中世神道研究など、説話研究そのものの展開を導くものであったことはご存じの通りです。

一方で、能作品の成立背景もふまえつつ、能作品自体を改めて考えてみようという立場の研究もあります。ここでは、天野文雄氏による問題提起を取りあげてみます。天野氏は、『現代能楽講義』の中で、

「能については、趣向のような部分的なことについては、細かい解説がなされているが、もう一つの要素である主題とか、主題や趣向を包み込んだ作品全体のねらいとか、そういう全体的なこと、あるいは基本的なことについてははなはだ言及がすくない」

と問題提起しています。[13]ここでいう趣向とは、作品全体あるいは特定場面の工夫、筋や見せ場のことで、それだけでなく、より上位にある構想（作意・ねらい）の把握をもっと意識すべきではないかという問題提起になります。天野氏が二〇一九年に角川ソフィア文庫から出した『能楽手帖』は、一曲に見開き二頁を充て二〇〇曲を解説したものですが、そこでは「作者と上演史」「展開」「演出その他」に加えて「作意」という項目を設けている点に特徴があり、こうしたお考えを実践したものと思います。

同じく天野氏が、江戸中期の加賀の俳人の謡曲注釈書『謡俚諺察形子（うたいりげんさっけいし）』を取りあげた論文の中で、同書が『謡曲拾葉抄』などの先行する注釈について、もとになった故事や説話や物語の指摘、引歌や引詩の指摘、地名や人名の考証といった「部分」への関心に終始していることを批判し、詞章そのものの読解や一曲の作意の把握をねらう姿勢に意義を見出しているのも、同様の立場かと思います。[14]

これを謡曲と素材の説話との関係に絡めていえば、説話素材等の考証は当然としても、説話の再構成や修辞を通して、最終的に、能作品の構想を全体としてどう捉えるかということに戻ってきて考えることの重要性を指摘したものと捉えることもできます。

もう一つ、近年の作品研究上の新しい動向として、特に作品と成立環境をめぐる議論が多くなってきていることを、ご紹介しておきたいと思います。室町期の早い段階での演能記録は、特に作品成立史を考える上で重要ですが、尋尊の『大乗院寺社雑事記』の紙背文書から「応永三四年演能番組」が見出され、能楽研究者に知られるようになったのが二〇〇〇年のことで、『能と狂言』創刊号（能楽学会、二〇〇三年）にこれを検討したシンポジウムの記録が載っています。十郎元雅・三郎元重・十二次郎という三人の為手による一五番の演目が記されるうちの大半が上演史料上の初出で、《猩々・酒天童子・曽我虎》など、従来は成立時代が下ると思われていた曲が世阿弥晩年期に遡ることをはじめ、作品成立史に特に新しい知見をもたらした資料紹介でした。

また、特に猿楽のパトロンであった将軍に関わる動向と作能背景を探る研究の分野は、特に天野文雄氏が大きく開拓した面があり、その多くは著書『世阿弥がいた場所』[15]の中にまとめられています。能《養老》が明徳四年（一三九三）の足利義満の養老滝見物を受けて作られた可能性、能《高砂》が義持時代の和歌振興や応永二九年八月以降に阿蘇大宮司雑掌が上洛したことをふまえてできた可能性など、時代背景に当てた作能の可能性を推測した作品成立環境論になります。

他にも少し紹介しますと、寛正六年（一四六五）九月の足利義政南都下向の際、興福寺一乗院での四座立合猿楽の一三番の中に「小原野花見」（《小塩》）がみえること（『蔭涼軒日録』）について、西村聡氏が同年三月に義政が大原野へ花見に出掛けたことを背景として、禅竹が新作したものと推測したのも、時代状況という視点からの論になります。[16]また、この寛正六年の三月、足利義政院参の際に演じられた能一六番の中に《三山》が含まれ、《三山》上演の記録上の初見なのですが（『親元日記』寛正六年三月九日条他）、融通念仏を始めた大原の良忍をワキに設定し、融通念仏信仰が反映された能ですから、同年三月六日の嵯峨大念仏にあわせて後花園上皇や足利義政も染筆して作られた禅林寺本『融通念仏縁起』の完成を祝う新作上演だった可能性を松岡心平氏が指摘しています。[17]

このような能の成立環境論は、説話が語られる場によって変容する問題とも関わる視角で、文学と中世史が交わる領域でもあります。成立背景の推定は、なかなかはっきりと断定はできない面があるにしても、時代相の中での将軍などの動向に当てて能を作っていたありようは、特にこの二〇年位の間に段々と明らかになってきた感があります。

四、能楽関係資料の公開や利便性

ここで、視点を変えて、能楽関係資料の画像データベースや目録の整備などの面についても、簡単にみておきたいと思います。画像データベースの公開も、近年の研究状況を大きく変えています。特に、観世宗家に伝わった文献資料の画像データベース「観世アーカイブ」[18]、また「金春家旧伝文書デジタルアーカイブ」[19]などは、大夫家に伝わった一級の価値を持つ資料群が、世界中から見られる形になったものです。また、「伊達家旧蔵能楽資料デジタルアーカイブ」[20]「法政大学能楽研究所 能楽資料デジタルアーカイブ」[21]などが拡充しており、これらにより、謡本の古写本なども画像を確認することができるようになりました。

各種目録の整備という点では、古くは『鴻山文庫本の研究 謡本の部』（わんや書店、一九六五年）が謡本を調べる上での基礎的な工具書となっていますが、謡本以外についても『鴻山文庫蔵能楽資料解題（上・中・下）』（野上記念法政大学能楽研究所）が、二〇一四年に完結し、『早稲田大学演劇博物館所蔵特別資料目録 5 貴重書 能・狂言篇』（早稲田大学演劇博物館、一九九七年）以降の重要な目録となっています。また、『観世文庫所蔵能楽資料解題目録』（檜書店、二〇二一年）は、観世アーカイブの構築と平行して作られたものですが、分類整理を施している点で、フラットな構造の画像データベースとは異なる意義を持っています。

こうした資料群の中には、現在上演されていない曲も多く含まれます。ここで研究の偏りについて言及しておくと、現行曲か、そうでない番外曲かによって、研究状況に違いがあります。現行上演曲に研究が集中しがちですが、中世成立の番外曲も二百数十曲に及び、謡物もあります。研究者も現在の上演に関わって解説を求められる傾向にありますが、時代経過の中での淘汰という点を除けば、現行曲も番外曲も等価値な面があり、こうした番外曲の研究も進められるべきでしょう。現状でも『版本番外謡曲集』（臨川書店、一九九〇年。貞享三年刊三百番本・元禄二年刊四百番本・同一一年刊五百番本の影印）や、古典文庫の『未刊謡曲集』などが手がかりとなりますが、より良い形での翻刻本文の共有も課題です。

こうした中、法政大学能楽研究所で、近世版本に基づく謡曲のテキスト・データをデータベース化してウェブ公開しようという取り組みが進んでいます。近世版本は必ずしも良い本文ではない面もありますが、今後、こうしたデータが公開されれば、それを活用した新しい研究も出てくるでしょう。また、室町期成立の番外謡本の、より良い本文の提供なども待たれるところです。▼22

なお、先ほど、恋田氏の報告で「社会に開く」というお話もありましたが、能の場合、能楽師と研究者の協同による廃絶曲の復曲上演の試みが、幾つもなされ、そうした機会に、その曲の素材に関わる説話研究と、能としての演出の工夫が考えられております。上演を重ねるように至る例はなかなか少ないにしても、特に地方に関わる能を、その地で復曲上演する場合、観客にとっては、住んでいる地域の歴史と伝承を見直す良い機会にもなっている例があることも付言しておきたいと思います。

五、唱導や中世の宗教的知との関係で能を読み直す研究の可能性

さて、全体の研究状況としては、寺院資料などを含め、説話研究の研究対象が大きく広がっている一方で、広がった対象を能楽研究者側がうまく取り入れることができているかというと、必ずしもそうでもない面もあるかもしれません。特に、中世の宗教的な枠組や宗教的な知から能楽を考え直す余地はまだ多く残されている、と私は考えています。最後に研究史の中から、この周辺に関わる印象的な論を少し紹介し、この分野の研究の可能性についてお話したいと思います。

例えば、能《通小町》は古名を《四位少将》といい、『申楽談儀』に「山徒に唱導の有しが書きて」とあるように、比叡山の唱導僧が書いたものに観阿弥・世阿弥が手を加えた作品と考えられています。あるいは、《自然居士》では、自然居士が京都東山の雲居寺修造勧進の説法をする所に、父母追善供養のために人買いに身を売って得た小袖と諷誦文(じゅもん)を持って少女が現われる場面があり、説法自体が舞台で表現される作品といえます。このような明らかに唱導と関わる能でなくても、能のジャンル自体が唱導と関わって成立してきたという面は、やはり大きいものと考えます。

まず、夢幻能という用語そのものに対して再考が必要だとする意見もありますが、それはいったん措くとして、夢幻能という用語で示されてきたような特殊な劇形式、あるいは幽霊をシテとする能の形成についても、松岡心平氏が勧進活動や唱導との関わりで、その発生について見通しを示しています。[23] こうした議論はさらに深めていく必要があるでしょう。

武将を主人公にした修羅物という能の類型がありますが、[24] この分野を遡って考える際に興味深いのは、明徳の乱

を受けて生まれた古作の能《小林》で、小林健二氏や天野文雄氏による御論があります[25]。これは修羅能の母胎としての鬼能と評価される能で、構成そのものが後の世阿弥による能作品の定型とは大きく異なるのですが、明徳の乱での死者供養の枠組が大きな背景にある点でも、修羅能に限らず、幽霊の供養を枠組とした幽霊能の形成を考える上で、重要な位置にある曲だと考えられます。

また、修羅能と同じく、世阿弥が開拓し一つの類型をなしているのが物狂能で、従来、物狂能においては説話的な本説が希薄だという指摘もありましたが、大谷節子氏は物狂能を類型分析し、その源流に、出家をめぐる孝養・恩愛の因縁譚があることを論じました[26]。これは能の中の一つのジャンルの形成を出家因縁譚との関わりで論じたものになりますが、近年は『直談因縁集』のような法華経直談の譬喩・因縁から能・狂言の作品を照射する論も、岩崎雅彦氏によって継続して出されています。

それから、謡曲に、講式の言葉や唱導句の活用が様々に見られることは、近年ますます明らかになってきました。もともと能《百萬》に入っていて、後に能《歌占》に取り込まれた「地獄の曲舞」が、『貞慶消息（無常詞）』に地獄の様を描く『目蓮救母経』を取り合わせた形になっていることは、能《江口》で遊女が世の無常を述べる部分に貞慶の『愚迷発心集』の冒頭が転用されていること、能《舎利》《敷地物狂》における貞慶作『舎利講式』の摂取などと合わせ、貞慶の唱導や法会に関わる文言が謡曲に影響を与えた例として知られています。

近年でも、落合博志氏は、《春日龍神》に明恵作『涅槃講式』、《楊貴妃》に永観作『往生講式』、また《草子洗（小町）》に『柿本講式』に拠った箇所があるなど、講式の表現が謡曲に取り込まれている点を明らかにしています。また、世阿弥作の《檜垣》で、後シテの檜垣の女の幽霊が地獄の苦しみを述べる表現が、源信の『六道講式』に基づいていることは知られていましたが、岩崎雅彦氏は、能の《砧》に登場する妻が地獄の責め苦を受ける描写の「叫べど声が出でばこそ」などの源流も『六道講式』に求められると論じています[27]。

安居院の澄憲に由来する表現についても、近年の指摘を少しご紹介すると、能《鞍馬天狗》の稚児と山伏のやり取りにみえる、「げにや花の下の半日の客、月の前の一夜の友」という言葉、これは一見、仏教語とはみえない語句ですが、田口和夫氏は、これが澄憲の名句に由来することを指摘しています[28]。猪瀬千尋氏も、能《重衡》や《山姥》にみえる「寒林に骨を打つ霊鬼」から始まる、天人散花尸上説話を凝縮した句の原拠が、澄憲の『言泉集』にあることを指摘し、それを糸口に、澄憲の論理や諸法実相論と能との、相違点も含めた関係性を論じています[29]。

狂言についても、喜劇の中に実は仏教的な背景を持つ作品が幾つもありますが、印象的だったものを一つ挙げると、橋本朝生氏が狂言《杭か人か》を取りあげた論があります。これは夜回りをする太郎冠者が、主人の影をみて人なのか杭なのか不安に思うものの、主人が杭と答えると安心するという、面白い狂言なのですが、橋本氏は良遍の『法相二巻抄（ほっそうにかんしょう）』に夜、杭を見て人と思ってしまう心を分析した記事があることから、唯識の教学がこの狂言の源流にあることを指摘しています[30]。やはり狂言作品を含め、能楽の仏教的な背景はかなりの広がりを持っていたと言えるでしょう。

こうした事象を、能・狂言だけの問題に収束させてしまうのではなく、より広い問題系に結び付けていく意識も重要かと思います。落合博志氏の企画による能楽学会の大会シンポジウム「能の宗教的環境」が、能楽学会の『能と狂言』一四号に「特集」として掲載されています（伊藤聡「中世神道と能」・末木文美士「中世思想の転回と能」・高橋悠介「能の亡霊と魂魄」・松岡心平「翁の宗教的性格――神としての父尉」と、全体討議など）。この企画は、能や能と関わる説話、聖教資料を通して、能の宗教的環境、中世の宗教思想そのものを考える機会となりました。

私自身の関心に偏ってしまった面もあるかもしれませんが、能が宗教的背景を色濃く持っていることを前提にするならば、能楽研究と説話研究、宗教史研究など、分野を横断する視座が大いに有効であることを改めて提起して、終わりにしたいと思います。

注

1 『国文学 解釈と鑑賞』七四―一〇（ぎょうせい、二〇〇九年一〇月）特集「中世芸能研究の視界」、小林健二編『中世文学と隣接諸学7 中世の芸能と文芸』（竹林舍、二〇一二年）などが、芸能と説話研究に相渉る問題を扱っている。

2 出典については、落合博志「能・狂言出典一覧」（『能・狂言必携』學燈社、一九九六年）が全体の概要を示している。

3 源氏物語に関しては『能と狂言』一五・特集「源氏物語と能――享受と創成」（小川剛生・高橋亨・藤原克己・山中玲子、二〇一七年七月）、曽我物語・曽我兄弟伝承に関しては、『能と狂言』一九・特集「曽我兄弟の伝承と能――歴史・物語・芸能」（伊海孝充・坂井孝一・小井土守敏・竹本幹夫）がある。

4 小林健二『描かれた能楽――芸能と絵画が織りなす文化史』吉川弘文館、二〇一九年）。

5 三宅晶子『歌舞能の確立と展開』（ぺりかん社、二〇〇一年）『歌舞能の系譜――世阿弥から禅竹へ』（ぺりかん社、二〇一九年）。

6 山中玲子『能の演出――その形成と変容』（若草書房、一九九八年）、岩崎雅彦『能楽演出の歴史的研究』（三弥井書店、二〇〇九年）など。

7 ここ十数年の著書では、橋本朝生『続 狂言の形成と展開』（瑞木書房、二〇一二年）、稲田秀雄『狂言作品研究序説』（和泉書院、二〇二一年）など。

8 落合博志「能楽研究における文献学の問題」（『日本文学』六九―七、二〇二〇年七月）。

9 間狂言の形成については、岩崎雅彦『能楽演出の歴史的研究』（三弥井書店、二〇〇九年）参照。

10 横道萬里雄の後、まとまって小段を扱ったものとしては、高桑いづみ・中司由起子「小段ってなに？」（『観世』七八（一）～八〇（一二）、二〇一一～二〇一三年）参照。

11 天野文雄「禅竹の能における「情調」とその背景――禅竹が芸論で説く「闌曲」「閑曲」をめぐって」（『能を読む3元雅と禅竹』二〇一三年年五月）・同「禅竹序説――禅竹作品の「趣向」「背景」「主題」「情調」をめぐる素描的概観」（『演劇学論集』五〇、二〇一〇年）・同「「二人の三郎」からみた室町時代「能作」史――世阿弥と音阿弥の芸風と芸道理念から」（『中世文学』六三、二〇一八年六月）。

12 阿部泰郎氏の一連の研究の中でも、特に能楽などの芸能を含んだ宗教文化論としては、『湯屋の皇后』（名古屋大学出版会、一九九八年）、同『聖者の推参』（同、二〇〇一年）が挙げられる。

13 天野文雄『現代能楽講義』（大阪大学出版会、二〇〇四年）「補講 能はいかに読まれるべきか」。

14 天野文雄「堀麦水『謡俚諺察形子』と現代の能楽観」（『銕仙』六四四、二〇一五年二月）。

15 天野文雄『世阿弥がいた場所――能大成期の能と能役者をめぐる環境』（ぺりかん社、二〇〇七年）。

16 西村聡「〈小原野花見〉と足利義政」（『鎌倉室町文学論纂』三弥井書店、二〇〇二年）。

17 松岡心平「禅林寺本『融通念仏縁起』と能「三山」の上演あるいは成立」（『銕仙』七三二、二〇二三年四月）。

18 「観世アーカイブ」http://gazo.dl.itc.u-tokyo.ac.jp/kanzegazo/ （最終閲覧二〇二四年五月一日）。

19 「金春家旧伝文書デジタルアーカイブ」https://nohken-komparu.hosei.ac.jp/ （最終閲覧二〇二四年五月一日）。

20 「伊達家旧蔵能楽資料デジタルアーカイブ」https://nohken.ws.hosei.ac.jp/nohken_material/htmls/dateke-htmls-201903/index.html（最終閲覧二〇二四年五月一日）。

21 「法政大学能楽研究所 能楽資料デジタルアーカイブ」https://nohken.ws.hosei.ac.jp/nohken_material/htmls/index/ （最終閲覧二〇二四年五月一日）。

22 竹本幹夫氏を代表とする科研「室町期成立番外謡本の網羅的調査・系統分類と『謡曲大成』の作成」「江戸期以前の番外謡曲本文校訂に関する基礎的研究」等。

23 松岡心平『宴の身体――バサラから世阿弥へ』「夢幻能の発生――勧進能のトポス」（岩波書店、一九九一年）。

24 なお、修羅物の能と軍記物語の関係では、古くは島津忠夫「三道にいわゆる平家の物語――能作者の庖厨にはどんな平家物語があったか」（『芸能史研究』一一四、一九九一年七月）などの研究があるが、近年では、伊海孝充著『切合能の研究』（檜書店、二〇一一年）がまとまった成果である。

25　小林健二「謡曲「小林」考」(『国文学研究資料館紀要』一〇、一九八四年三月)、天野文雄「古作の鬼能《小林》成立の背景」(『鬼と芸能』森話社、二〇〇〇年)。

26　大谷節子『世阿弥の中世』(岩波書店、二〇〇七年)第三章「物狂能」。

27　岩崎雅彦「《叫べど声が、出でばこそ》――「鵜飼」「砧」と『六道講式』」(『銕仙』七〇二、二〇二〇年六月)。

28　田口和夫「〈鞍馬天狗〉「花の下・月の前」――安居院澄憲の名句から」(『銕仙』七三一、二〇二三年二月)。

29　猪瀬千尋「能《重衡》の表現と思想――「寒林に骨を打つ霊鬼は」の句をめぐって」(高橋悠介編『宗教芸能としての能楽』(勉誠出版、二〇二二年)。

30　橋本朝生「狂言と唯識――〈杭か人か〉の形成と展開」(『能と狂言』創刊号、二〇〇三年)。

司会者より

佐伯真一

ラウンドテーブル「説話文学研究つぎの六〇年に向けて」は、六〇周年記念事業委員会の中で、近本謙介氏が中心となって進めた企画であった。別掲の趣意文も近本氏の手になるものであり、登壇者との交渉も近本氏が中心となって進められた。ところが、近本氏は二〇二三年二月に突然急逝された。六〇周年記念事業委員会は茫然自失したが、やむを得ず、近本氏がまとめてくれた形を受け継ぎつつ、当日の司会は佐伯真一が代わって務めることとして企画を進めた。そのため、この総括も佐伯が書くこととなった。

このラウンドテーブルは、別掲の趣意文にある通り、説話文学会の創設以来六〇年間の成果を振り返りつつ、現在の課題を明らかにしようというものであり、具体的には、説話集・説話、軍記・唱導、絵巻・絵画資料、能・芸能の四分野に即して、各々の分野の第一線で活躍する四名の方々に、現状の報告と今後の展望、あるいは提言をお願いした上で、全体で討論するという形で企画された。

各々の報告内容については、別掲の各々の原稿を参照されたいが、ここでは、全体の報告と討論を通じて、司会者として感じたことを簡単にまとめておきたい。以下、各報告の要約と、それに対する若干の解説や筆者なりの感想や思いなどとが入り混じった形の文章となることを許されたい。

まず、本井牧子氏の報告「説話集研究の現状と今後」は、説話集研究が現在の説話文学会ないし説話文学研究の「メインストリーム」ではないという認識から語り始められた。「(一) 説話集研究の現状——五〇周年記念事業とそれ以降——」として、説話文学会五〇周年記念事業前後の例会・大会における議論が紹介され、「〈文学〉〈ジャンル〉としての説話集研究」から、「〈メディア〉〈言説〉としての説話研究」へと、研究の潮流が変化してきたとまとめられた。

説話文学の研究者にとっては常識的なことであり、また、ラウンドテーブルに先立つ伊藤聡氏の講演でも触れられたことなので、ここであまり詳しい補足はしないが、筆者なりに簡単にいえば、このようなことである。「説話文学研究」は「説話」を「文学」としてとらえたもので、かつては国文学の一分野として、たとえば『今昔物語集』や『宇治拾遺物語』などのような説話集の研究を中心としていた。だが、一九七〇年代頃から、主に中世文学の分野において、それまでの文学史の視野の外にあった資料の発掘が進み、著名な文学作品の基盤に対する理解が大きく変化すると同時に、「中世日本紀」「中世神話」などの概念が論じられるようになり、文学研究の枠組み自体が強く問い直されるようになった。そうした事情に伴って、説話文学研究の対象も大きく拡大した。それまでは「文学作品」とは見なされてこなかったテキスト群（たとえば宗教的テキスト）なども、文学研究とりわけ説話文学研究の対象とされるようになったわけである。同時に、人文科学全体の再編的な動きにより、学際的・国際的な研究が盛んになり、歴史学・宗教史学・美術史学などとの協力や乗り入れが日常的になって、文学研究とその他の分野との境界はぼやけていった。たとえば絵画などの非文字テキストも説話研究の対象となって久しい。それによって、「説話」は必ずしも文学研究に属するとは限らない、人文科学総体に関わる研究対象になったといってもよい。そういうわけで、説話集研究は、説話文学研究全体から見れば一部分にとどまるという状況になったわけである。

さて、本井氏の報告に戻るが、右の（一）に続いて「(二) 架橋の試み」として、文化・宗教などの研究と説話文学研究の架橋を試みる最近の書籍やシンポジウムが紹介され、さらに「(三) 説話集・説話の読みを示す」として、近年の説話集の注釈書や分野融合的注釈の試みが紹介された。右記のように研究領域が大きく広がったことをふまえて、その成果を生かしつつ、もう一度、説話や説話集の読解という営みに帰るという方向性が示されたといってよいだろう。非文学的なテキストに関する知識・情報、あるいは学際的な知見を広くふまえることによって、説話集の読みはどう変わるのか。注釈に基づく読解という基本的な方法においては、一見、従来の研究の繰り返しのようにも見えるが、回転しつつ螺旋的に上昇してゆく確実なイメージが、そこには示されていたように思う。説話文学研究全体の現状と課題を、包括的に示してくれた報告であった。

次に、牧野淳司氏の報告「軍記物語研究と説話文学研究」では、二〇世紀後半の研究の出発点において、軍記物語と説話文学が、歴史社会学派的な視点から、共に語りを取り込んだ「民衆の文学」というわかりやすい構図でとらえられたこと、しかし、現在では、（教育現場での残存などはともかく）研究の先端では、そうした構図が否定されていること、しかし、それに代わる明快な構図が提出されているわけではなく、研究が作品や作品群の本質をとらえようとする方向に向かいにくく、議論が閉塞しがちであることなどが報告され、最後に「物語・説話で作られた「史」」の見取り図が示された。この分野の研究の全体像を、題名の通りに広く正確にとらえた上で、現状の問題点を、深い実感に基づいて真摯かつ率直に報告していただけたと思う。

そこで指摘された、「『平家物語』全体を論じることの難しさ」「「作品論」が少ない状況」と「近代的「文学」観から自由になれないこと」などは、関連する問題であろう。要するに、二〇世紀後半の状況に比べて、現在は研究者に共通の前提となるべき「新しい枠組み」が見えていないわけであり、そうした中で広い展望やテキストの深い読解をどのように展開してゆくべきか、文学研究としての議論の土俵が見えにくくなっているということであると思われる。その一方で、「個々の説話」の詳しい分析、あるいは「説話研究」は「拡大・深化」しているが、それが「文学」研究を十分に揺さぶるところまでは至っていないという。個別の「説話」の分析と、作品やジャンル全体を論ずる「文学」研究とが対置されてしまう現状があるわけである。前述のように研究対象が果てしなく拡大している

ラウンドテーブル

中で、個別の作品やテキストあるいは資料の性格を明らかにすることは、新たな学問研究を拓く一方で、「文学研究」という枠組みから見れば、目的や目標がどこにあるのか、時に方向を見失う感覚もあるわけだろう。

一方、学際的研究が進んでいる分野の典型ともいうべき、絵画資料と説話が関わる領域の研究に関する恋田知子氏の報告「説話と絵画をめぐる研究の動向と展望」は、近年の研究動向と展望について、パワーポイントを駆使して、種々の具体例を手際よく紹介するものであった。具体的な提言が多く、この領域の研究の将来に希望をいだかせるものであったといえよう。「近年の研究動向」としては、「仏教説話画」「一七世紀の絵入り本」「非物語絵画」の三つのトピックが報告された。文学研究において「非物語絵画」が論じられる状況になっていることなど、最前線の状況を生き生きと伝えてくれるものであった。また、「現状の課題と展望」としては、「深化する領域融合・国際化」「地域・社会にひらく」「デジタルツールの活用と発展」の三つの項目について、さまざまな書物やデジタルツールが紹介された。この分野の研究は、従来の「文学研究」という枠組みから最も自由であるために、具体的課題に応じて多方向に発展し、さらには、直接的には必ずしも「研究」とは呼びにくい領域の課題にも関わっていることがはっきり示されたといえるだろう（それはもちろん、この領域だけの問題ではないだろうが）。

芸能分野については、高橋悠介氏の報告「説話の観点からみた能楽研究の動向と展望」があった。芸能は絵画と共に非文学的領域との接点であるといえると同時に、能（謡曲）は、先に述べたような古注釈資料の発掘によって、作品理解が大きく塗り替えられた領域であったともいえる。だが、芸能であるが故に、各作品の理解には、自ずから他の文学領域とは異なる手続きが要求される。高橋氏の報告は、そうした点をふまえて、能及び狂言における説話の摂取の在り方について解説した後、「近年の作品研究上の問題提起や、新しい動向」について述べた。先に説話集や軍記物語研究についても見たように、新たに拓かれた知見を生かしつつ能楽を理解してゆくとはどのようなことなのか、戯曲としての作品全体をとらえようとする模索が解説された。そして、関係資料の公開や番外曲を含むテキストの共有に関する取り組みが紹介され、最後に「聖教・唱導資料・中世の宗教世界との関係で能を読み直す研究の可能性」と題して、関連する多くの研究が挙げられた。拡大した説話研究を背景とした最前線の状況が示されたものといえよう。門外漢にはややもすれば敷居が高く感じられる能楽研究の現状を、説話研究の視点からわかりやすく切り取って見せてくれた、鮮やかな報告であった。

四氏の報告の後、全体討論が行われた。議論は学会創設時の回想から現在の在り方にも及び、興味深いものであったが、ここでは一々の言及は避ける。

ラウンドテーブルの準備段階においては、単なる学界時評に終わらず、説話文学研究の現状を照らし出すことで、今後の研究への展望が見えてくればよい、といった会話が交わされていたが、もちろん、この短時間の討論によって、これから進むべき道筋が直ちに具体的に提示できるわけもない。しかし、研究の現状を四つの分野に即して見渡すことにより、説話文学研究の現状が自ずと浮かび上がってきたことは確かであろう。司会者としては、今後進むべき方向を考える模索の一つの試みとして、十分に有意義な試みであったと感じている。最初に述べたように、この企画は本来、近本謙介氏が中心となって進められたものであった。結果として、近本氏の意図をどれだけ実現できたか、心もとない面もないわけではないが、ひとまず企画を実現できたことを、泉下の近本氏に報告し、その学恩にあらためて感謝を捧げたい。

文学通信の本

☞全国の書店でご注文いただけます

説話文学会編

説話文学研究の最前線

説話文学会 55 周年記念・北京特別大会の記録

2018 年 11 月 3 日～ 5 日の 3 日間、北京の中国人民大学（崇徳楼）で開催された
説話文学会 55 周年記念・北京特別大会の報告集。

近年著しく進展している東アジア仏教を主とする宗教研究を視野に入れつつ、
第一部には、中国仏教に焦点を当てた講演とシンポジウムに加え、『釈氏源流』を事例とする
ラウンドテーブル、さらなる問題展開として〈環境文学〉を軸に
東アジアの宗教言説と説話をめぐるラウンドテーブルを行った学会の様子を完全収録。
第 2 部は「これからの説話文学研究のために」として、今後の研究への提言として、
内外の研究者 10 名による文章を収録した。
付録として「北京所在の遼代の寺院をめぐって」を掲載。龍泉寺、大覚寺、潭柘寺、天寧寺の案内を収録。

説話文学研究は、「説話」の語彙自体が中国の唐宋代には話芸全般を指す用語であり、
話芸の専門家は「説話人」と呼ばれていたように、東アジアに共有されていた概念であり、
中国、朝鮮半島、琉球、ベトナムにおよぶ広範の文化圏から考究されるべき課題である。
本書はそんな説話文学研究の最前線を伝える一冊である。

ISBN978-4-909658-35-7 ｜ A5 判・並製・368 頁
定価：本体 3,000 円（税別） ｜ 2020.9 月刊

Ⅳ 座談会

説話研究の未来――一〇〇年後の研究はありうるか？

開催日・場所
二〇二三年六月二五日（日）・文学通信

参加者（右から）
渡辺麻里子（大正大学）
河野貴美子【オブザーバー】（早稲田大学）
陸　晩霞（上海外国語大学）　※ZOOM参加
趙　恩馤（韓国崇実大学）
ハルオ・シラネ（コロンビア大学）
小峯和明【司会】（立教大学名誉教授）

小峯――説話文学会は一九六二年に発足し、昨年六〇周年を迎え、今年二〇二三年七月一～二日に早稲田大学で記念の大会が開かれます。第一回の大会も早稲田でしたので、六〇年後にまた同じ場所に戻って還暦を迎えるという不思議な巡り合わせを感じます。五〇周年記念（立教大学・韓国崇実大学）と五五周年の北京特別大会（中国人民大学）に続き、記念の論集が刊行されるのに合わせて今回の座談会が企画されました。記念の特別委員会から仰せつかりまして、司会を務めさせていただくことになりました。

最初にメンバーを簡単にご紹介しておきます。まずコロンビア大学のハルオ・シラネさんです。この座談会ではなるべく「先生」という呼称は止めて、「さん」付けでいきたいと思います。シラネさんについては改めてご紹介するまでもないと思いますが、二〇一二年、立教大学で行った説話の五〇周年記念大会の時には基調講演をやっていただきました。『源氏物語』から始まり、近世の俳諧に飛び、最近は環境文学をはじめ、中世の特に妖怪や芸能など、説話方面もずいぶん研究されておられるということで、今回も特別にお願いしました。

次に大正大学の渡辺麻里子さんです。渡辺さんは、『今昔物語集』から始まって、現在は説話研究の一方で寺院資料を中心に仏教学の談義や法会の唱導を専攻し、さらに鉄眼版の大蔵経など資料学を軸に精力的に研究を進めておられます。国語教育の面からもいろいろ発言されていますので、よろしくお願いします。

ついで趙恩馤さんは、韓国の崇実大学で講師を勤められていて、やはり最初は『今昔物語集』が出発点でしたけれども、最近は特に韓国における口頭伝承や近代の文献資料から説話の問題を掘り起こしたり、仏伝を中心に東アジアにひろがる様々な領域の研究を手がけておられます。この座談会のためにソウルから来てもらいました。

それから、残念ながらオンライン参加ですけれども、上海の外国語大学の陸晩霞さんにも加わっていただきました。陸さんは、『方丈記』や『徒然草』を中心に、中世の隠遁、遁世の文学を中心に仏教文学を広く研究されており、二〇二〇年に『遁世文学論』（武蔵野書院）という大著も出されています。人民大学の李銘敬さんたちに継ぐ世代で、中国における中世や仏教系の日本古典の第一人者です。

あと、事務局で記念事業委員会の河野貴美子さんにもオブザーバーとして加わっていただいています。よろしくお願いします。

説話研究の「今は昔」――動向概略

小峯――はじめに説話の研究史の流れを簡単にたどってみたいと思いますが、前提として、私の立場では「説話」は文学概念として使いますので、「説話文学」との違いはあまり区別していません。和歌と和歌文学とか物語と物語文学という使い方と同じようなものです。かつて益田勝実氏は「説話」は口承文芸、「説話文学」は説話集など文字テキストと二元的にとらえていて、今も説話集＝説話文学といったイメージが一般的かと思いますが。それで今日につながる説話研究は、二〇世紀の初頭、明治末期から大正初期の頃に始まりました。すでに西尾光一氏が指摘されていますが、近代になって西洋の神話学が導入され、比較神話学という形で新しい分野が立ち上がってきた。民俗学系文学研究の先端を拓いた代表でもある高木敏雄などがその中心だったわけですが、比較神話学がどうもいまひとつ振るわないことから、だんだん『今昔物語集』などの説話の方に目が移ってきて、比較説話学にスライドしてきたという流れがあったようです。「説話文学」という用語を使ったのは高木敏雄あたりが早い例ではないかと思います（『比較神話学』博文館、一九〇四年）。その一方で『今昔物語集』のことは「物語」と言っていますので、用語にはまだ揺れがあります。「説話集」という語彙は、『攷証今昔物語集』をまとめた芳賀矢一が使っています（一九一三年）。この芳賀矢一の攷証本を批判的に活用した南方熊楠は、柳田國男との往復書簡で「説話学」という用語を用いています（「郷土研究の記者に与ふる書」一九一四年、『全集』三巻、平凡社）。

高木敏雄は柳田國男が始めた民俗学の出発点とも言える『郷土研究』という雑誌の編集を担当しますが（一九一三年）、高木がこの雑誌で『今昔物語集』の研究を広く呼びかけ、そこに南方熊楠が参入してきて、『今昔物語集』の出典研究を進めることで、比較説話学という分野が立ち上がってきたと思います。説話の研究はインターナショナルな視野から始まっていることを見のがすべきではないでしょう。

『今昔物語集』の全文と出典や同類話の本文をまるごと載せた芳賀矢一の『攷証今昔物語集』は、近代の説話研究の記念碑とも言えるもので、熊楠もこれをターゲットにしていくわけですが、当初は世界文学的な視野があったものが、ドイツに留学した芳賀も東京帝国大学の国文科創設の関係からナショナル・アイデンティティーとしての国文学の路線に変わっていきます。これはちょうど比較神話学で世界に開かれはじめた『古事記』や『日本書紀』の神話が皇国史観に絡め取られていく流れにも対応しているかと思います。

一九一〇年代前後はそういう新しい説話学が始まって、それが民俗学の勃興とも対応していて、柳田國男の『遠野物語』（一九一〇年）の序文には『今昔物語集』のことが出てきますし、芥川龍之介が『今昔物語集』や『宇治拾遺物語』をもとに短編小説を書いて作家デビューする（一九一五年）、創作と研究が連動する面もありました。これに童話で有名な巌谷小波の『東洋口碑大全』（上巻のみ、博文館、一九一三年）も、説話集や民間伝承から説話を集めて部類した大作として注目されます。近代に作られた説話集です。一九一〇～二〇年代はまさに説話研究の勃興期と言えるでしょう。

そして、第二次世界大戦後、特に戦後の民主主義の民衆幻想というか、庶民的なるものへ視点が強まったことから、柳田以来の民俗学主導で説話も注目されるようになって、それが再び国文学に向かい、いわゆる歴史社会学派系から研究が開花していきます。戦後のピークは一九六〇年代で、益田勝実『説話文学と絵巻』（三一書房）はまさに六〇年の刊行で、国東文麿『今昔物語集成立考』（早稲田大学出版部、一九六二年）、西尾光一『中世説話文学論』（塙書房、一九六三年）という戦後の研究のエポックになる研究が出て、私は「御三家」と名づけていますが（笑）、まさに六二年に説話文学会も創設されたわけですし、それが戦後の研究の高揚期だったと思います。

私が学会に参加するのは大学院生の七〇年代前半からで、もう五〇年前の話になりますが、七〇年代になると、『日本の説話』（東京美術、全七巻・別巻、一九七三～七六年）という講座が出まして、これによって説話が文学研究としての市民権を得たと言えるように思います。私などが勉強を始めた頃は、ほかの分野の人から「説話なんかは文学じゃない」と公然と言われるような環境があって、説話研究に関わる人たちは、いちように「今に見ておれ」といった気概を懐き、説話がいかに文学であるかを証明するために邁進してきたような感覚があります。あと、大学闘争の終焉やオイルショックなど閉塞感があって、隠遁文学などが注目されて仏教説話に関心が集まったりしました。

八〇年代になると社会史や記号論など研究が多様化し、人文学相互の乗り入れが進んで方法論への拡張や交差が出てきて、第二次の高揚期というのでしょうか、『今昔物語集』などの作品論が濃密に進められる一方で、歴史学の絵画史料論や新たな図像学研究が始まって、林雅彦氏たちの絵解きの会などの研究も出てくるわけです。多様化の傾向が出始めてきました。

九〇年代には、第二の講座もの『説話の講座』（全六巻、勉誠社、一九九一〜九三年）が出まして、ちょうど作品論と言説論が混じり合い、次第に言説論に転換していく潮目のような感じがしています。私もこの編集に加わりましたが、中世止まりで近世や近代をきちんと対象化できなかったことが今も心残りです。この頃、特に注目されたのは、中世を中心とする学問注釈の分野ですね。『古今集』や『日本紀』など古典の注釈研究が脚光を浴びて、「中世神話」など新たな概念が出てきます。あちこちのお寺の蔵が開かれて盛んになった寺院資料の研究ともクロスして、資料学が席巻するようになりました。中世日本紀研究などは、従来の歴史学先行の状況とは逆に文学から始まって歴史学や宗教思想分野にも影響を及ぼした点で特筆されます。

これらの動きはちょうどシラネさんたちが行った『創造された古典——カノン形成・国民国家・日本文学』（新曜社、一九九九年）の共同研究に見られる「古典とは何か」を見直す新たなカノン論や読者論、古典の再生論ともちょうど連動したわけです。古典の学問注釈論のさらに基盤になったのが唱導研究ですね。寺院資料学と儀礼研究がつながって、さらに中世神道など宗教思想史などとのつながりも大きかったと思います。これらの研究から説話が必須の媒体であることが再認識されて、説話集ジャンル中心の作品論が相対化され、より広範な言説論へ、研究のステージが大きく変わってきたと思います。

二〇〇〇年代以降もそういう流れを受けて、ちょうど一二年の学会の五〇周年記念大会では、鈴木彰氏が実務を切り盛りして、メディア論とか図像学、歴史叙述、東アジアも含んだ地域研究等々という、広範な分野や領域にまたがる大がかりなシンポジウムを企画し、暮れにソウルで行った初めての海外学会の報告と合わせて『説話から世界をどう解き明かすのか——説話文学会設立五〇周年記念シンポジウム［日本・韓国］の記録』（笠間書院、二〇一三年）という論集にまとめたわけです。せんじつめれば学際化と国際化ということなのでしょうが、今や説話はあらゆる領域にまたがっており、いろいろな分野との協同、競合の時代に入ってきたことを痛感させられます。

人文学の重要な領域として説話学が認知されて来ていることと、海外の研究者との協同はもとより、フィールドや資料学自体も東アジアや欧米をはじめ拡張してきています。げんに今日の座談会メンバーが国際化しているとおりです。説話は対象も方法も何でもありで、あらゆる面に開かれている、いかなる時代状況に対してもいくらでも対応できる分野であり、それ故に何でもやらなくてはならなくなった大変な時代になってきたことを実感しています。

以上が私なりに見た研究状況の大ざっぱな流れということになります。

説話の三極論――「説話」の用例から探る

小峯――話が長くなってすみませんが、そこで過去はそれとして、ではお前はこれからどうするのか、という問いかけがされると思いますので、これからちょっと違う方向を打ち出していきたいと考えています。未来志向ということで、すでに論文を書いていますが、「説話の第三極論」という問題を提起しています（野田研一編『耳のために書く――反散文論の試み』水声社、二〇二四年、倉本一宏他編『説話の形成と周縁　中近世篇』臨川書店、二〇一九年）。

第一に先ほどの話のように、柳田國男が始めた民俗学系の口頭伝承論、柳田は口承文芸という言葉を使いましたが、文化人類学の川田順造さんの『口頭伝承論』（河出書房新社、一九九二年初版・平凡社、二〇〇一年再刊）などに代表されるように、ずいぶん研究が変転してきていますが、それを第一の極とすると、私たちが関わっている日本文学の古典としての説話集を中心にした説話研究が第二極です。大体この第一と第二とで、お互いあまり交流がないまま進んできてしまっているのが現状なわけです。

同じ「説話」でも昔話や伝説主体の民俗学系と説話集主体の国文学系とでは対象にかなりずれがあって、クロスしえない面がありましたが、これらと相互に関わりつつも、新たな第三極を主張しております。これは何かというと、「説話」という用例に私はこだわり続けたいので、今の中国語でも「説話」は普通に話をする意味で使われていますが、用例としては、中国の古代、隋唐代あたりにさかのぼります。しかもそこでの意味は「話芸」に限られています。特に宋代の都市文化の発展に応じて小屋がけの寄席が作られて盛んになり、話芸の専門家は「説話人」と呼ばれます。話芸のあるものは文字テキストになって「話本」と呼ばれますし、さらに評話（平話）とか「演義」の講釈に発展していきます。宋元代の『大唐三蔵取経詩話』や『三国志平話』などが代表で、それが明代の『西遊記』や『三国志演義』に展開していくわけです。

　日本における用例では、日本から唐に行った遣唐僧たちが長安で俗講などの話芸を生で見聞きしたことを伝えます。それが円珍（えんちん）の『授決集（じゅけつしゅう）』に見る「唐人、説話す」という用例で、これが日本での初例とされます。この例を最初に指摘したのは本田義憲さんですが（新潮集成『今昔物語集一』解説、『今昔物語集仏伝の研究』勉誠出版、二〇一六年）、これに加えて、もう何度もふれていますが、名古屋の真福寺にある『授決集』の写本には、朱書きで「モノカタリスラク」という訓が付いている。つまり「説話」を訓読すれば「モノガタリ」だということですね。漢語の「説話」を訓読すると「物語」という和語になるというわけです。

　それから禅宗の五山系の僧たちに「説話」の用例がたくさん出てきて、この辺から現代中国語に近い単に話をする意味でも使われているようです。ということで、中世くらいまでは「説話」はかなり限られたところでしか使われない舶来の言葉でしたが、江戸時代になると白話小説が輸入され、「説話」や「話説」という言い方がいろいろ出てきて、近世には定着していくようです。それが明治にも続いていきますが、特に明治に際立っているのは、落語や講談、講演の聞書などの筆写に「説話」の用例が多く見えることです。話芸における口頭と文字との「際（きわ）」に「説話」が出てくる。まさに話芸を意味する中国古代の用法が日本の明治近代になってよみがえってくるわけです。

　もう一つ注目されるのは、竹村信治さんが書かれていますが、学校教育ですね（「説話の場としてのテキスト――「修身科」教室の「説話」」『福岡大学研究部論集A：人文科学編』一二―六、二〇一三年）。学校の授業も「説話」とされます。生徒を飽きさせない教示法が「説話」であり、「説話」の語りの技を磨く必要があるというわけで、まさに授業も教育界の話芸と見ることができます。こういう文字と語り芸との接触する、あわい、「際（きわ）」に生まれるのが「説話」だというわけで、東アジアレベルでの話芸としての「説話」

から、新たに見ていけないか、と考えています。これが私の主張する「説話」の第三極論です。話芸を中心に見ていくと、語り物なども同じ圏内に入ってきて、中世以降盛んになる説経や幸若舞曲や古浄瑠璃なども「説話」の問題として対象になってくる。中国の演義や平話などの講釈や日本中世の語り物との関連が気になるところですが、なかなかその辺の筋道が見えにくいです。

　話がそれるかもしれませんが、部屋でいろいろ本をひっくり返してたら、こういうのが出てきました。昭和九年、一九三四年に仏教年鑑社から「仏教大学講座」の第八回配本として刊行された一〇〇頁くらいの小冊で、徳永茅生という人が『印度の説話文學』というタイトルで書いています〔❶〕。これはインドのパンチャタントラとかジャータカの類を「説話文学」と名づけて、その意義を説いている本で、非常に先駆的な研究だと思います。私だけ知らなかったかもしれませんが、従来ほとんど対象化されていないもので、昔の忘れられた研究を掘り起こして意義を問い直すのも我々の務めでもあると思いますので、この機会に紹介しておきます。そこでは西欧のものばかりでなく、世界の説話の淵源としてインドの説話こそ注目されるべきだという主張で、昭和初期という時局の関わりもありますが、一度きちんと読み直されてよいものだと思います。

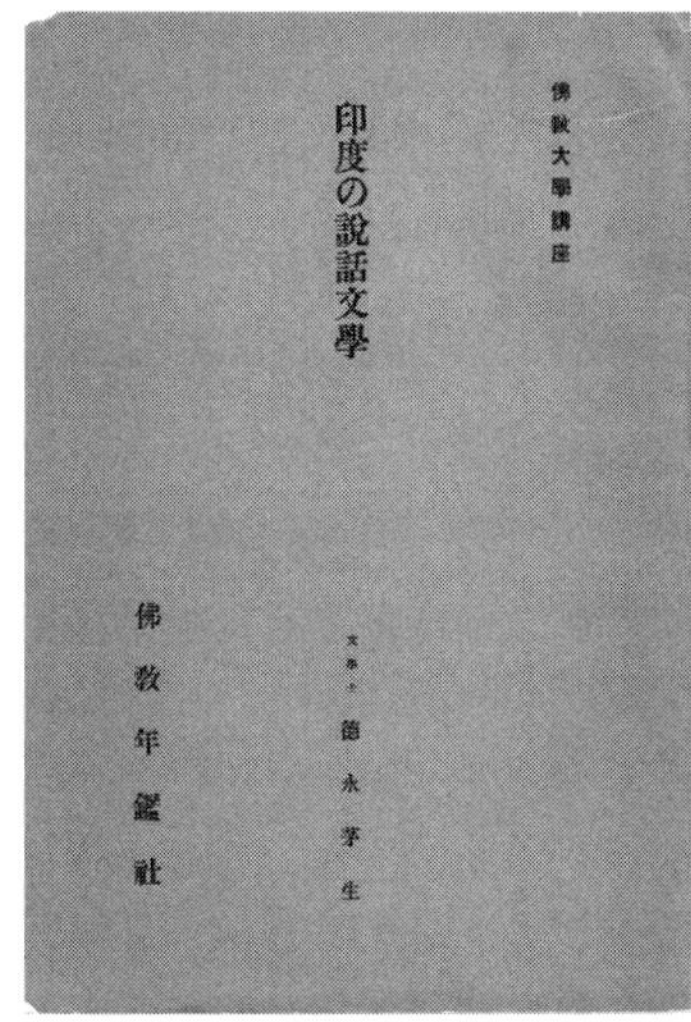

❶『印度の説話文學』表紙

　過去をふり返るだけでなく、現在の研究をどう対象化し、今後の研究がどうなるか、検証していきたいと思いますが、果たして一〇〇年後の研究はあるのか、という視野のもとに、お話をいろいろうかがえればと思います。もし私の今の話で事実確認など何かありましたらご質問なりご意見をどうぞ。

　では続きまして、渡辺麻里子さんからお願いします。

説話文学研究とは、何を研究するのか

渡辺――このたび、説話文学会六〇周年ということですが、私自身と学会を重ねると、学会に入ってからの年数は約三〇年です。今、小峯さんが振り返られた研究史に当てはめると、九〇年代に資料学や注釈論が盛んになった頃、「それは説話研究ではない」と批判的に言われていたものが次第に市民権を得た時期に研究を始めました。また『今昔物語集』の研究では、構造論的な研究が一段落し、研究の進展の難しさが議論されていた頃で、そうした時代に説話研究を始めたことになります。

学会の研究史について私なりの認識を述べますと、第一に「説話とは何か」が問題になっていた時期があり、第二に個別の説話集が研究された時期があります。研究者一人ひとりが個別の説話集に取り組み、説話集のテーマや構造、特徴などを追求していた時期です。第三に、個々の説話を探求した時期です。説話集全体の構成や編集を考えるよりも、個別の話の内容をより深く解析する方向に向かっていったように思います。

また、説話文学研究は歴史や美術など、隣接分野との関係が深められていきました。特に仏教との連関は密接で、唱導や仏教との交渉など、小峯さんの著書でいえば『中世法会文芸論』（笠間書院、二〇〇九年）など、様々な視点による研究が次々と発表されました。私も先学に導かれて説話集の研究から、談義書の研究に展開するようになりました。小峯さんの話の最後に「話芸」としての説話の話がありましたが、説話研究において、仏教者の説法・説教は重要で、仏教との交渉は大きなトピックスだと思います。

自分の研究を振り返ると、個人的な関心でしていたつもりが、実際には学会の研究の流れに大きく影響を受けていました。卒業論文では、『今昔物語集』に興味を持ち、天狗に注目して拙い文章を書きました。修士論文でも『今昔物語集』に取り組みました。『今昔物語集』は難しく、『今昔物語集』を理解する視点を求めて、仏教者の編纂した談義書に目を向けてみました。談義書の理解のため、必要な課題に取り組むうちに、研究対象が広がっていきました。

仏教者が経典の談義注釈をする時に、その基とする知識は、先学の著作です。学僧たちは典籍を様々なところから集めます。本は知識の集約ですから、簡単に見せてもらえ

ません。様々な人間関係を通して集められ、基幹の寺院に集積されていく。こうした本や人の動きも次第にわかってきました。関連する事柄に導かれていくうちに、研究は仏教者における知識の大系としての「大蔵経」にまで広がっていきました。『今昔物語集』を理解したかった私が、気づけば様々な研究に取り組むことになっていました。

結局何でも学んでおかないと説話研究というものはできない

渡辺――最近は、説話の一話一話を読み解くことにも関心がありました。例えば『宇治拾遺物語』第八十二話の「山横川賀能地蔵事（やまのよかはのかのうぢざうのこと）」ですが、『宇治拾遺物語』の諸注釈には、比叡山には足が焼けた地蔵がないためか、この地蔵について特段の記載がありませんでした。詳細不明の地蔵と思っていましたが、ある時、比叡山の通称「頬焼地蔵尊」という有名なお地蔵さまを知りました［❷］。近世には諸書に載り、現在も坂本には案内の道標があります。実際にお像を拝見させていただくと、端正で大変美しい仏さまでした。そのお寺では、『宇治拾遺物語』の同類話である『元亨釈書（げんこうしゃくしょ）』の話が伝えられていました。これはほんの一例ですが、一話一話を読み解き検証していくことはまだまだ必要で、ここには説話研究の未来があるように思います。

最近御縁を得て勤務校が大正大学に移り、大正大学附属図書館の所蔵本を知る機会ができ、『道成寺縁起絵巻』の伝本や、『いそざき（磯崎）』を紹介することとなりました。前任の弘前大学時代には津軽の様々な本に出会えましたが、日本全国にはまだまだ様々に眠れる資料があります。それらの意義を現代の世に知らしめるのは、専門家でなければできません。古典文学の研究者であれば、説話だろうが何

❷妙行院蔵地蔵菩薩立像

であろうが関係なく、現代に古典の資料をよみがえらせることも研究の未来として重要なことだと思います。

仏教研究との関係もより深めていくべきでしょう。内容の分析も、学僧の活動の分析も重要です。学僧たちの活動は様々で、本の伝授や、本の伝播は文学活動にも連動しています。本や人の動きが解明されるにつれて、古（いにしへ）の学僧たちの人間関係が、現代に共通することもわかり、非常に興味深いです。

また説話文学研究に限らず、古典文学研究の未来に向けて、くずし字を読めることが必要だと思います。筆の文字は読みにくく、いつも私は、もっと読めればできることが増えるのにと、もどかしく思っています。

ここまで、雑ぱくな振り返りをしたのですが、「一体、説話研究とは、何をすることを言うのか」と時々思うことがあります。説話集はまさに知の大系、知の総結集といえるでしょう。説話集に所収された一話一話を読み解くためには、特別な研究方法があるわけではないが、歴史、和歌、漢詩、美術や仏教などの視点が必要で、結局何でも学んでおかないと説話研究はできないということになります。

説話文学会が現在も活況で、多くの発表者の様々な発表に対して会場が応える状況があるのは、研究に必要な範囲というのが広く、会員も様々な分野に関心があるためです。会員の関心の幅の広さが、学会の様々な発表に対して、会場からの様々な反応を可能にしているのだと思います。

古典文学は、当時当たり前と思われている「文化コード」はいちいち細かく記しませんので、現代の私たちと異なる常識は、調査や研究で埋めていき、ようやく内容が理解できるわけです。

例えば『宇治拾遺物語』は高校の教科書ではわかりやすい作品だということで、古典の入門教材にされています。しかし説話研究者で『宇治拾遺物語』を理解しやすいと考えている人は誰もいないと思います。文章が平易で訳しやすいという理由のようですが、大いなる誤解だと思います。「皆で笑った」と記されていたら、なぜ、何を笑ったのかをリアルに考える必要があるのですが、それがわからなくて苦慮します。話の背後にある人物関係や歴史的、宗教的背景を理解するために、研究対象は文学、歴史、宗教、美術と、何でも必要になります。説話研究において関心を広く持たないといけないのは、こうした背景があるように思います。

古典文学研究はもう少し統合される必要がある

渡辺――こうして考えると、説話研究だけの話に限らず、古典文学研究はもう少し統合されてもよいのではないでしょうか。説話研究が専門だから、和歌は知らなくていいということはなく、学会間でより密接に交流していく必要があるでしょう。

研究の細分化が進み、学会全体での共通理解の形成が難しくなっています。例えば六〇年継続している説話文学会において、説話の定義という根本的なことすら、どれほどの共通理解ができているのかとふと疑問に感じます。

「説話」とは何かという定義は、皆さん個々にお持ちだと思います。例えば私は、「こんなことがあった」と人々が信じ伝えてきたことが説話で、説話集は短編物語集だと思っています。この場合の物語は、『伊勢物語』のような固有名詞ではなく、「お話」「エピソード」です。少し乱暴な言い方とは思いますが、『平家物語』もいわばエピソード集ですし、和歌の詞書もエピソード、歴史物語や往生伝もエピソード。これらを区別して「説話集」だけを切り出すと、分類する意義もありますが、一方で見えなくなることもあるのではないかと思います。

国際的に研究が広がり、今日のように海外の研究者から学ぶ機会も増えました。海外での研究は、日本のように国語と社会を区別したり、時代を細かに区分したりせず、必要なことが全体的に行われています。その姿勢に比して、日本の研究の仕方は大丈夫なのかなと心配になります。小さな枠組みが多くあり、例えば私たちの学会でも、仏教文学に和歌文学、軍記、能楽、伝承文学、和漢比較等々が別にあり、これらすべてに参加することは困難です。これら隣接する学会が連動しないのは、もったいないように思います。各分野に特化した研究方法は、他分野にも共有されるべきだと思います。

例えばテキストクリティークの方法は、まだ共通理解が不足していると思うことがあります。依るべき本文の精査は重要です。原資料を見て調べ、伝本を検討した上で考察を積み上げていく手法は、古典文学研究の隣接分野の人たちにも是非伝え、研究に必要な手続きとして共有していけたらと思います。

座談会

説話文学の研究者にとって、様々な領域をまたいで研究するのは当たり前のことです。そうしないと当時の人の考えが理解できないからです。多くの説話研究者は「説話」という分野にこだわらずに研究を展開していますが、これが古典文学研究の規範（モデル）になることを願っています。

説話は歴史的事件を記したものも多く、その場合、歴史研究も連動します。こうして説話研究は、隣接する分野の研究を包括する可能性があります。時代的にも説話集が多く編まれる中世は、中古までの文学を引き受けつつ、近世に展開していく時代のため、大きな視点で研究していける分野だと思います。中世の説話研究者は、分野を超え、時代を超えて研究をしていきますが、この手法がいわば古典文学研究のスタンダードになるとよいのではないかと思っています。

小峯――「説話」の研究のあり方や「説話」をどうとらえていくか、研究の姿勢や方法など誰しも疑問に思う根本的な課題をたくさん出していただきました。最後の方で言われた、古典研究の規範ということと説話にこだわらない研究について少し補足していただけますか。

渡辺――「説話にこだわらない研究」というのは、作品の分野で区切って研究するのではなく、分野に限らず書いてある物は何でも対象にする研究という意味です。そして説話研究は、分野も時代も限らず研究対象を広くとらえている点で、古典文学研究全体の規範になりえると考えました。

シラネ――渡辺さんが配布資料で紹介してくださった、土屋有里子さんのまとめ「説話の性格を一言であらわせば、「長い間伝承されてきた、人々の関心を誘う内容を持つノンフィクション」といえるだろう。物語が長大なフィクションであることに対して、説話は短編の事実譚、ノンフィクションであることが基本となっている。ただこの事実譚というのは一応の建前であり、説話として語られる荒唐無稽な内容までもがすべて事実であったということではなく、「このような話がありました」と語った人がいる、という意味での事実ととらえるべきであろう」（『『沙石集』の世界』あるむ、二〇二二年）についてもう少し補足していただけませんか。

渡辺――はい。土屋有里子さんは、説話の定義を「長い間伝承されてきた、人々の関心を誘う内容を持つノンフィクション」と記されていて、この表現を「なるほど」と思って資料に載せました。私自身は説話とは、「「こんなことがありました」と人々が「信じている」こと」と考えています。「信じている」という言葉には「　」（かぎ括弧）を付けます。本当にそうだと思っていなくても、「そういうものだ」「そういうことにしておきたい」という意味合いも含めています。特に仏教説話、仏神の霊験譚のようなものには多く見られると思います。

例を挙げると、吉備真備（きびのまきび）、小野篁（おののたかむら）などは実在した人間ですが、その人たちのことをどう伝えるかということに関しては、後の人たちの考え方が入ってきます。本当かどうかは別として、「こうでした」と伝えていることが説話の面白いところで、伝え方は伝える人の立場によって変わっていくということが大いにあり得ます。

説話の話は史実ではないから検討に値しないという考えを聞くこともありますが、むしろそうした話が生まれてくる背景が大事だと思います。時には正史に載らない歴史や、正史に書けない人々の思いが現れるところに説話の醍醐味があると考えています。

小峯——要するに実際にあったということが建て前として語られるわけですが、これは昔話の語り口にもありますね。「昔々、嘘か本当か、あったかどうかわからないけども、あったこととして聞かなきゃいけないよ」という感じで語り出すパターンですね。事実と虚構というか、嘘とまこととのあわいに説話がある。

それと、説話の本質として「伝承」がよく言われますが、話の中身はずっと同じであったとしても、その都度、意味づけや受け止め方は変わるわけですし、話の語り方も違うだろう。少なくとも、すべてが「長く伝承されてきた」ものかどうか、保留した方がいいと思います。「伝承」という言葉の響きには、ずっと変わらずに直線的、単一的に受け継がれていく固定的なイメージがあって、私はむしろあまり使わないようにしていますが。

それから渡辺さんが言われたことで、生の一次資料から見ていく、資料学が研究の起点となる点や説話でも和歌でも何でも専門以外の分野に通じている必要があるという点が大事ですね。我々は何々が専門だからほかの分野のことは知らない、関係ないと思いがちですが、それは誤りで、専門外のことを知らないと逆に本当の専門のことはわからないと言ってもいいでしょう。注釈をやってみると自分がいかにものを知らないか、よくわかりますね。

それでは、次にシラネさん、お願いします。

説話は語り直せる・書き直せる、歴史性のある重要な領域

シラネ――私にとって大きい課題、説話と説話集にどう取り組むかということは、英語でそれをどのように翻訳・紹介したらよいかという問題と直結しています。英訳で日本古典文学アンソロジーをいくつか編集してきましたが、まず、英語で「説話」をどう訳すかという大きな問題があります。今は、一番妥当な英訳はanecdoteだと思っています。「Anecdote」には二つの意味があります。一つは事実に基づいた面白い、あるいは滑稽な話ということ。もう一つは「伝え聞いた話」という意味です。建て前として史実に基づいている、あるいは耳と口を通して伝わった話です。どこかで聞いて、それを記録している。それは頭の中で記録（記憶）しているかもしれないし、文章で記録しているかもしれない。"Tell me an anecdote"（Anecdoteを話して）と言われたら、口で話します。説話を集めた説話集となると、anecdotal literatureがふさわしいと思います。平家琵琶では一回に短いものを一つか二つを歌う（演奏する）。その意味では『平家物語』も一種の説話集とも言えるでしょう。小峯さんがおっしゃったように、説話集は伝承と文学とにまたがるジャンルとして大変重要です。

説話集とは言わないけども、『西鶴諸国ばなし』とか『好色五人女』も一種の説話集でしょう。もちろん軍記物もそうだし、日本は基本的に短編集の文化です。西洋からの影響が強い近代小説（ノベル）は長編であるはずですが、実は連載小説や短編集が多いです。将来長いものはだんだんなくなって、短いものが生き残るんじゃないか。そういう意味では説話が非常に長生きするのではないかと思います。

歴史人物が中心になる説話はlegendsと訳すのがよいこともあります。説話集と似ている現象はヨーロッパの伝統にもあります。一〇年前の基調講演で取り上げた「黄金伝説と世界文学としての説話集」（前掲『説話から世界をどう解き明かすのか』所収）では、それを説話集として考えてみようとしました。『黄金伝説』はいろいろな地域の聖人伝を集めたものです。キリスト教では聖書という一つのカノンがあって、キリスト教の基盤になっていますが、聖人伝は様々な地域に発生するわけで、各地域、各村に自分たちの聖人がいて、それを一種の神として崇拝しているわけです。

それぞれの聖人が病気を治したり。キリスト教は一神教と考えられていますが、実は多神教とも言え、各地に聖人伝や霊験譚がある。それに付随する説話が山ほどあって、教会に行くとステンドグラスとか床のタイルに絵巻のような感じであらわされています。聖書に比べて、聖人伝はどんどん書き直されて行きます。

説話も書き直せる、語り直せるジャンルだと思います。私は最初、『源氏物語』から研究し始めました。『源氏物語』の受容では、注釈が大きいシェアを占めています。『源氏物語』や勅撰和歌集は基本的には書き直されませんが、注を付けて解釈、再解釈がされていきます。もちろん物語は基本的に地位の低いジャンルだったので、書き直された物語はたくさんありますが、和歌にとって重要な位置をしめる『源氏物語』と『伊勢物語』はかなり早い時点でカノン化されて、異本はあるものの基本的には書き直されない。あと、『法華経』とか、仏教の経典も書き直されません、原則として。和歌は本歌取とかいろいろなバリエーションができますが、基本的には書き直さない。それに対して、広い意味の説話は、書き直され、語り直されます。同じ説話でも違う結末をつけるとか。説話集はいくら人気があっても基本的にカノンになりません。でも、絵画や様々な芸能と深く結びつく。芸能は基本的にパフォーマンスなので、一回一回が違って全く同じということにはならないわけで、芸能と同じように説話も共同体によって伝承されていくというのが非常に大きいと思います。

説話のもう一つ大きい特徴は、語り手の視点と三人称の組み合わせではないかと思います。『源氏物語』は、話を聞き取った女房の視点が枠ですが、その聞き取った話の中は基本的には一人称的ですね。人物主体があって、その記憶の過去と現在と未来。それに対して説話では、語り手や書き手の枠がありますが、話の中は基本的に三人称（上からの視点）じゃないかという気がするんです。個人の時間というよりも共同体の時間です。説話は地域の歴史と深くつながっていて、地域に発生して、地域によって伝えられる。伝えられるというか、書き直すというのが前提で、書き直し、語り直される。そこが正史ではない歴史の媒体として説話が非常に重要なところではないかと思います。

これから一〇〇年後の説話文学会や研究はどうなるかという問題ですけども、環境が一つの焦点になる可能性があるんじゃないでしょうか。説話や軍記物やお伽草子などに出てくる環境（動物、植物、山、川、海など）が『源氏物語』や和歌、漢詩に出てくる環境とは全然違うということを、『四季の創造　日本文化と自然観の系譜』（角川選書、二〇二〇年）という拙著の中で論じました。和歌は都で限られた階級と場所から発生したジャンルで、それに対して説話は都も含めていろいろな地域で生まれたものです。これから「環境文学」という新しいジャンルのベースになる可能性が高いのではと思います。説話は実生活にも役立つ、ストーリーテリングの豊かな宝箱です。説話にはいろいろなナラティブのパターンがあって有効に使えそうです。今ビジネスをはじめいろいろな分野でナラティブが必要なんですね。何かを宣伝する時に話がないとうまく宣伝できない。ただ「これがいい」と言っても話にならない。そういう時に説話のパターンを生かせるんじゃないかと思うんです。

小峯――説話の文学としての有効性や将来性について論じていただき、元気づけられる感じです。「環境文学」においても説話が重要な意義を持つという点も全く同感です。北京での五五周年の時も「説話と環境文学」でラウンドテーブルをやりました（『説話文学研究の最前線――説話文学会五五周年記念・北京特別大会の記録』文学通信、二〇二〇年）。説話とほかのジャンルとの対比、書き直されるものとカノンとして本文が固定化するものとの差異について、書き直すというのは、語り変えと言ってもいいですし、テキストでいえば異本や改作を意味するわけで重要な指摘が多いと思います。小説が滅びて説話が長生きするというのは面白いというか、重要な提言というか予言ですね。では趙恩馤さん、お願いします。

近代の説話としての童話
――古典文学の大衆化と説話の様相

趙――私は、最初、小峯先生のもとで『今昔物語集』を勉強しようと留学しましたが、博士課程ではむしろ韓国の仏伝や霊験説話などを改めて勉強することになりました。韓国では、前近代の作品の中で「説話集」とジャンル分けして扱うものはあまりないような気がします。『三国遺事（さんごくいじ）』や『高僧伝』など、これは説話集のようなものとは言うけれど、はっきり「説話集」であるとはあまりいわない。しかし、「説話」となるとテキストのジャンルにこだわらず、文字に書かれたものでも、口碑文学として集められた（日本の昔話のようなもの）ものでも、モチーフや話型などから自由に説話として研究対象になります。私は、韓国に帰国してから、近代における説話を研究対象にしていますが、韓国では、近代初期の植民地時代に「朝鮮の説話」や「朝鮮の伝説」のような多くのテキストが作られ、ここで「説話集」として認識したものが刊行されたように思われます。

現在、私は、古典文学作品を含めて説話や神話、昔話などが児童文学として「童話」に再編されていくことに研究を広げていますが、ここでは、まず、韓国での説話研究の現状から自分の話に移りたいと思います。

「説話集」は、文字として書かれたものに限定されるのですが、「説話」はもっと広く、文字を知らない民衆も含めて、階級を問わず「口碑文学」としての認識が強いです。韓国の学会では、「韓国口碑文学会」というところで主に説話の研究発表がなされています。ここでは、二〇〇二年から二〇〇四年にかけて、「口碑文学と現在」という研究の現状について議論する企画主題が論集として刊行されています。説話をはじめ文学研究の危機が指摘される中、趙東一は、「口碑文学は、文学としての市民権を得るのは遅れたが、地方と都市、地域と世界の境界がなくなる現代社会において、むしろ多様な領域へ広がる可能性があり、口碑文学の多様な内容と機能を他の文化現象や社会変動と関連付けて広く研究し活用する」ことから悲観的ではないとの意見を論じています（趙東一「口碑文学の未来、何が問題か」『口碑文学研究』一八、韓国口碑文学会、二〇〇四年）。実際、最近の説話研究では、「文学治療（Literary Therapy）」といって、説話にみられる人間関係の普遍性（男女・親子・兄弟など）を分析、患者は説話の話に共感したり、自分の話を「書く」ことで相対化する自己叙事に応用する方法などの研究が増えています。そして、比較説話においても、対象となる地域が、東アジアから東南アジア、モンゴル、トルコなどへと範囲が拡大されつつあります。また、資料アーカイブとネットワークを活用し、韓国における説話アーカイブスの構築が盛んであり、移住民（多文化）説話集として『多文化口碑文学大系』（全二二巻、ブックコリア、二〇二二年）が刊行されました。

それから、漢文学研究学会では、二〇〇七年から毎年一二月に、前年度の韓国の文学に関する論文を、古典詩歌、古典叙事、漢文学と三つに分けて、発表された論文の数や傾向を分析したものを発表しています。そこで、説話は古

座談会

典叙事に分類されるのですが、二〇二一年の韓国の古典叙事の研究動向によると、説話の研究が一番多く、毎年、五〇〇編前後の論文が発表されているそうです。面白いことに、説話の次にあるのが、伝記小説、漢文小説、ハングル小説です。次に、野談があったり、英雄小説、パンソリという芸能が続きます。説話が分かれているのはなぜかというと、野談だと野談集としてテキストを中心に研究するんですけど、説話だと説話集というものがあるわけではなくて、モチーフを中心に研究されているからです。例えば洪水説話とか、兄弟喧嘩をモチーフにしたとか、そういうもので論文を書くわけです。そこで対象とするものは神話でもいいし、日本でいえば軍記でもいいし、語りでもいい。韓国だけじゃなくて、そこから韓日、中国、世界とか、そういう感じでいろんなところに広がっていきます。

韓国で、日本文学研究者が「専門は何ですか」と聞かれた時に、例えば『源氏物語』の研究者だと『源氏物語』は何かから説明しなきゃならないんですけど、私の場合、「私は説話を勉強しています」と言うと、韓国文学の研究者との交流もスムーズにいくんですね。ジャンルとかを超えて、いろんな人との交流ができるというところで、説話は逆に自由に使えるものだと思いました。

私は、最近、近代の童話の中でいろんな説話を見ているんですけど、これまで研究してきた仏伝も近代に多くの仏伝が作られており、近代における仏伝として調査しています。

韓国での仏教は、朝鮮時代の崇儒抑仏政策から衰退していたものの、近代になって改めて民衆に入ろうと仏教改革が行われます。仏教の迷信的な祈福信仰という側面は、近代になってから科学的、合理的な思想が求められ、仏教の性格、イメージを変えなきゃいけなかったそうです。

そこで教祖としての釈迦の伝記、仏教の教祖はどういう人なのかというのを改めて書かなければならなかった。一九一〇年代〜一九二〇年代、釈尊伝、釈迦如来伝などのような釈迦の伝記がハングルで書かれるんですけど、仏伝の中で神異的な内容や空想的な展開をどう工夫すればいいかというのが問題だったそうです。そこで、摩耶夫人の脇から釈迦が生まれることや、生まれてまもなく歩き出し、言葉をしゃべるなど。それはあり得ないというところで、これを削除したり、たんに「生まれました」というふうに書いていきます。でも全体の流れを変えるわけにはいかないので、どのように工夫しているかをみています。

例えば、釈迦が修行してるところに、魔王が現われるところも、これは、心の煩悩を表現したもので、実際現われたんじゃなく、頭の中の想像としてあったというふうに説明したり、民衆に対して説法する時、神異的な現象を見せて感化するのではなく、説法でみんなを説得し布教したというふうに書いています。

また、二〇世紀の初め、日本に留学した僧侶たちによって伝わった南方仏教の影響も仏伝にみられ、提婆達多が釈迦のいとこであるところが、耶輪陀羅の実の兄としてあり、これはビルマの仏伝からだそうですが、このように、東南アジアの仏伝が入ってきて、それがまた新しい仏伝として作られる様相がみられました。

童話として、子ども向けの仏伝というのもあるんですけど、この時期だと偉人伝のようなものとして、キリスト教のイエスや釈迦の話が童話として作られます。

ここで、取り上げるのは、一九三〇年代に金素雲が編纂に関わり、朝鮮児童教育会で刊行した、普通学校課外雑誌『木馬』（一九三六年一一月の七号まで刊行したようである）です。これはハングルと日本語が両方使われておりまして、『木馬』一号（一九三五年一二月）に、朝鮮総督府学務局編集課で教科書編纂に関わっていた森田悟郎という人の「お釈迦さまの話」が収録されています。これは、朝鮮総督府編の『普通学校国語読本』八巻（四年生）二七課／一二巻（六年生）一五課に対応するもので、釈迦の誕生から話が始まります。ここには、脇から生まれたという話は入っていません。「生まれたばかりの太子さまがお歩きになったり、「唯我独尊」などとおっしゃられたことはいかにも不思議にたえません。いかにお釈迦さまでも、お生まれになったばかりで歩けるものでもなければ、ものを仰せられるものではありますまい。しかし、こうでも形容しなければ、どうしてこの偉大なお釈迦さまのお誕生をあらわすことができましょう」と、あり得ないことだけれども、釈迦の偉大さを表すものであると付け加えています。

続いて、私が現在、主に研究の対象にしているテキストですが、一九二七年から一九二九年にかけて刊行、菊池寛が企画した全八八巻の『小学生全集』（興文社）です［❸］。これは日本の古典文学を童話として取り入れた読み物や、科学や芸術、趣味など小学生の読み物として刊行された全集ですが、ここにも『宗教童話集』に仏伝が入っています。

釋迦の話

一　羅毘尼園

とほい、とほい、昔のこと、今からおほよそ二千五百年も前に、印度に迦毘羅國と言ふ、緑にめぐまれた國がありました。

王様の淨飯大王は、大そうなさけぶかい人で、いつも人民のことばかりを氣にかけて、まつりごとを、おはげみになつたものですから、人民達も、これをありがたがつて、國内には、なんのいさかひもなく、平和に治まつてゐました。王様と、美しい王妃の、摩耶夫人との間もむつまじく、人のうらやむほどの、おん仲でしたが、たゞひとつ淋しいことは、お二人の間に、お子様のないことでした。王様はこれをお歎きになつて、どうにかして一人ほしいものとつねぐ\、思つておいでになりました。

王様の住んでいらつしやいます、迦毘羅城の都に、七日間にわたる、大きなお祭がありました。

その間、人民達は仕事を休んで、老いたものも若いものも、女も男も、きれいに着飾つて、お祭

178

242

❸『小学生全集』表紙と本文

ここでも、釈迦の誕生に「脇から生まれる」内容はなく、「不思議なことに、王子は、お生まれになるとすぐ、王妃のまはりを七足お歩きになって、まだ誰も教へもしない人の言葉ではっきりと、「私は世界の王である」と申されます」とあります。そして、「生れおちるとすぐ、人のことばの話せるような賢い王子だったので、王様はもとよりのこと、人民たちの喜びは、譬えやうもありませんでした」と「不思議」とか「賢い」などと付け加えています。

近代の仏伝についての調査は、まだ途中なんですけど、さっきの説話が実際あった話なのかという、事実性の問題として、こういった科学的な、また、近代の合理的なところで人々にどう伝えるかの工夫が、全体の流れを変えない中でどう表現していくかというところに関わってくると思います。

そして、近代になって、人々が迷信的なものを信じないと言っているんですけど、だからといって前近代には、実際あったものとみんな信じていたのか、考えてみました。信仰心の深い人は信じていたかもしれないんですけど、知識や認識の問題じゃなくて、性格としても「私はそういうのは信じない」というのもいるだろうし、近代とか前近

代とかの問題じゃないのではないか。私はカトリック信者で、教会でイエスさまにお祈りをしますが、だからといって、神がいると信じているか聞かれると、はっきり「います」と言えないようなところもあります。しかし、本当にいるかどうかの問題じゃなくて、いてほしい、または、いることを前提にしてお祈りするように、説話も、実際にあったように話すこともあるし、工夫するところもあり、ある・いるという疑問を排除して「お話」を共有するところもあるのではないかと思います。

いつも自分の目の前にあるものばかりを追っているんですけど、こういった機会で改めて自分が研究している説話とは何かというのを考える機会でした。

小峯――韓国の研究状況がよくわかりますね。韓国では説話集という文字作品ではなく、「口碑文学」としての口承文芸系の話型やモチーフ分析に焦点があって、それが説話の汎用性というか、ジャンルを超えた脱領域的な研究対象になっているわけですね。それと仏伝の話もおもしろく、仏伝というと古代の印象が強いですが、近世、近代の仏伝もたくさんあるので今後の大きい課題です。近代になると、生身の人間ブッダが追究されるから、どうしても霊験奇跡の部分をどう扱うかでいろいろ葛藤が生まれるようです。ビルマの仏伝って、何かテキストがあるんですか。

趙――ビルマの記述がある『釈尊一代歌』に「ビルマ国仏伝には」とあるだけで、まだ出処の確認は取れてないんですが、これを書いた李應渉は、パーリ語経典『弥蘭王問経（みらんおうもんぎょう）』を紹介するなど、日本からの南方仏教の研究に影響を受けていたそうです。

小峯――ビルマ（ミャンマー）は知らないんだけど、タイに行った時にとにかく多いのは、釈迦の生涯の仏伝よりも前世の本生譚「ジャータカ」ですよね。これは東南アジアに広まった南伝系仏教の特徴かと思います。それと中国の南では仏伝よりも羅漢信仰が強いですね。地域でずいぶん違うように思います。

特に韓国では八〇年代に全国に伝わる口承文芸を採集して文字化した膨大な『口碑文学大系』（八五巻）があるので、それが基本になっているのでしょう。最近、日本での翻訳も出始めたようです。それでは、お待たせしました。陸さん、お願いします。

説話が現われるまで
——中国文学史の視座から考える

陸——この間、小峯先生から送っていただいた論文（「説話の第三極・話芸論へ」、前掲『説話の形成と周縁　中近世篇』）にも説話の由来について取り上げておられるようですので、中国語から出た、いわゆる東アジアの共通語の問題から話を始めたいと思います。

一つ目はまず、日本か中国かという国別を問わず、仏教が文学にどう影響してきたかという問題を一般化して考える際、説話は恰好な材料となる。仏教の唱導に源を発し、講経や俗講などを経て、仏教説話ないし世俗説話が生み出されるまでの過程には共通するところが多いというお話です。

中国語としては、説話という言葉は、話す、あるいは、しゃべるという意味の一般動詞ですけれども、今でも普通に使われています。小峯先生の論文を読んで、ああ、そういうこともあるんだと思って、調べてみました。かつて、つまり唐や宋の時代に、日本で現在も使われる文学史の用語のごとく、文芸の形態の一つを意味するものだったということを初めて知りました。でも、今の中国では、一般的にそういう意味は認識されていないと思います。

事実、中国文学史には説話文学といったような明確なジャンル概念もありませんし、そもそも中国文学史の正統は、古くからは（漢）詩と（散）文の二つに限定されていたようです。それ以外の、例えば小説とか戯曲などは文人・士大夫のまともに携わるべきものではないとされてきて、それらは世間一般の娯楽となる、いわゆる通俗文学あるいは大衆文学と見なされてきたんですね。その点では、もしかして近代日本で純文学と大衆文学を線引きして区別するようなやり方に近いんじゃないかなと思います。

このような偏った文学史観を糾す意図もあったのでしょうか、二〇世紀初頭の敦煌石室文書の発見とそれに対する資料的研究がきっかけとなって、一九三八年に鄭振鐸（ていしんたく）氏が『中国俗文学史』（商務印書館）という本を出しました［❹］。これは、中国における説話の形成を考える上で大きな意義のある一冊。今から見て八〇年も前のもので少し古いんですが、先ほど小峯先生がおっしゃったように、古い研究を今また掘り起こしてみると、いろいろ発見できるという、まさにそのような一冊だと思います。

　実際にこの間、二〇二三年の五月二〇日に開催された第六七回の国際東方学者会議では、一つのセクションとなっているんですね。「鄭振鐸『中国俗文学史』とその後——歌謡と説唱研究の展開と課題（企画責任者：高津孝）」とありまして、後で取り寄せた資料を見ると、やはり中国近世以降の説唱・詞話・小説・戯曲をめぐる研究報告が多く、例えば「小説・戯曲・説唱を貫くもの——伍子胥の物語を例に——」（報告者：上原究一）といったような研究の視点は、今回のこの座談会の話題にも重なっているような気がします。

❹鄭振鐸『中国俗文学史』表紙

　話を鄭氏の『中国俗文学史』に戻します。この本によれば、俗文学のカバーする範囲は、正統的な文学よりはるかに広いので、むしろ中国文学史のメインを成しているという。そして、同書では、俗文学たるものの特質として、六つのことが挙げられている。一、大衆のために作られ、大衆によって楽しまれるという大衆性。二、不特定の作り手による集団創作性。三、口頭伝承性。四、内容が新鮮さと洗練されていない粗野さを持ち兼ねること。五、正統的文学をはるかに上回るほどの豊かな発想力。六、外来の新しいものをいち早く取り入れる包容力とあります。

　また、文体によって俗文学は五種類に分類されています。一詩歌、二小説、三戯曲、四講唱文学、五遊戯文学というふうに。特に注意したいのは二番の小説と四番の講唱文学。ここの小説は主に話本のことを指し、講唱文学はさらに変文・諸宮調・宝巻・弾詞・鼓詞などの諸形態を持っていると指摘されているんです。この二種類はどうも座談会のテーマと関わっているようですので、ここで紹介しておきたいと思います。

　鄭振鐸氏『中国俗文学史』で言う小説は、実は「話本」のことであり、宋代以降の瓦子、つまり街中の盛り場で行われた講談の台本を指すものですけれども、話本に基づく講談を一般的に説話ととらえているのです。ただ一方では、説話あるいは話本が隋代や唐代にすでに現われていたとする見方もあるように、説話の歴史がもっと古くまでさかのぼれるかもしれません。隋と唐の説話はどんなものかといえば、古代の宮中俳優、俳優といっても、主に今でいうお笑い芸人に近いものかなと思うんですけれども、宮中の俳優が、笑話やギャグなどの小話をして貴族たちを楽しませたということを前身としたもの、やはり話芸とみていいいんですね（李騫「唐「話本」初探」、周紹良・白化文編『敦煌変文論文録』上海古籍出版社、一九八二年）。

唐の頃、すでに説話があったことの裏づけとして、敦煌文書で発見された「廬山遠公話」などがよく挙げられます。ただ、隋唐の頃に行われた説話の内容に仏教の霊験譚が多いことも指摘されております。この点では、むしろ鄭振鐸氏の提起した第四種の俗文学、すなわち講唱文学というものとの親縁性が認められるでしょう。

鄭氏の『中国俗文学史』が出版される前後、つまり二〇世紀の二〇年代～五〇年代までは、変文を中心として、敦煌文書に見る俗文学が中国ではひとつの研究ブームを引き起こしていたらしい。そのブームで現われた成果の多くは鄭振鐸説を支持するものであって、説話の起源や変遷を「唱導→講経→俗講（変文・変相）→宝巻・弾詞・説話（話本）→白話小説」というふうに跡付けているんです。そのうち、特に唐代に盛んだった俗講そして変文が説話の生成に大きく働いたことは注目され強調されてきました。

唱導から、お寺で行われている講経へ、それから俗講ですね。唐代に盛んだったのは俗講。俗講とは一般大衆（俗人）を相手にストーリーをして聞かせ、仏教の教理をわからせる講会なので、衆俗を教化する主旨は唱導と同じだと言えます。内容は経文などの解釈よりストーリーの敷衍に傾いているようです。俗講の文字テキストには変文というのがあって、俗講を行う時に使われるもう一つの手段は絵図で、それは変相というものです。変相の図を見せながら、変文の内容を語って聴衆に聞かせるという場面をイメージすると、先ほど小峯先生の話にも出た絵解きに近いんじゃないかと思います。この二つ、変文と変相は連動しているような表現形式だとも言われています。で、宋以降になりますと、宝巻や弾詞、説話などが出てくるんですけれども、明、清の時代になって、白話小説が盛んに現われたというのが一つの流れのようです。

ところで、ここでいう俗講は日本でいう法会での説法に類似するものかなと思います。実際、日本文学の説話の生成における唱導、説教の役割については、すでに様々に論じられているようで、阿部泰郎氏の論文（「唱導――唱導説話考」、説話の講座三『説話の場』勉誠社、一九九三年）もありますし、小峯先生も『中世法会文芸論』（前掲）の中で詳しく取り上げておられます（「法会唱導・注釈・聞書きの資料学」）。その影響関係がすでに定説になっていると言ってもよろしいかと思います。

このように仏教の宣教活動や仏教文芸を始発点として、説話が発生する初期段階において日本と中国とでは同じようなことが起きていたとみてよいでしょう。

実はそれだけでなく、ほかには、例えば説話と民俗学との近しい関係も、中国の俗文学の変文にも見られる。中国の有名な民間伝承に孟姜女（もうきょうじょ）のストーリーがありますが、もともとは「孟姜女変文」があったんです。王昭君の話も同じで、民間で広く伝わっているストーリーなんだけど、「王昭君変文」もあったんです。また、四六駢儷体の名残りが見られる文体の特徴からいうと、日本の説話の場合、和漢混淆文の話が絡んでくるんですけれども、例えば対句仕立てとか、漢文訓読体の影響とかと指摘されますけれども、中国では、仏経に範を仰いだ散文韻文結合の文体があって、それが明清の白話小説にまで受け継がれたと言われています。この特徴はもちろん変文には著しく見られます。最後は講唱という表現形態、まさに日本でいう「語り」の形ですね。

これらの面から見ても、説話は両国ではほぼ共通するルートをたどって成長してきたのではないかと思います。韓国の文学については、残念ながら不勉強でよくわかりませんが。日本と中国とを比べてみますと、説話の形成経路に共通するところが多く、時間的にもそれほど開きはないように思われます。中国でも一〇世紀の後半～一三世紀の後半まで、その間は割と説話という形が明確に立ち現れてきていたような気がします。

ということで、説話という材料を通して、古代の東アジアを制する普遍価値と言っていいのかどうか、要するに仏教がどのようにそれぞれの地域の文学に影響を与えてきたかということがうかがえるんじゃないかと思います。そしてその影響の与え方も類似していることに気づかされます。この類似性を示す例証として、ちょっと挙げておきたい説話があります。これは先ほど小峯先生が言及された、説話の教諭性というものにも関わります。つまり、竹村信治氏の論文（前掲）で指摘されたような、説話の教諭的機能といったものが、いまだに中国の学校教育に生きていることを示す説話があるんですね。

まずは雪山の「寒苦鳥」の話。インドの大雪山に住む鳥が、夜は寒さに苦しんで、夜が明けたら巣を作ろうと鳴くが、朝になると寒さが和らぎ、夜の辛さを忘れて巣を作らずに怠けるという話。この説話は『平家物語』の巻九、巻一〇の二カ所に引用されているので、佐伯真一氏の論文「「雪山の鳥」と維盛」（『延慶本平家物語考証一』新典社、一九九二年）でその来歴が探られています。この説話は平安末期から中世にかけて、多くの釈教歌や仏教説話集（『宝物集』『撰集抄』）などにも見出せるんですが、しかし、出典はまだ明らかになっていません。

江戸時代の歌学書『歌林拾葉集』八には「雪山鳥、経云、雪山有鳥、掘穴夜入穴、此鳥裸無羽毛、苦勝餘鳥、故名寒苦鳥、此鳥入穴、終夜憂寒苦、其鳴音、寒苦責我、夜明造巣」とか「又曷旦と本名を云、郭璞云、曷旦、夜鳴求旦鳥也、夏月毛羽盛、冬月裸體、晝夜鳴叫、故曰寒號鳥」とあって、仏教の経文と漢籍の両方から出典を紹介していますけれども、実はすでに指摘されているように、これは漢訳仏典には見当たらないんです。漢籍のほうでは、『太平御覧（たいへいぎょらん）』などには、「曷旦（カッタン）」という鳥の項目に記載がありまして、これももっと古い文献『方言』の説を引用して、曷旦という鳥の紹介です。仏経に見えるような、「寒苦責我、夜明造巣」といった文言は出てこない。要するに漢籍には夜昼鳴きやまぬ「寒號鳥」の名前は見えますが、「寒いよ、寒いよ。夜が明けたらすぐ巣をつくる」と鳴く切ない鳥の姿が見られないんです。

ところで、おもしろいことに、寒號鳥の話は中国の小学校二年生あたりの国語教科書に入っているんです。一九五〇年代以来のことですから、私も当然小学生の頃この話を読んでますし、しかも、仏経由来の寒苦鳥説話とほぼ同じ内容だったんです。もちろん、小学生がこの話から学んだのは、何をやるにつけても、怠けたりすると辛い目に遭うという教訓ですが、やはり話自体は仏教から来たんじゃないでしょうか。

ちなみに、中国では、教科書に載っているこの話の出典を元末明初の陶宗儀（とうそうぎ）『南村輟耕録（なんそんてっこうろく）』の記事に求める意見もあります。しかし、教科書の寒號鳥は「寒いよ寒いよ、明けたらすぐに巣をつくるよ」と悲鳴を上げるが、『輟耕録』にはそういった記述がないので、やはり唯一の出典とは言い難く、そこに寒苦鳥の仏教説話も加味しているような感じです。

似たような事例がもう一つあります。『仏本行集経』と『法苑珠林』に見える虬と猿の話。無住『沙石集』にもそれが敷衍された形で入っていますけれど、中国の八〇年代の中学二年の英文教科書に現われているんです。そこではクロコダイルつまりワニとサルの話になっているんですが、ストーリーの大筋は変わっていません。詳細はここで省略しますが、いずれにしても、説話の教諭性を生々しく示してくれる好例なので、こういう話もあるという紹介に止めます。

文学史の概念としての「説話文学」は解体必至か

陸――今日、お話したい二つ目のことは「説話文学」という用語についてです。今皆さん、この話題にすでに触れています。私の配布資料に「文学史の概念としての「説話文学」の解体必至か」という、ちょっと大げさな見出しを使っていますが、説話文学会の六〇周年記念座談会に呼ばれていながら、「説話文学」の解体を憚りなく言い出すなんて、こんな不都合な話はないとは思いますけれども、しかし本当に説話文学という言葉のせいで、いろいろ当惑したことがあるから、是非この機会に自分の疑念を晴らしていただけたらとも思い、あえてこのような問題を提起してみました。

まず、具体的に例えば、説話と物語とストーリーは一体どういう関係にあるのか、です。先ほどのお話にもいろいろ出ました。これは、実は海外の学生に向かって、日本文学史の講義をする場合、時々出される質問です。その都度、私は困ってしまうのですが、確かに名称は様々違っていますけれども、ストーリー性があるという点では、むしろどれも同じなんじゃないかというふうに。ほかに、もっと広く見てみますと、例えば昔話とか、故事、民話、童話などもそうですね、名称は違いますけれども、話の内実はそれほど違わないと考えてもいいですから。

この点については、小峯先生もおそらく同感なんじゃないか、と勝手に推測しています。それは「歴史叙述としての説話」（倉本一宏編『説話研究を拓く――説話文学と歴史史料の間に』思文閣出版、二〇一九年）というご論文の中で、説話文学の解体を唱えておられますし、「説話の第三極・話芸論へ」（前掲）でも、説話イコール物語のことを示唆するような資料の援用も多かったように思います。さっきもお話に出ました、円珍の『授決集』の唐人説話の「説話」を、和語の「物語」と翻訳した例もあるくらいです。

これらの資料を見ていると、どうも説話とか物語というジャンルの境界線が曖昧であることが気になってなりません。実際、説話や物語という言葉が、中国語の環境下でそのまま使われたりしているんですね。その点も非常にやっかいだと思います。それは両者の異同の把握が最初から放棄されてしまうことにもなるんですね。

そこで、ほかの外国語へどう訳されているかを知りたいわけです。先ほどシラネ先生からもすでにご紹介がありましたけれども、私もこの前、ドナルド・キーン氏の英文版『日本文学史』（A History of Japanese Literature, Volume I SEEDS IN THE HEART, Henry Holt and Company, 1995）に当たってみたら、そこでは説話文学は tale literature、物語文学は written fiction あるいは the invented tale というふうに訳されているんです。ギリギリのところで使い分けられているような感じです。

特に物語文学には二つのパターンの訳語が当てられ、invented tale というものも当てられているところから見ても、やはり説話と物語の両語を区別する苦労が感じられます。先ほどの、シラネ先生のお話にもあったとおり、説話というのは非常に訳しにくい用語ですね。なので、説話は一体どう定義すべきか、本当に早く答えを知りたい。これは是非考え直さなければいけない問題かなと思います。説話研究の基本にまつわるこうしたモヤモヤを打破する意図も兼ねて、小峯先生から説話の三極論が打ち出されたのではないかというふうに理解しているんですね。

説話とは何か。これに答える形で、「説話はあらゆるものにつらなる媒体、様式」であり、また、「あらゆる分野、領域に遍在する言説としてある」というご意見が出されています。このご意見に、私は非常に敬服し、納得しているんです。実は似たような観点が、中国説話の研究でも注目されてきているようで、先ほど触れました「鄭振鐸『中国俗文学史』とその後」というシンポジウムで、伍子胥説話の広い流布、利用が一つの話題になっているのがその証拠でしょう。伍子胥の話はいろんな文芸のジャンルに入っていて、また舞台演劇でも人気で、よく知られている説話です。

説話の第三極という観点を裏づけて、「説話集に見いだされる個々の説話の多くは、『平家物語』に代表される軍記にも浸透し、共通する」というご指摘もありました。ここからなんですが、説話と軍記物との関係に立って考えれば、『平家物語』の物語としての性格をとらえ直す必要も出てくるのではと思います。

最近、中国語で日本文学史の教材を作る仕事に関わっています。そのため、じっくりと『平家物語』を読み直す機会を得まして、やはり説話と軍記物語がどういう関係にあるのかという問題にぶつかります。もちろん、これまで『平家物語』における説話の研究は少なからずありますが、その多くは話の内容に関してですね。『平家物語』の中にどんな説話が組み込まれているかを追跡する視点からとらえる。そういった論がほとんどだと思うんですが、一方では表現形式から迫ってみる必要もあるんじゃないでしょうか。

これはまた、さきほど小峯先生がされた話芸の話にもつながります。つまり中国の評話あるいは演義などの文芸形態と関連付けて考えたいんです。話芸という形式の面に注目するならば、平家琵琶あるいは平曲などでも享受される『平家物語』ですから、中国の説話の歴史、その変遷の過程を念頭においてみたら、語り物としての『平家物語』の、その形態には唐代の例えば「講唱」や宋代の「話芸」から受け継いだ要素が果たしてなかっただろうかなどと、より一層興味を引かれます。

例えば、南宋末期の詩人・政治家の陸游（りくゆう）（一一二五〜一二一〇）には「小舟遊近村」という詩がある。ご紹介して話を結びたいと思います。

「斜陽古柳趙家荘、負鼓盲翁正作場。死後是非誰管得、満村聴説蔡中郎（斜陽古柳の趙家荘、鼓を負う盲翁は正に場を作す。死後の是非は誰か管得せんや、満村聴けり、蔡中郎を説くことを）」。これは夕方の村で盲目の、目の見えない老翁が鼓の伴奏で蔡中郎の話を講釈し、村中の人がそれを聞いている場面を詠んだ一首です。この詩には、琵琶法師が琵琶を弾きながら平家の話を語り聞かせる場面が重なって、私には見えてくるんですけれども、いかがなものでしょう。

このように『平家物語』における説話的要素、話芸的要素に新たに照明を当てる必要があるのではないでしょうか。

座談会

それと同時に、説話とは何か、物語とは何か、軍記物語とはどういうジャンルの文学なのか、などの問題の再考が促されます。今、文学研究の国際化が進むにつれて、文学史叙述における概念の更新または再構築がこうして要請されるのではないかなというふうに思った次第です。私の話は以上です。ありがとうございます。

小峯――説話をめぐる様々な多岐にわたる問題を中国の研究状況も交えて包括的に提起していただきました。「説話文学の解体」というとセンセーショナルな響きがありますが、要は説話はジャンルではなくすべてに関わる、あらゆる領域に遍在する、という意味で、シラネさんの言われるストーリーテリングやナラティブそのものだ、ということですね。話芸としての説話からみれば、まさに語り物も対象になるから『平家物語』こそ説話そのものだとも言えるわけです。鄭振鐸の『中国俗文学史』などは日本語訳が出るといいですね（座談会収録後、鄭振鐸著、高津孝・李光貞監訳『東方学術翻訳叢書』東方書店、二〇二三年が刊行された）。

シラネ――説話文学と物語文学の英訳の問題に戻りますが、「物語」というのは、日本では幅の広い言葉で、説話的な物語と作り物語的な物語の両方があります。作り物語はフィクションですから普通taleと英訳します。例えば、『源氏物語』はThe Tale of Genjiになります。ただし、説話集をtalesとして英訳した人もいます。例えば、D. E. Millsが『宇治拾遺物語』をA Collection of Tales from Ujiとして訳しました。『平家物語』もThe Tales of Heikeと訳されています。ここでは単数のtaleと複数のtalesの違いが重要です。説話自体は口承性と歴史性（ある出来事を伝える）が強いですが、集になると書かれた文学となる傾向があり、talesと呼ぶのがふさわしくなります。私が先ほど、説話の英訳としてtaleという言葉を使わずに、anecdoteという言葉を使った主な理由は、口承性とノンフィクション性を強調するためでした。

陸――ありがとうございます。そこは用語として早く定着してほしいというのが正直な気持ちです。

渡辺――陸さん、ありがとうございました。陸さんのお話で、説話と物語の関係性についてのご指摘がありましたが、私も全く賛成です。私も「説話」とは、「お話」くらいにとらえておくのがちょうどよいのだと思います。

「こういう出来事があった」ということを、同じ出来事を共有した者が、それぞれ報告するとします。今こうして皆さんと同じ時間を共有していますが、この出来事を人に伝える時、私と趙さんでは違う話になっているでしょう。ここに先ほどのシラネさんの一人称の問題が出てくると思います。ある出来事をどのように伝えるか。歴史的な大事件でも、日常に起きた事件でも、一人称の編者または語り手の視点や考えが入り、「こういう話だった」と伝えるわけです。

私は、これが説話の神髄であり、面白いところだと思っています。ある人が「このようなことがあった」と書いたものを、別の人が改めて書く場合もあれば、同じ経験を伝える話が、視点が違うために違う話のように記される、これも説話なのだと思います。

陸さんのお話で、軍記物語の話になりましたが、私にとっても、軍記物語はある意味でエピソード集（逸話集）に思えます。例えば『平家物語』には様々な挿話が入り、「このようなことがありました」という体で、語り手や編者の立場で様々なアレンジを加えながら伝えられている。この活動はまさしく説話と言えます。また伝え方の違いは、同類話のバリエーションを生みます。例えば、『宇治拾遺物語』所収の「小野篁の広才の事」という小野篁と嵯峨天皇のやりとりを題材にした話も、説話集によって、内容が微妙に異なっていきます。説話のアレンジは単層ではなく複層に様々に重なります。私は、陸さんが軍記物語と説話文学を重ねて話された点に大変共感します。

もう一点、シラネさんが一人称と三人称の人称を問題にされていました。その問題は、陸さんの言われた「説話」の定義の問題、趙さんの言われた「モチーフ」の問題とつながっているように思います。皆さんのお話が密接につながり、すっきりした思いです。

小峯――一通り皆さんから問題提起していただきましたので、後は自由に議論していきたいと思います。

説話はカノンではない――書き換えられる／られない話

シラネ――先ほどの私の人称の説明にちょっと補足します。説話は二重の構造になっているんですね。語り手や書き手（編者など）の一人称と語られた話の三人称性、両方あります。語られた話の中では、日記のように個人の目から世界を見るというよりも、共同体から見る三人称になる傾向が強い。もちろん説話集では最後に編者か語り手がその話の中身についてコメント（教訓）を添えることが多いわけですが。

渡辺――ある出来事を語る人の立場から、こんな話、あんな話と定義をしていくからですね。その点で、説話は登場人物にもちろん心情があるのですが、それを編者や語り手が慮（おもんぱか）りつつ、あくまでも伝えるという立場を取っているのですよね。

シラネ――「これは聞いた話です」というのが基本ですよね。誰かから聞いているんですよね。

渡辺――はい、それは体（てい）ですから。

小峯――あくまで語り継がれてるという建て前。人称の問題で言えば、説話の語り手は神や仏の視点にいるから必然的に三人称になる。当事者や目撃者の語りの体裁であっても、語り手が介入していて、語り手が乗り移って凝視している。『今昔物語集』によくある動作主体のない「見レバ」などが典型です。三人称の問題は語りの視点の問題で、ちょうど絵巻の画面が高い位置から見下ろす俯瞰の視点で描かれるのと対応しているように思います。

渡辺――そう思います。仏教説話における奇跡や奇瑞の話も同様で、「～ということにしておく」とする、そうした建て前ですね。

趙――韓国では論文を提出する時、英語でキーワードを入れるんですが、「歴史童話」の英訳が「ヒストリカル・フェアリーテイル」となっています。しかし、神功皇后と豊臣秀吉が登場する童話で、フェアリーが入るとなんか違和感ありますよね。

渡辺――学生が、仏教説話をファンタジーだと言うので、面白い表現だなと思いました。同様に「フェアリーテイル」も学生さんたちには、しっくりくる表現かもしれません。

小峯――「童話」っていうのは大体近代語だよね。「お伽噺」とか「民話」もそうだけど。学術語としてはきちんと対象化されてない。曖昧なまま多用されていて、古典にさかのぼって使う時は要注意です。

趙――シラネさんが先ほど書き直されないことというのをおっしゃったんですけど。童話だと何でも書き直す、再話します。例えば聖書も子ども用に書き直してるわけで、それだとジャンルとか関係なくて、子ども用のお話として全部書き直されてるんですね。

シラネ――それはいいポイントですね。私が言いたかったのは、権力と組織との関係で、書き直せないもの（カノン）に対しては注釈を付ける。説話に関しては、基本的には注釈は付けない。『平家物語』の読本では書き直しが行われます。行の中にちょこっと注が付いてるけども、基本的には説話集には注釈がありません。なぜかというと、カノンではなく書き直していいからです。

渡辺――シラネさんのご指摘ですが、「カノン」、つまり定番として一字も動かしていけないというものに関しては、注釈が生まれていきますね。それに対して、「カノン」ではないものに関しては、本文そのものを膨らませたり、あるいは解釈を加え、あるいは変容させていってもよいとする。そこに明確な違いがありますね。

小峯――要するに説話はカノンではないわけで、一口に古典と言っても皆、内実は違っていて位相差がある。説話集ジャンルは近代に発見されたので、私は「遅れてきた古典」と呼んでいます。もっとも現在に伝わる中世の仏教説話集の多くは近世に出版されているので、すでにジャンル的な意識はあったかも知れませんが。

シラネ――説話の一番大きい定義は、カノンじゃない、ということでしょうか。例えば「平家物語」の「覚一本」は一種のカノンになって、テクストが固定しますが、そういうのは例外です。出版文化になるとまた違う話ですけども、中世のように出版文化と口承文化の流動性のある時代には、カノンであるというのと、カノンじゃないというのには、はっきりした違いがあったんではないでしょうか。

渡辺――説話に限らない話かもしれません。古典の作品について、後の人がどんどん変えてしまうのはどういうことなのか、疑問に思うことがありました。例えば『枕草子』は増補したり、入れ替えたり、書き変えたりなど、後人がどんどん変えていってしまいます。

小峯――それはほかの作り物語もそうだからね。改作や改編はいろいろあったでしょう。

シラネ――だから、『枕草子』はカノン化されなかったんですね。

小峯――カノン化された物語は、『源氏物語』と『伊勢物語』だけでしょう。室町から江戸時代になるとパロディが出てきますが、それはカノンの裏返しだと思います。『日本書紀』でも中世日本紀の説話に例えば、アマテラスとスサノヲの対立に親のイザナギ・イザナミが仲介に出てきたりするのがあってびっくりしますが、偽書とかパロディが生まれてくることと正典、カノン化されることとは対応しているでしょう。

シラネ――かなり早い段階で、物語合せ、それを集めて、自分でコレクターのようにして、『枕草子』を自分流にアレンジする。段を入れ替えたりして、違う構造にして、一種のゲームというか。集めるのが一つ、合わせるのも一つ。昔の作者というのは、書く人もいるけども、大体は、注釈を付けるか、集めるか、リアレンジする人たち。だから、近代以前の作者は、今とかなり違っていろんなことをやっていたのです。

小峯――作者と編者を分けたのも近代でしょうかね。特定の作品の「異本」というのも、後の読者が作者に成り代わって、あるいは作者に乗り移って作り変えてる。構造的には偽書の制作と似ています。

注釈と説話の二面性

趙――注釈を付けるところだと、注釈を付けるのは聞き手を理解させるために、説明をすることだと思うんですけど、説話はお話し自体が出来事や物事について説明をし、お話として伝えるという、その注釈的な行為がお話の中にすでに入っていると思います。教科書で説話だと難しいのは、すでに完成されてるものに、さらに注釈を付けて、だからここは笑いどころなんだよと。それだとしらけるじゃないですか。その辺が難しいのではないかと。すでに説明をするという釈が入ってる状態なのかなと思いました。

シラネ――学問や教育とも関係してますね。

小峯――今、趙さんが言われたのは、説話自体がすでに注釈としての意義を持っているということですね。特に中世の注釈の中身が説話そのものである場合が多いです。陸さんも言っていた教諭性に関係しますし、まさに「説話」の「説」の説く行為です。「説く」は「解く」で、絵解きの「解く」。「ほどく」の「とく」に当たります。私の師匠の今成元昭師は、説話の本質を説示性とみる、「説示」という言い方をしました。教訓性とか教導性を持っているのが説話であって、同じ話であっても、その意味づけによって話自体の印象も機能も全く変わってしまう。「物語」との線引きはその有無にあるという見方です。

渡辺――説話集でも結構幅があるのではないでしょうか。説話集にも、導こうという方針があるものとそうでないものがあると思います。例えば、『宇治拾遺物語』にはあまり説諭性を感じません。内輪話であり、少々ブラックユーモア的な話やシニカルな視点の話もあり、こうした姿勢を共有できる人たちの間で楽しんでいる気配を感じます。

私は、説話の定義を教訓や説諭とすることに抵抗を感じています。例えば、『宇治拾遺物語』を江戸時代の人たちは、笑いながら読んでいたようにとらえています。版行を重ね、パロディーが生み出されるほどにヒットした理由は、そこに教訓や説諭を感じながら受け取ったというよりも、楽しく面白がって読んでいたのではないかと思っています。

小峯――そういう揺れ幅がある全体が説話だ、と言いたい。語り手の教導性を極力抑えて説話をおもしろく語ろうとする物語性に限りなく近いのが『宇治拾遺物語』で、その一方で『日本霊異記』以下、特に仏教説話集系は教導性が前面に出てくる。『古今著聞集』のように体系的な部類分けをした中国の類書的なものもあって、揺れ幅が大きい、その全体が説話と見なせるでしょう。

ついでに言うと、個々の説話は短い話から比較的長めのものまで長短自在です。詩歌は形式があって枠が決まっているけど、説話にはそういう枠がない。これも以前書きましたが(『説話の言説――中世の表現と歴史叙述』森話社、二〇〇二年)、長い話は中世では「長物語」と言った。これに対して短いのは、かつて美濃部重克さんが指摘した「ひと口説話」です。要するに説話を極度に圧縮して縮めれば、故事成語や諺になる。その長短自在、決まったフレームがないのがこれまた説話の特徴である、と思います。

陸――今、渡辺さんの話を聞いて、説話の娯楽性と言うんでしょうか、そこから思い当たったことがあって、発言しておきたいんだけれど、説話のことを考える時、世俗説話はさることながら、仏教説話の場合もやはり「俗」という言葉を忘れてはいけないんじゃないですかね。教諭性とか説示性、あるいは教訓性に注目してるのも、やはり愚俗を教えるということですよね。愚かな俗、衆俗、あるいは子ども、あまり読み書きできない人たちに教えるための説話ですね。そこには話をおもしろおかしくして、そういう人たちを引き付けるという部分もあったんでしょう。これは私、最近ちょっとはまってる俗文学から得たヒントなんですけれども、どちらかといえば、「俗」という言葉がキーワードになってくるような気がします。

あとは、今議論されている、カノンとそうじゃないものの関係にも関わっていると思うんですが、話をまた変文のほうに持っていくんですけれど、たまたま読んだある論文によれば、変文とは何かをめぐって中国では二〇世紀二〇年代～五〇年代までの間、大論争が起きていたという。一説によりますと、変文というのは、つまりカノンではない。その対義語としては経典というのがあるんですね。その経典というのは、先ほど先生方が議論されているカノンに当たるものなのかなと思います。

その、つまり経典はいじってはいけない、書き換えてはいけないものなんだ。じゃあ、どうやって難しい経典を普通の人たちにわからせるのか、その方便として、便宜としてつくり出されたのが説話、あるいは中国では隋や唐の時代の変文というものですね。

だから、正統的な経典がある一方、正統から派生したもの、生まれたものが変文だと言っているんですね。その、経典と変文との関係を、考えてみると、今議論されたカノンと説話の関係に当てはめてもいいんじゃないかなって、そんな気がします。

小峯——変文はおっしゃる通り説話と合致しますが、さらに絵画との結びつきが問題になりますね。「変」は仏教をテーマとする絵を意味し、例えば『降魔変文』は「降魔の変文」ではなく、「降魔変」の「文」で、絵を説明した「台詞」が原義だという説があります（辛島静志「「変」、「変相」、「変文」の意味」『印度学仏教学研究』六五―二、二〇一七年、吉原浩人氏示教）。「絵解き」に限りなく近い概念でしょう。

とにかく説話は様々な局面でそういう二面性を常に持ってる、非常に包容力があるというか、変幻自在というか、私流に言うと、仏教の「実語」と「妄語」の両面性ですね。聖と俗と言ってもいいんですけど。聖なる言説、仏教で考えれば、往生伝とか霊験譚の類、教義に即してその証明や追認としての説話（「実語」）がある一方で、とても怪しげな、いい加減でうさんくさい噂話とか風聞、今で言うとフェイクのような話（「妄語」）もまた説話として括られるわけで、両面というか、双方の関係は絶対的でなく、意味づけによってはいくらでも変換可能です。双方を併せ持った全体が説話だと見ていいのではないかと考えていますが。説話は俗の面からだけではとらえきれないでしょう。

渡辺——仏教の経典と変文の話が出てきましたが、仏教経典の場合は、正しく伝えるということが本義になります。一字一句変えずに、正しく内容を伝えていくことが目指されています。『法華経』などの経典は様々な注釈が作られ、注釈の中にも聖典化（カノン化）していくものがあります。例えば天台宗では、天台三大部が代表に挙げられますが、この場合、それらの注釈書に対して、さらに後世の者の注釈が行われます。

『法華経』注釈書（談義書）は、作品ごとの特性や編者の個性がなかなか見えません。仏典の解釈は編者個々人のオリジナリティーあふれるものになるべきものではないからです。若干の個性はありますが、基本的には、後世の人に正しく伝えるために、正確に注釈することを目指し、個性的な解釈を押し出さないようにしているのです。

説話のように、あるエピソードを様々な角度から伝えること、歴史上の事件を自分の立場から伝えることとは全く違うように思います。仏教説話や往生伝の場合には伝え方は様々でもよいのですが、経典の解釈に関しては、相当厳格な態度を感じます。

シラネ――例えば聖書は当然いろんなジャンルがその中身を伝えている。教会に行くと、歌とか、いろいろダイジェストがあるけども、でも、基本的な話は、変えちゃいけないんですね。実はイエスは復活しなかったなんて言ったら、もう異端で死刑ですね。日本よりも厳しい。もう死刑ということになるから、そういう意味では聖典はかなり厳密に伝える。

説話を理解するために、笑いも一つの鍵じゃないかと思うんです。『今昔物語集』巻二八（四四話の笑話）では、かなり俗なものや身体を取り入れた笑いが多いです。それに対して、例えば『法華経』とか『源氏物語』。『源氏物語』にはそんなに笑いはないですね。『法華経』、経典には笑いがありますか。

小峯――ないですかね。仏教学者の石井公成さんがかなり仏典と艶笑譚（えんしょうたん）と関係が深いことを論証していますが（「アジア諸国の恋愛文学と仏教の関係」『上智大学国文学論集』五三、二〇二〇年）。

シラネ――少しある（笑）？

渡辺――ありますよ、物語としても面白いものがある。

シラネ――だけど、ユーモアかしら。

渡辺――なかなかしゃれていると思います。経典の中に引用される「物語」にもユーモアのあるものがあります。

小峯――『今昔物語集』の笑いが俗だというのは、言語遊戯などウィットが少ないという意味でしょうか。その点では『宇治拾遺物語』の方が洒脱で機知に富んでいるかもしれない。性的な卑俗の話題も結構ありますが。『今昔物語集』は笑いの生まれる人間の関係性をとらえることに焦点があると思います。ベルグソンの『笑い』の定義にいう、笑いは攻撃的な社会的制裁だという説によく当てはまりますので。

それから聖書の話題が出ましたが、聖書にも異端視される偽書がいろいろあったようですし、マリアの伝記などはそもそも聖書にないのに、だんだんカノン化されていきますね。「妄語」とされた説話が「実語」になっていく典型例かと思います。

日本の「説話」に相当する東アジア用語は？

小峯——話が多岐にわたって、非常に面白いんですが、私なりに整理させていただくと、まず説話という言葉自体の用語と翻訳の問題がありますね。特に英訳する場合、何と訳すのかという難問があり、中国では圧倒的に「小説」概念に覆われてますし、韓国では「口碑文学」と言う。韓国の場合は、戦前に日本の民俗学系の口承文芸論が浸透した影響かと思いますが。しかし、説話面の文字作品としてもっと注目すべきは朝鮮時代の「野談」です。一七世紀後半の柳夢寅（ゆもいん）の『於于野談（おうやだん）』が最初の例で、写本の外題では「野談」でなく、「野譚」とあるものも少なくないですが、「野言」や「野史」などに対応する言葉で、『於于野談』以前にはあまり例を見ないです。この『於于野談』以降、『青丘野談（せいきゅうやだん）』『渓西野談』など続々と野談集が作られて、野談資料集成も出ていますが、最初は漢文でだんだんハングル本になっていく。大半は写本です。

今、河野さんもメンバーの研究会で『於于野談』を読んでいますが、野談集は完全に説話集と言っていいもので、共通の土壌でいろいろ比較研究ができるのではないかと思います。ただ日本の説話集に比べて集としての組織構成がなく部類意識があまり見られないようです。『宇治拾遺物語』のように話の類似性や連想で並べているものもありますが。

中国の場合は、最初に述べましたように、現代語では説話は単に話をする意味の軽い使い方しかないので、日本のテクニカルタームの説話は何と言い替えればいいのか、気になるところです。

陸――難しいです。適切な言葉が見つからなくて。

小峯――七月にベトナムで学会があり、そういう話をしようと思って、東アジアの共通語としての説話の問題を考えているんですが、中国語での用語がすごく問題だなと（「『今昔物語集』とベトナムの説話文学――東アジアの〈漢字漢文文化圏〉から・〈環境・景観文学〉への道」タンロン大学国際学会・基調講演）。

陸――問題ですね。それには触れないように、多分皆さんしていると思います。そのまま日本語を中国語にすり替えているんですね。

小峯――でも、明らかに『捜神記』とか、『法苑珠林』、『太平広記』とか、『夷堅志』など、ああいうのは説話集と言ってはいけませんかね。

陸――説話集とは言わないようです。志怪小説とかですかね。

小峯――言わないけども、こっちの目からすると、『法苑珠林』や『太平広記』は類書ということでいいけど、特に『捜神記』や『夷堅志』などは説話集じゃないかなと。

陸――『夷堅志』はどういう性格の書物なのか調べてみました。出てきたのは志怪小説です。中国には筆記体小説というのが古代にありまして、それを説話と見ていいのかどうか、そこは私も自信がないんです。

『夷堅志』の話ではないんですけれども、ほかにも『北夢瑣言』とか、有名なのは『酉陽雑俎』ですね。そのあたりはどう見るべきか、というのも問題ですね。

小峯――『夷堅志』は怪異譚、奇談の集成であって、『太平広記』のような部類を持たないので、日本の説話集や怪談集などと同列で論じられると思います。たしかに『酉陽雑俎』は随筆に近いかな。面白い作でいろんなことにふれてるから、あちこちで引用されますね。

それから、前近代には同じ〈漢字漢文文化圏〉にあったベトナムでは、『越南漢文小説集成』という漢文作品の一大集成が上海の古籍出版から出てずいぶん読みやすくなりましたが、編纂主体が中国ということもあって、やはりそこでもすべて「小説」という括りになっています。しかし、中身を見ると、説話文学会でも二〇二〇年にシンポジウムをやった『嶺南摭怪』のような神話伝説集だったり、奇談珍談を集めた、こちらの眼からするとどうみても説話集としか言えないものがかなり多いです。類書的な『公余捷記』や話の寄せ集め的な『見聞録』のようなものまで幅があります。中国式の「小説」という一元化では立ちゆかないのでは、と考えています。

「説話」を世界の共通語として考える？

シラネ——最近の一〇年間の動きとしては、訳さないというのが一つ。例えば、相撲とか寿司、カラオケなどは、そのまま英語として使われています。だから、例えば『源氏物語』が小説なのか、物語なのか、そういう議論はかなりむなしい。むなしいというか、もう日本語を英語に投入して、英語の辞書に載るように、こっちが努力すべきだと。日本語のタームを増やして、世界の……。

小峯——「説話」＝SETSUWAを世界の共通語にするというわけですね。

シラネ——世界の共通語にして、そうしたら説話と言えば、大体こういうものだということになる。もちろん説話というターム自体にいろいろ問題があるんですけれども。翻訳するということは、一つは定義するっていうことですね。そうすると、この翻訳はこういうふうに説話を定義しているということになる。

小峯——いや、英語圏で「セツワ」をそのまま流通させることはできると思うけど、漢字文化圏では逆に難しいのでは。中国語では現代の日常語として生きてる言葉なので、それをあえて古典語というか、特別の学術語として応用できるのかどうか、そこはネックかと思います。

陸——ちなみに私、時々授業でやる場合、「日本の仏教説話」なんて、よく修飾限定の語をつけて苦し紛れに言ってます。

小峯——それで通じますかね？　ともあれ、まず用語の問題があるというのが一つですね。二番目として、議論の中心になった説話の概念ですね。説話の構造とか機能とかモチーフ、それから説話の成り立ちや生成の問題と、カノンと非カノンの関係性。それと口頭言語と文字言語の関係性でしょうか。

例えば最初に指摘しましたが、明治になって「説話」という用語が復活してくる使い方を見ると、落語や講談を筆記したもの、なかでも落語の圓朝の速記録は特に有名ですが、その序文を見ると、「説話」という言葉がいっぱい出てきます。講演の筆記もそうですし、学校教育でもそう。要するに口頭言語と文字言語が接触する、その「際（きわ）」のところ、境界領域で説話という言葉が出てくる。

だから、口承文芸など口頭伝承だけに限定するのではないし、説話集など文字テキストだけに限定するのでもなくて、両方が出会う、そのクロスするまさに接点のスパークするところで、昔の益田勝実氏の有名な文字と口頭との出会いの文学論に戻ってしまうようですが、説話の生成からはそういうことが言えると思います。だから聞書きというのが説話の最もプリミティブな原点でしょう。

それから、渡辺さんが言っていたような個々の単位としての説話のとらえ方の問題があるし、シラネさんが言われている説話を集める、編集する、リライトする、といった問題との両面があって、言語活動、文学活動の総体としての説話を考えていく必要があります。説話自体がいろんなものにつながって利用されていくし、シラネさんのビジネスの話じゃないけども、何かいろんなものを説明しようとすると、何でも説話になってしまうところがある。説話の機能ですよね。これもよく言われる、説話の本質は仏教でいう「譬喩」と「因縁」、何かの喩えや寓意、例証として語る「ためし」型、それと何かの起源や由来を語る「おこり」型との両面があり、話の中身を分析すると大体その二つに集約されてくる、そこに説話の面白さというか、ダイナミズムがあるんじゃないかなと考えていますが。『譬喩(ひゆ)経(きょう)』とか『〜因縁集』は説話集の基点と言えますね。論点を整理するつもりで、いつの間にか自分の意見ばかり言ってますけど（笑）。

説話文学というジャンルを考える

小峯――あとはそういう説話を研究する方法論の問題ですね。説話の構造とか機能とか生成をどう考えるか。カノンかどうかという問題もそうですが、方法論の大きい問題があるか思いますが、いかがでしょうか。

渡辺――説話や説話文学の定義で揺れが生じるのは、ジャンル（分野）の規定の問題もあるのではないかと思います。説話は「物語」という語が指すものに近いと思います。日本人は「物語」という言葉が大好きです。この「物語」は、『伊勢物語』などという固有名詞の物語ではなく、漠然とした「ものを語ること」の意です。しかし「物語」を学術用語（テクニカルターム）として使うと混乱するので、説話は説話という用語で表現しておいてよいのかと思います。

現在、陸さんは日本文学史の整理に取り組まれているということをお聞きしました。どのように編集されるのか大変興味があります。日本では、西洋の枠組みに倣って文学史を作ったため、日本の文学作品には合わないことが生じました。例えば「随筆」の場合、「随筆」というジャンルに該当する作品として、『徒然草』が挙げられました。つれづれなるままに書かれた『徒然草』のほかに類するものとしては、『枕草子』しか挙がりません。「三大随筆」として、三つ目に『方丈記』を挙げると、『方丈記』は全体を貫く思想のある思想書ですから、これが「随筆」なのかという問題が生じます。また『方丈記』を入れれば、『池亭記』など、書名を「〜記」とする作品の扱いが問題となり、結局、随筆の定義に添う作品は、二つしかないことになってしまいます。

小峯――私は、中世までは随筆はジャンルとして認めたくない（笑）。

渡辺――そうでしたか、失礼しました（笑）。改めて、ジャンル論は、文学史の形成の歴史とともに見直す必要があり、説話というジャンルについても、再検討してみる必要があるように思います。

小峯――三大随筆などは教科書にまで載ってしまって、近代に作られた最も否定されるべき文学観だと思いますが、『方丈記』の読み方の歪みが影響している。たしかに中世には『東斎随筆』という書名の作品もありますが、中身は説話集ですね。さっき話題になった唐代の『酉陽雑俎』などは随筆的でしょうかね。

シラネ――渡辺さんに大賛成です。というのは、ジャンルというのは、英語で言うと horizon of expectation。expectation は期待で、horizon は地平線。要するにジャンルによって何を期待するか。それが非常に大きいんですね。だから、同じ作品であっても期待の地平が異なると読みが全然違ってくる。渡辺さんが言っていたのは、『宇治拾遺物語』に結局何を期待していたかというのが一つの問題だと思うんです。

　小峯さんが言ったように、説話の中にいくつかのジャンルがあって、喩えとか、いわれを説明するとか、ジャンルがいくつかあって、読者たちはそのバリエーションを楽しんでいるというか。

小峯――私は逆に『今昔物語集』から始まったので、『今昔物語集』がいかに文学であるかを証明したくて、ずっとやってきて、それがある程度めどが付いたら、今度はそこから抜けていきたいと思うようになり、むしろジャンル論を解体したいという方向に行ったんですよね。すると、さっき『平家物語』が逸話集だと言われたように、様々なジャンルに説話の要素というか、説話そのものが散在してるわけで説話を一つのジャンルに囲い込むだけではダメだと考えているわけです。

シラネ――その見方と説話に複数のジャンルが含まれているということは、矛盾してないと思うんです。霊験譚もその一つで、それには一つのパターンあるいは期待の地平があるわけでしょう。説話の読者というのも一つの問題になるんじゃないでしょうか。これから説話はただ中世文学の研究者だけではなくて……。

小峯――時代を超えてね。説話の期待の地平で言えば、知識でしょうね。知らないことを説話で知る楽しみかな。例えば、人はなぜこれほど他人の噂話が好きなのか、とか(笑)。

シラネ――時代を超えた説話現象を、教育とコミュニケーションという大きな観点からとらえ返していければ。

小峯――そういう意味では、渡辺さんの言われた教科書における説話の扱い方、古文の入門でしか扱われていない問題もあるし、いまだに説話は文学会自体がそうなんだけれど、古代とか中世の枠に収まっていて、近世はもっと問題になるはずなんだけど、なかなかそこまで下がっていかない。近代、現代だって、説話の問題はいっぱいあるわけで、口承文芸の方がむしろ近現代は主対象になっている。

シラネ――アニメの中にも、日本のアニメは、僕は一部しか知らないんですけれども、説話を基盤にして現代版をつくっていると感じることがあります。

趙――ジャンルで考えるとしたら、例えば韓国では、説話となると、その中に入るのが神話、伝説、民譚(みんだん)なんですね。じゃあ説話と神話は同じなのかというと、絶対駄目じゃないですか。ジャンル論で考えるとしたら。韓国の古典、叙事文学研究で、説話の論文が一番多いというのは、ジャンルとか関係なくいろんなものを対象にできるからであって、そういう意味で韓国では説話という言葉を使っているのだと思います。

小峯――韓国での説話研究は口承文芸的なイメージが先行していたので、今も話型やモチーフに焦点があるわけで、文字テキスト論的な方向には行きにくいでしょうが、説話集を前提に考えると、趙さんもメンバーだった朝鮮漢文を読む会の最初の成果であった『新羅殊異伝――散逸した朝鮮説話集』（平凡社・東洋文庫、二〇一一年）も散逸して逸文だけだけど、どうみても説話集ですね。同じような視点で野談集にもっと焦点を当ててよいと思いますが。

渡辺――確認ですが、先ほど趙さんは、「説話に神話が入ったら駄目だ」とおっしゃいましたか？

趙――それは、例え神話研究者から見たら、神話と説話を同じですと、説話に神話が入りますと言ったら絶対認めないと思うんですね。

シラネ――だけど、我々から見れば、説話研究の中に神話学が入っている。

小峯――神話研究がカノン化してるということですね。

渡辺――なるほど、そういうことなのですね。

趙――こっちでは自由に全部入れて説話と。さっきおっしゃったように、『古事記』は説話ですと言ったら、多分、認めないはずじゃないですか。

小峯――『古事記』をやってる人はね。

趙――韓国だと、説話といった時には、何でも使えるという意味で説話を使ってると思います。

小峯――日本の神話研究は、斎藤英喜氏のように時代を越えて中世神話から近世神話、近現代にまで自在にわたるものと、旧態依然とした上代文学の枠の中で収まっているものとに二極化してますね。ジャンルを超えるか、時代を越えるか、地域を越えるかしないと研究は発展しない見本のようです。

渡辺――注釈が生まれるかどうかという視点は、重要に思えます。『論語』なども日本では聖典のように扱います。『論語』などの注は種々作られ、講釈の場も多くありました。同様に経典も注釈は数多く作りますが、元の本文は変化させません。本文に、変化するものとしないものがあるということも、今日、貴重な示唆をいただきました。

シラネ――小峯さんの、「際」という言葉、ボーダー、境界ですね。口承と文章の際は当然一つの特徴ですけども、例えばこの世と異界のボーダーには、説話が非常に重要な媒介として絡んできますよね。王朝物語には出てこない境界。この世とあの世、あの世にはいろいろあるけども、見えない世界と見える世界のパイプ、重要なパイプ。信じる、信じないというのをうまく飛ばして、ボーダーを超えている。

小峯――「際」は境界ですから空間ばかりか時間もかかわ

ります し、特に異界との交渉、交流は説話ぬきに語れない。地獄なんか誰も行ったことないはずなのに、でも、なんか知ってるっていうのは、要するに説話があるからですよね。龍宮だってそうだけどね。

シラネ——これは見たと。

小峯——死後の世界もそうだけど、広い意味での異界が語れるのは、説話を媒介にするからなんですよね。

趙——説話の未来を考える企画論文に、UFOが登場する話を未知の世界に遭遇する意味で、UFO説話を現代の説話として言えるんじゃないかというものがありました。

シラネ——今のアニメも境界を越えるジャンルで、普通の生活と違う世界が一つの大きい特徴でしょう。あれはまさに説話的です。若者は里山とか、そういう境界がなくなった今では、アニメとか、ほかの媒体を通して見えない世界を体験する。見えない世界から、逆にこの世界の教えというか、いろいろ学ぶ。だから、説話は非常に重要です。

小峯——重要ですね。まさしく説話は見えないものを見えるようにしてくれている(笑)。陸さん、どうですか、そういう点。さっきの教科書の問題もありましたけど。

物語と説話と文学史

陸——ずっとお話を聞いていて、疑問に思ったことがあります。例えば『浦島太郎』。最初は『風土記』とかに載ってる場合は浦島子ですね。例えば当時、平安時代の人たちならば、その話を説話と見たでしょうか。それとも、単純に語り、物語と見たでしょうか。最初に説話だと言い出したのは誰なんでしょう。つまり、そういう話に説話という言葉を当てたのは、いつ頃の誰かという話です。

シラネ——古代から『風土記』が、要するにこの地域ではこういう話があってと、それを伝えている。だから、そこの人たちが信じているいないにかかわらず一種の地域文化の遺産ということでしょうか。

陸——そうですけれども、それはあくまでお話というレベル。そういう位相ということなんですね。

渡辺——そうだと思います。物語(もの+かたり)です。「ああ、そんな話がありました」という、一般的なお話を聞いた/伝えたということ、そこに尽きると思います。

陸——だけど、そこが非常に面白い。というのは、「語」

りも「説」も「話」も、漢字はすべて言偏（ごんべん）なんですね。口でしゃべらないとできない。

小峯――最初に言いましたように、中世まで「説話」という言葉は一般化していません。だから、浦島をめぐる陸さんの発問にはそもそも無理があって、近代のテクニカルタームを遡行させて、今の我々が「説話」という範疇に当てはめてるだけですので。浦島の話はまさに丹後の民間伝説として伝わったものが『風土記』に筆録され、『万葉集』以下、平安の『浦島子伝記』から中世の絵巻やお伽草子に、近世のパロディ、近代の童話や各地の伝説にまで続いた、それ自体が文学史の運動体になった稀有な例です。それは海の彼方への幻想、あこがれや怖れが島国日本の意識の根底にあるからだと思います。別に日本だけでなく、海に囲まれた世界ならどこでもあり得る話でしょう。

渡辺――現代でも一般に「こんな説話を聞いた」などとは言いません。「説話」はあくまでも研究者での用語ですね。術語としての説話はまだ新しく、世間で用いるところまでに浸透した言葉ではないように思います。

小峯――ものを書く人は、割と説話という言葉を安直に使ってる傾向はあるかと思いますね。一般的な例も含めて、物語ではなく説話という用語を使う時の認識の差異などはもっと問い詰めてもいいかもしれませんが。

シラネ――『更級日記』の中に、著者がいっぱい説話を集めているんですね。彼女は小さい時は、それを信じていたみたいです。その中に阿弥陀や天照大神も出てくる。それを本当に信じていたのかどうかって言われると、答えが難しいですけども。『源氏物語』の中で浮舟が消えて、怪談みたいなところがありますよね。雨の中で。あれは本当に信じていたのかどうか。それを聞いてるという曖昧な。だから、そういう曖昧なところ、かなりあったんじゃないですか、ずっと。

陸――なので、お話という言葉を聞いたらわかりますけれども、物語とか説話とか、あといろんな分け方でとらえたら、だんだんわからなくなっちゃうという面があると思います。

　それから、先ほど出ました教科書づくりをしているという話ですが、中国文学史の場合は、日本文学のように細かくジャンル別に分けて叙述するということは少ない気がします。むしろ年代別、時代別に唐代文学とか、宋、元、明、清とか、そういう時代別に取り上げるという傾向がありまして、どちらかといえば文体別の分類は大ざっぱなんですね。

大学生向けの教科書、しかも基礎的なものをつくれと言われて、難しいですが頑張っていまして。じゃあ『方丈記』とか『徒然草』はどういうジャンルに入れているのかといいますと、まだ完成は見えないんですけれども、ここでちょっと種明かし。これも手前みそになりますが、前に博論を『遁世文学論』（前掲）という一冊にまとめているので、そこで教科書の一章、要するに講義一回分の内容に、中世における遁世文学というものを充てているんですね。ちょっとずるいやり方かもしれませんが、随筆なのか法語なのか明言は避けて、むしろ自分なりの、これも私が主張したいところですが、つまりこれまでずっと隠者文学といわれているところを、その用語を変えて、遁世文学と称しようと唱えているんですけれども、果たしてどれくらいの支持が得られているかはわかりません。

そういったこともあって、今回は説話文学に取って代われるような、もうちょっと適切な学術用語はないのかなと考えて参加させていただいているわけです。

渡辺――ジャンルの話ですが、現代は以前より多くの作品が認知されています。以前に文学作品として知られていなかった作品が調査研究の結果として様々に見出され、文学史の対象とすべき作品は変化していると思います。かつて作られた文学史は、研究の進展により、現在その内容に疑問を感じる点が様々にあります。

『土佐日記』を例にすると、弘前藩主が所持した「歌書」の一群に『土佐日記』は収められています。紀貫之は歌の名手であり、『土佐日記』に和歌が多く載るからでしょう。「歌物語」は、『伊勢物語』をその代表としますが、『伊勢物語』を歌物語とし、他の歌が機能する作品は歌物語としないのは、分類上のこととはいえ、不可解です。こうした文学史の問題は、説話に限らず、皆で考えなければいけない問題だと思います。

小峯――文学史は常に書き換えられるものなので、陸さんが遁世文学という領域を立てるのは、それはそれでいいと思います。三大随筆というのはぶち壊したいといつも思ってるので、是非そういう方向でやってみてください。

陸――ありがとうございます。

シラネ――渡辺さんがお話という、「話」を強調なさった。例えば柳田國男の『遠野物語』。もとになった話は遠野の

座談会

人たちが一応信じていた話でしょう。信じるか、信じないかというところを超えてるんじゃないですか。

渡辺――そう思います。ですから信じている体で記すのです。説話集は全部、体です。建て前です。

シラネ――多分大体の人たちは、「ああ、これはあり得る」というふうに考えてるんじゃないですか。

渡辺――その点は、少々悩ましく思っています。仏教説話に記される、口から蓮花が生えて亡くなっていたなどという奇瑞は、それは本当にあったこととしておくような、見なし方をしているように思います。物理的にあり得るかどうかを突き詰めることはせず、学生たちが「ファンタジー」という言葉でぼかしているように、そうしておく、ということだと思います。

趙――そのほうが面白いということですよね。

渡辺――そういう話があったということにしておこう、という心情とでもいいましょうか。フォーマットとしては、「こういうことがあった」と事実として伝え、信じていた(信じている)という建て前(体)を取っているのでしょう。

シラネ――もう一つは、現代人の中では宗教がなくなりつつあって、その代わりにファンタジーが、なくなった空間の中にどんどん拡大されて、「それ、信じてますか」と高校生に聞くと、「信じてる」と言う人も結構いると思うんですね。それは自分のファンタジーだから、自分のファンタジーを信じたい。コスプレとか、それは頭の中で変身していく。自分が変身したという気持ちでコスプレやってると思います。

小峯――ファンタジーこそまさに説話ですね。シラネさんが例に挙げた『遠野物語』だけど、完全にあれは柳田國男がつくった説話集ですよね。まさに二〇世紀の説話集であって、それも一〇〇年たったから古典になったと言えるでしょう。

信ずる信じないという問題では、南方熊楠がさっきの口から蓮華が生えていた讃岐の源大夫の話に関して、近代的な合理主義的な見方を否定し、決してあり得ない話ではないと強調しています(「自分を観音と信じた人」『全集』六巻)。信仰というものは、いつの時代でも信ずる人と信じない人とがいて、そのせめぎ合いで揺れ動いていくでしょうし、異界や見えない世界、妖怪や異類なども、ありそうでないものや、ないけれどあるかもしれないというせめぎ合いで動いていくわけで、説話はそこに生きている。仏教やキリスト教の奇蹟の話、霊験譚や往生譚もそうですし、さっきの浦島や妖怪譚などもそうですね。

せっかくですので、今まで腹ふくるるわざだったかと思いますので、最後に河野さんにコメントしていただければと思います。

説話とその研究を世界に拓く

河野――今から一時間でも話したいところですが（笑）。なるべく簡単にポイントだけお話しします。

まず、シラネ先生がお話になった、空間、時間、里山のことですが、ここから「野」ということに思い至りました。私は河野というのですけれども、自分の名前にも「野」があって、これに対立する概念は文とか、文化、学問ということになるでしょうか。そういうことでいいますと、説話は、体系化された知識とか学問があるとして、それに載っかっていないところ、いわば「野」から出てくるもの、体系されたものからはこぼれるような言説というふうに言えるかなということを考えました。

また、共同体の話、そして、改変が許容されるかどうかということについてですが、例えば中国で『論語』は非常に権威のあるテキストですけれども、中国の歴史の中では孔子を神格化するとか、『論語』を神秘的に解釈する「緯書」というものもあって、儒教から出てくる説話的なものもあるわけです。

陸さんが言及された鄭振鐸の『中国俗文学史』は、日本の近代の文学の影響をおそらくとても受けているのだと思います。日本が西洋と出会って、文学史を新しく構築していく中で、例えば説話も文学だというような動きを鄭振鐸や魯迅がくみ取って、中国の文学史を書き換えていくということかと思うのです。

小峯さんの論集で、以前書かせてもらいましたが（「日中近代の図書分類からみる「文学」、「小説」」『シリーズ日本文学の展望を拓く』第一巻「東アジアの文化圏」笠間書院、二〇一七年）、近代の図書分類の問題で、中国伝統の漢字文化圏の目録分類、ジャンルから、まずは日本が大きくパラダイムを転換し、それが中国に影響を与え、中国においてもそれまでは目録にすら挙がってこなかった様々な書物を体系の中に入れようとして、そこで参考になっているのが日本のあり方ということだと思うのです。

それから、陸さんが出してくださった、唱導とか講経、俗講、変文や弾詞。そして語りや説話（話本）、これが全部言偏だとおっしゃいました。要するに口頭的なもので、これに対立するものは文だと思うのです。そこで面白いと思ったのは、変文という言葉です。変文の語義についても話題となりましたが、これは文と語りを結びつける、まさに説話的なものの重要要素かと考えました。

それから、注釈の話が出ましたが、これもいくつか書いたこともあるのですが、面白いのは日本では『源氏物語』の注釈が作られる。しかし中国ではあり得ないですね。物語に注釈を付けるなどということは。あるいは、『源氏物語』にはいろいろなテキストがありますが、通常注釈するならばまず校勘して、正しいテキストを定めていくのが注釈の方向ですね。中国では。だけれども、『河海抄（かかいしょう）』などは、A本、B本、どちらでも面白ければいいと言ってしまう。こうした日本的な変化形もあるということ（「古注釈書を通してみる『源氏物語』の和漢世界——『河海抄』、『花鳥余情』——」、中野幸一編『平安文学の交響——享受・摂取・翻訳』勉誠出版、二〇一二年等）。それに対して、中国の『論語』など経書の注疏の世界、注に注を付けるとか、注がカノン化してそこにまた注を付けるということがあります。それはおそらく仏教の注釈が一歩先んじていて、仏教の経典にいろいろな注釈が重ねられていく中で、儒教のほうでもそういう方法が学ばれていくということのようです

それから、中国語で説話は何というかということについて、陸さんが志怪小説とおっしゃいました。そこで出た浦島の話は『浦島子伝記』で、伝と記ですよね。伝や記、小説。それから時代が下って、宋、元になると筆記小説とか、札記（さっき）と呼ばれるものが出てきます。なので、私は『徒然草』はこれらと同様の札記、つまり学術的なメモの集成という括りで考えられるのではないかと思っています。

翻訳の話では、近代の日本の目録がつくられる時に、小説、物語に当てられた英語は、Fiction. Romance. Novel です。しかし、だからといって、小説と物語は一緒か、そして Fiction. Romance. Novel は同じかということ、またそれがそれぞれ結びつくものかということを問題提起したこともあります。

最後に、今日のお話を通して、日本の説話という言葉を考える時に、そこに漢字が使われているわけで、だからどうしても漢字文化圏の中での「説」とか「話」とかという

言葉との関係を考えなければならないので、そこが一つの難しさだと再認識しました。ですがもう一つは、アジアの言葉ではない言葉と置き換えるとどうなるかということがあるのですけれども、まずは漢字文化圏の中で説話とか口承、語りと文ということを考え、またそれをさらにグローバルに考えていくならば、混乱はするけれども、もっともっと面白い世界が次に開けていくのではないかと思いました。長々とすみませんでした。以上でございます。

小峯――まだまだ話はつきませんが、説話をめぐっていろいろな観点から興味深い話題が次々と出てきて、大きな示唆をいただきました。ともかく説話は世界を認識する上で欠かせない枠組みというか媒体としてあり、人と共同体がある限り必要とされますから、その研究がなくなることはないと思います。六〇周年にふさわしいものになったかどうかわかりませんが、「説話とは何か」を問いかけるところに説話はあるわけで、この座談会もまた説話を説話する、という場であったかと思います。

一〇〇年後はどうなるか、続きは後続のまだ見ぬ世の人たちにつないでいってもらえればと思います。皆さんありがとうございました。

V エッセイ

説話文学会六〇周年に寄せて

説話文学会の設立時を回想して

高橋　貢

平成二四年（二〇一二）六月二三（土）二四（日）の両日、説話文学会創設五〇周年記念大会が立教大学（世話役は小峯和明氏等）で盛大に行われました（事務局は明治大学、鈴木彰研究室。代表は林雅彦氏）。参加者は参加者名簿に掲載された人数だけで一三〇人前後、当日の来会者はその人数よりはるかに多い人々でした。大会は、基調講演と三つのシンポジウム、「説話とメディア」「説話と資料学、学問注釈」「説話と地域、歴史叙述」の三部門から構成され、盛り沢山の内容で、会場は熱気に包まれました。

創設時から五〇年。創設時に関わった多くの方々は亡くなられておりますが、それらの方々は創設時にはたして五〇年後の今日、このような盛大な会に発展することを予見できたであろうか、と思うと、創設時に関わった一人として感無量に思います。

ただ、先日の大会での講演、発表等を聞くと、創設時の様々なことや人々の思い、五〇年間の曲折等が必ずしも正しく伝えられ、残されてはいないように思います。このままにしておくと、将来、二〇世紀後半の学会史を展望する場合、困る事態が起こると思い、この機会にあらためて創設時の様々なことを思い出し、私の記憶すること（記憶違いがあるかもしれませんが）を書き残しておきたいと思います。

＊＊＊

五〇周年記念大会の前に「五十周年記念シンポジウムに寄せて」の一文が、案内状とともに送られてきた。記念大会を開く熱意がこめられている一文であった。その始めに「一九五〇、六〇年代に発足した日本文学系の学会が近年あいついで五〇周年を迎え、学会や研究状況を見つめ直す機会となっています。とりわけ説話研究は戦後の民主主義路線に拠る民衆・庶民重視の潮流に乗って進展してきた分野で、一九六〇年代は説話研究の第一次の高揚期といってよく、その情勢から学会も設立されました。」云々とある一文を見ると、たしかに本学会が戦後の民衆、庶民重視の潮流という情勢に乗って設立された、という指摘は正しく、正鵠を射ている。

それでは、そのような情勢から本学会がだれかからの呼びかけもなく、自然発生のような状態で生まれたのか、というと、そうではない。創設時に関わった人々の思いや熱意、行動があって設立されたわけである。その辺りを具体的に述べたいと思う。

創設時の頃、各大学で研究会や個人的な少人数での勉強会はあったがそれらの研究会、勉強会の垣根を越えて、それぞれの研究や方法、考え方、問題点等を出しあい、鍛えあう学会の設立を呼びかける人はいなかった。学会設立をうながす雰囲気はあったが、設立の具体化には、火をつけ、行動する人が必要であった。その行動の核になった人は山梨大学教授西尾光一氏と早稲田大学大学院在籍（博士課程、主に中古日記文学研究。後に帝京大学教授）の石原昭平君であった。石原君の実家が甲府駅の北側にあることから、昭和三六年（一九六一）の初夏、甲府市内の西尾氏宅を訪れた。その時に持参したのが「古典遺産」誌である。同誌はそれまでに九号発行されていて、説話・説話文学関連の論文も数点掲載されていた。石原君は同誌を持参して、若手研究者達の勉強振りを話した。西尾氏は気鋭の中世文学の研究者であったが、気さくで温和、包容力のある人柄で、岩波文庫より刊行予定の『撰集抄』の校訂をしていた。石原君の話に興味を引き、とりあえず石原君の同級生に会いたい、ということになった。後日、石原君からその話が関口忠男君（後に大東文化大学教授）と私に伝えられ、八月に西尾氏宅を訪れた。三人とも当時、早大大学院生であった。

八月某日、関口君と私は一晩石原君宅に宿泊後、西尾氏宅を訪れた。西尾氏と古典遺産の会のこと、『撰集抄』の諸本や校訂のこと、戦後の研究の潮流のこと等話したが、その後に、西尾氏を核に諸大学の院生に声をかけて、説話、あるいは説話文学の研究会、読書会を行うことを提案した。西尾氏も乗り気であったが、当時諸大学の院生とはだれとも直接の交流はなかったので、西尾氏の意向もあって、西尾氏と同世代の研究者一〇名を選んで連絡をとることになった。

九月になり、私の指導教授の一人、国東文麿氏に話すと、国東氏は始めは乗り気ではなかったが、秋に大隈会館で集まることを了承した（その辺りの事情は「解釈と鑑賞」平成五年一二月所収「説話文学会創設のころ」を御参照下さい）。

私達三人は、無名の大学院生レベルの自分達が声を掛けても、だれも反応しないだろうと、半信半疑で往復葉書に手紙を書き、永積安明（神戸大学）、三谷栄一（実践女子大学）、益田勝実（法政大学）、永井義憲（大正大学）、長野嘗一（立教大学）、馬淵和夫（教育大学）、大島建彦（東洋大学）、小林智昭（お茶の水女子大付属）氏等一〇名に出した。ところが、西尾、国東氏、及び三人が勝手に決めた日時、会館に一名も欠けることなく、全員が集まった。永積氏は神戸から駆けつけた。これには皆驚いた。

お互いは、論文を介して名前は知っていたが、初対面同志が多く、会合は自己紹介、名刺交換から始まった。次に西尾氏から、各大学の垣根を越えての説話、説話文学関連の定期的な研究を行いたい、との趣旨の説明があった。参加者からは、その後幾つかの発言があったが、せっかくこれだけのメンバーが集まったので、学会を設立したらどうか、との発言があり、全員が賛成した。その時、益田勝実氏から、学会を設立するならば、他の多くの学会が採用しているような、年二回の研究発表を主とする大会ではなく、クォータリー方式のような、年四回の例会を開催し、そのたびごとにテーマを設けて、シンポジウムを行ったらどうか、との提案があった。この提案は現在まで引きつがれており、基本的には年三回の例会と一回の大会が開催されている。次に、学会設立準備会を翌年一月に早大小野講堂横の会議室で開くこと、それまでの世話人として西尾、国東氏、及び藤平春男（早大）、馬淵、三谷、大島氏等を選び、事務は石原君等三人が担当した。事務局は国東研究室に置いたが、後に今成元昭氏（後に立正大）や院生の宮田尚、米田千鶴子、小林保治君も手伝った。特に石原君の献身的な活躍には頭が下がった。

設立準備会には右の会館での出席者の半数以上の方、及び臼田甚五郎氏（國學院大）と門下生の野村純一、徳江元正、福田晃氏等、塚崎進氏（聖学院大）、今野達氏（後に横浜国立大）、教育大院生の野口博久、中野猛、麻原美子氏等、立教大院生の小内一明氏等が多数参加した。西尾、大島氏等によって学会設立の趣旨が説明され、承認されたが、問題になったのは学会の名称を「説話学会」にするか「説話文学会」にするか、ということである。前者の名称にすべしと強調したのは、主に國學院大院生の民間説話研究の立場に立つ方々。後者の名称を主張したのは、長野嘗一氏等の作品研究の立場に立つ方々。両者の主張の隔たりは大きく、せっかく盛り上がった学会設立の話は解消し、散会に終わる状況になった。この危機を救ったのは大島氏の提案で、学会の名称は「説話文学会」とするが、学会の活動方針は、会則の二にあるように「本会は広く説話および説話文学の研究を各分野から推進することを目的とする」としたらどうか、という発言であった。この提案に全員が賛同し、以後の運営はなめらかに進んだ。大島氏はさらに年会費は安く、三〇〇円にすることを提案し、了承された。会の意向を踏まえ、大島氏が会則の原案を作成し、五月の大会で承認された。この頃の大島氏の活躍は見事であった。また初期の会報は早大近くの印刷屋に頼んで、がり版で発行したが、会費を安くおさえるためであった。――民間説話(あるいは昔話)研究の立場と作品(あるいは文献資料)研究の立場との対立は、表面には出なかったが、長い間(今日まで)続くことになる。以後のシンポジウムのテーマや、後述の国文学研究資料館の設立の時にも問題となる。設立直後のシンポジウムで説話、説話文学をどう考えるか、のテーマで話し合いが持たれたのも、この問題と関わる。

その年の五月、第一回大会が小野講堂で開かれた。二〇〇人収容の講堂は満席で、立っている人々もいた。午前の部では「説話文学の課題」でシンポジウムが行われ、午後は暉峻康隆氏の「西鶴文学の説話性と非説話性」、関敬吾氏の「戦後におけるヨーロッパ説話研究の諸傾向」の講演が行われた。会場は熱気に包まれ、大成功であった。出席者には小泉弘、原田行造、川口久雄、三木紀人、杉本圭三郎、村上学、池上洵一、簗瀬一雄、真鍋広済、友久武文氏等多数の名前があった。

その後の例会、大会では『今昔物語集』のような作品をめぐってのシンポジウム、「軍記と説話」のような周辺ジャンルとの問題、唱導、文体、絵巻等、様々な問題がとり上げられた。また昔話等、民間説話のシンポジウム等、説話、説話文学の諸問題をめぐって、それまで個人や少人数の研究等で研究発表されて来た問題が、より広い舞台でとり上げられ、議論されたことは意義がある。またこれらの諸研究は、和歌、物語、軍記、俳諧の研究に比べると隅に押しやられ勝ちであったが、文学、文化諸研究の表舞台に押し上げた効果は大きかった。

ただ、それらの諸問題、テーマは、冒頭の五〇周年記念大会でとり上げた脱領域、あるいは東アジアという広い地域との関わりというグローバルな視野からみると、たしかに視野や視点が細かく、領域の狭い範囲を扱っているにしか過ぎないし、記念大会当日、そのような発言もあったが、それだからと言って、右に述べたように、学会が設立されたことによる意義や効果があったことを無視してよいのか、疑問である。また第一回大会以後のシンポジウムのテーマや講演にも設立当初の対立の影響があったことも、御理解いただければと思う。また右に述べたように、研究が個人や小グループの範囲内にとどまっていたり、設立準備会で対立した学会の名称にこだわって、学会そのものが不成立に終わったならば、記念大会のようなグローバルな問題を扱うこともなかったのではないか。その点から言っても、大島建彦氏が提案した会則二の意義は大きかったし、益田勝実氏提案による、シンポジウムを主体にした意義も大きかったと思う。

＊＊＊

説話文学会の設立が波及効果となって、間接的にではあるが、公的機関、学会が設立された。国文学研究資料館と中古文学会等である。

説話文学会が設立し、しばらくして懇親会の座談の場で、諸学会の例会、大会の期日を連絡し、調整しあう機関のようなものがあるとよいが、という話が出、その世話人に市古貞次氏（後に国文学研究資料館長）はどうか、ということになった。次の機会に市古氏が出席し、学会の連絡機関だけでなく、各地の文庫、社寺、図書館等に所蔵する写本、版本等の文献、図書の目録を作り、さらにそれらをコピー、複製して集め、自由に閲覧できる「国文学研究資料センター」（仮称）を作り、その予算を獲得できるよう、文部省と交渉したらどうか、との提案があって、出席者の賛同を得た。また代表に久松潜一氏にお願いすることにした。この案は市古氏から他の諸学会にも説明、提案があった。事務局は、当時、東大安田講堂事件があって、東大院生の協力を得られないので、佐々木八郎氏を介して国東氏に話があり、同研究室に置かれた。佐々木氏は学会の初代代表委員であった。準備に活躍したのは学会設立に関わった人達、各大学院生達である。臼田甚五郎氏と教え子達は、各大学の研究室や研究者をまわり、積極的に署名活動を行った。臼田氏は、センターを文献資料の収集を目的とするだけではなく、民間説話収集の拠点にしたいと考えていた。文部省側との交渉は、主に久松、市古、臼田の三氏が窓口となって行った。私は徳江元正氏（國學院大）とともに二度、三氏のお供で文部省を訪れ、交渉の席に座ったことがある。臼田氏は民間説話収集の狙いを力説したが、文部省側としては否定的であった。センターは間もなく認められて、国文学研究資料館として設立されたが、臼田氏の願いは通らなかった。しかし、後日、千葉県佐倉に歴史民俗博物館として日の目を見ることになる。

次に中古文学会について述べる。説話文学会設立以前から、すでに京都の田中重太郎氏が中心になって平安文学研究会が活動していたが、会員数が増加して対応しきれなくなったため、三谷栄一氏と私の指導教授岡一男氏に学会設立を打診した。学会は中古文学会として設立され、第一回大会は早大で開かれたが、岡門下の三谷邦明、増淵勝一君等のほか、石原君等が準備、運営に奔走した。

説話文学会の事務局は、早大に続き、教育大、國學院大と担当校が移った。私は担当校が東京周辺に集中するのはよくないと考え、國學院大院生だった福田晃氏が京都の立命館大に赴任したので、事務局を打診したことがある。福田氏は説話文学会が東京を拠点としているので、関西を拠点に説話伝承学会を設立したとのことであった。この学会も現在活動中である。

＊　＊　＊

説話文学会は、必ずしも順調に運営を続けて来たわけではない。何回めかの委員の選挙の時に、民間説話研究のリーダーだった野村純一氏が委員に選ばれなかったことがある。野村氏は当初から学会活動を積極的に支えてくれた一人であった。私はショックを受けた。学会の将来に暗い気持になった。野村氏は当学会から少しずつ遠ざかり、口承文学会を起こすことになる。その頃から、民間説話、昔話関係の研究発表、シンポジウムは少なくなり、現在にいたっている。また山田俊雄氏（成城大）は、自分は国語学研究を主な目的にしているから、とのことで、学会から去って行った。一方、意欲のある大勢の若い研究者の参加があい次ぎ、学会を動かすことになる。水原一、貴志正造、池田弥三郎、稲垣泰一、小峯和明、小川豊生、山口真琴、田嶋一夫、田口和夫、浅見和彦、安田孝子、森正人、寺川真知夫、錦仁、沼波政弘、千本英史、阿部泰郎、前田雅之、徳田和夫、近本謙介、渡辺匡一・麻里子、石川透、磯水絵、伊藤聡、伊東玉美、志村有弘、黒部通善、木下資一、佐伯真一、中根千絵、竹村信治、田中宗博、仲井克己、播摩光寿、広田収、三角洋一、牧野和夫、米山孝子、増尾伸一郎、松本真輔、礪波美和子、吉原浩人、河野貴美子、矢代和夫、高橋伸幸、渡辺信和、日下力、山田昭全、石黒吉次郎、辻英子、増古和子、藤巻和宏、田中徳定、菊地真、鈴木彰、佐原作美……氏等々。特に西尾光一氏門下の林雅彦氏、及び渡浩一氏の加入が大きかった。絵解きの視点からの新しい方法や、設立三〇周年記念の諸行事が林氏主導で行われた。この頃、講座『日本の説話』が編集され、『日本伝記伝説大事典』(志村氏等の編)が出された。直接、当学会は関与してはいないが、当学会の活気と活動が反映しているとみてよい。その後、『説話の講座』(小峯氏等の編)も刊行された。

学会の事務局、会場校も大勢の方々と諸地域関係者の協力をいただいた。例えば、東京周辺は省略するが、札幌(播摩氏)、弘前(渡辺麻里子氏)、福島・茨城(田嶋氏)、新潟(錦氏)、金沢(原田氏)、静岡(海野泰男氏)、名古屋(安田、沼波、安部氏)、京都(寺川・広田氏)、奈良・和歌山(千本氏)、神戸(池上氏)、広島(竹村氏)、下関(志村・宮田尚氏)、熊本(森氏)等。古典遺産関係の方(矢代、梶原正昭、加美宏、小林、田嶋氏等)にもお世話になった。

このように、当学会には曲折があったが、次第に脱領域、あるいはグローバルな視角と方法を得、新進気鋭の研究者の参画があって、活気をとり戻し、今日を迎えている。

今後、学会がどの方向に向かうのかは分からないが、様々な課題が提案、議論されて掘り下げられ、また個人や特定のグループの垣根を越えて、様々な立場の研究者が集まり、老若を越えて、対等の立場で切磋するならば、必ずや一〇〇周年記念大会を迎えることができるであろう。私は今年(平成二四年)一一月、八〇歳になるので、その大会に出席することはできないが、その日の来ることを願ってやまない。私自身としては、これまで得られた様々な宝物を糧に、元気でいる間、さらに研究を広げ、深化させ、進めたいと願っている。

付記　本学会設立時からお世話になった国東文麿氏(早大名誉教授)が本年(平成二四年)一一月、逝去された。私の指導教授の一人であった。謹んで冥福をお祈り申し上げる。

(『古典遺産』六二、古典遺産の会、二〇一三年一月より再録)

エッセイ

説話文学研究の可能性
——過去・現在・未来の三世相、フィールドとテクスト

阿部泰郎

夢を語ってから、早くも一〇年が経った。その夢は、半ばは叶い、半ばは未だ果たせない。

人文学研究の基盤としてのアーカイヴ・ネットワークを創りだすためのCHT（人類文化遺産テクスト学研究センター）は立ち上がり、国際的な研究拠点とする土台を築いたが、さらなる飛躍を託した近本謙介氏と、あろうことか、その為に赴いたパリにおいて幽明境を異にすることになってしまった、痛惜の思いは、未だに癒えていない。しかし、ともに国際共同研究に取り組んだハーバード大学との連携の成果『ハーバード美術館　南無仏太子像の研究』（中央公論美術出版、二〇二三年）を世に問うことができた。この一冊を手に取る人に、表紙に立つ南無仏太子の姿から彼の祈りと願いの探究の志を受け取ってもらえたらと願うばかりである。

後半は、名古屋大学から龍谷大学に移り、世界仏教文化研究センターに、宗教文化遺産テクストのアーカイヴ・プラットフォームの立ち上げを目指した。名大と連携して国際共同研究を推進したが、コレージュ・ド・フランスのジャン＝ノエル・ロベール教授と取り組んだテーマに論義を対象としたことから、貞慶という知の巨人に向き合うこととなった。貞慶は近本氏の一貫した研究対象であったが、龍谷には貞慶の論義研究の泰斗である楠淳證氏がおられて、積年の研究を踏まえて貞慶の「秘文」『観世音菩薩感応抄』の註解を刊行されたことは、我々にとって、貞慶の教学と説話文学とを繋ぐ絶好の導きであり、それは、驚くべき豊かな世界を開いてくれる宗教テクストなのであった。世界仏教文化研究センターでの活動の旗揚げに、近本氏も参加してセミナーを開催し、その成果はこれまでにない貞慶の総合的な入門書『解脱房貞慶の世界』（法藏館、二〇二四年）に結実した。それに収められた近本氏の報告は、自らの研究の軌跡を貞慶終焉の地、海住山寺から遥かに眺め渡しているように見える。何より、貞慶の信仰表明としての

『感応抄』は、彼の学僧としての修学のための論義テクストと、遁世者として勧信する実践のための講式という儀礼テクストとの間に立って繋げわたすような働きを示す「決智」の書である。こうした独特な宗教テクスト、私にいう「間宗教テクスト」のめざましい典型を、ここに見いだすことができる。

貞慶に限らず、中世仏教の宗教テクストの大きな領域を占める論義と唱導は、間宗教テクストを構成する重要なカテゴリーである。貞慶が得意とした講式という儀礼テクストも、その儀式を働かせるために声に出して読まれ、仏神と人を繋ぐ交信に用いられる媒介するテクストであることによって、「間宗教テクスト」の範疇に入る。このような関係性を生みだすテクストは、中世日本の宗教世界におびただしく繁茂し、その生成を担ったと認識される。

貞慶と同い年の慈円も、出自と立場は大きく隔たるが、同じく膨大な「間宗教テクスト」を司り、かつ自ら生み出した〝書く人〟であり、また歌詠みであった。

慈円探究の試みを昔から続けているが、かつて三千院円融蔵から『六道釈』を見いだして以来、彼の著した宗教テクストを収めて伝える世界が念頭を離れることはなかった。貞慶と対照的に、慈円は台密の法流を担う密教僧であり、自ら修法して「開悟」を詞にする「口決」の営みを最らにして、その上に彼が担った国家と王権への祈りを仏神に捧げた。『六道釈』のような講式だけでなく、願文などの交信の言葉と、その上に見いだされる「道理」の祈願が、やがて『愚管抄』の歴史叙述を生み出すに到る。その過程を繋ぎわたすドキュメントが、青蓮院吉水蔵から阿部美香によって見いだされた（『東京大学史料編纂所紀要』二九号、二〇一九年）。密教修法の本尊口決の問答である『本尊釈問答』の発見は、吉水蔵の聖教をあらたなデジタル・アーカイヴとして記録保存する東京大学史料編纂所と龍谷大学の協働事業を、青蓮院門跡にお許しいただく契機となったのである。

この過程で、吉水蔵聖教に、すでに紹介された以上の慈円による著作が多く伝来していることが明らかになった。その概要を史料編纂所紀要に解題を含めて提示した（三一・三二号、二〇二一年・二二年）。興味深いことに、それらすべてが、自らの修法実践にうながされる思惟を重ね、問答を交えて開悟に到る過程を、多くの自己言及を含みながら「仮名書」で叙述していく、総じて実に生成的なテクストなのである。これらもまた、「間宗教テクスト」の重要な領域のひとつ、秘事口伝のカテゴリーにあたるが、慈円はそうしたテクストを絶えず書き続けながら、その間に夢想を記し、和歌を詠みだして、果てに『愚管抄』を書き綴ったのである。調査とデジタル化の進展にともない、やがてはその全体像が明かされようが、その暁には、慈円という〝知の巨人〟の生み出した膨大な「間宗教テクスト」の地平から、和歌と『愚管抄』が立ち上がる光景が見えることだろう。

中世密教の世界では、際だって個性的な〝書く主体〟が実に多いが、その中でも文観こそは、後醍醐天皇の「異形の王権」を支え、象った主役として注目される。その主著である『秘密源底口決』は、真福寺大須文庫から文観の奥書識語を備えて出現し、折から内田啓一氏が解明された西大寺叡尊門下の律僧としての事績とその筆になる数多の密教図像の研究にも触発されて、それまでに知るところとなった彼の著した聖教著作を網羅して紹介することにつながった。その最大の発見は、真言密教の究極の秘法である空海の御遺告にもとづく、独創的な秘密図像と秘伝とが融合した『御遺告大事』が、師の道順に名を借りた文観による著作であり、それを核に、彼の秘密宗教テクストが相互に呼応しながら生成する、壮大なテクストの曼荼羅をなすように構築されていたことであった。そのピースはまだ多く埋もれており、果てしない迷宮に迷い込む思いがする。最近も、渡辺麻里子氏に導かれて津軽深浦の円覚寺聖教の内に、醍醐寺からもたらされた、その註解口決にあたる『御遺告秘決』を見いだした（『深浦円覚寺調査研究報告書』第三集、二〇二一年）。おそらく今後も、歴史の彼方に埋もれた文観の著作は発見され続けるに違いない。

真言密教に限らないが、こうした迷宮を導くのも、やはり「間宗教テクスト」の役割であった。最近、改めて注目されるのが、文観を指弾した宥快『宝鏡鈔』に先立ち、鎌倉時代の半ばに当時の真言密教界に広まった異端の邪流を告発し批判するために心定が著した『受法用心集』である。これは、かつて「立川流」の実態を明かすものとして紹介されたものだが、それが誤った不当な理解であることを彌永信美氏によって指摘されて以来、再検討が求められていた。そこに、末木文美士氏によって高山寺蔵鎌倉古写本が紹介されたことが契機となり、このテクストを解読して注釈を施すための共同研究が始められた。多くの中堅・若手の研究者が集い、海外の研究者も参加して進行しつつある研究の成果が、注釈とともに論文として提示されたとき、中世仏教世界の景観は確実に変貌するだろう。

この研究上の文脈から、改めて読み直しを企てているのが、中世仏教の流れの中で〝破邪顕正の書〟と言うべきテクストの系譜である。それは、院政期の台密と東密の間で交わされた論争に始まり、やがて顕密の諸宗と浄土宗及び真宗と禅宗との間で、またはその内部で交わされた論争や、メッセージの運び手となる一群の宗論書である。そのような役割を果たすべき〝宗論テクスト〟が、説話絵巻というユニークな形態をとって生み出された『七天狗絵』も含めて、これらの「間宗教テクスト」の最もめざましい働きを示すテクストが、説話文学研究にとって無視できない重要な研究課題たりうる可能性を、改めて指摘しておきたい。『七天狗絵』は、その画中詞で、「是害房」説話に言及し、その伝承を前提に一篇を構想しているのである。

最後に、今、取り組むべき私自身の課題によって締めくくりたい。それは、日本全国が直面している地方・地域の過疎空洞化にともなって生起している歴史的な史資料や文化遺産の消滅・散逸という状況にいかに対抗するかという、もはや逡巡を許さない事態（度重なる震災や、パンデミックにより加速される急激な社会変容は、その危機を一層露わにする）に臨んでの、研究から発信するささやかなアイデアである。それを、かねて提唱している人文学アーカイヴス・ネットワークと結びつけ、全国各地での取り組みの成果を互いに共有することで、個々の研究情報とデータを相互に活かせるようにしたい。今、あらたなフエーズに入ろうとしている国文学研究資料館による大型学術プロジェクトが、そうした状況に手を差し伸べることができるかどうか、これから説話文学研究に関わる一人ひとりにかかっていると思う。そのために、私も参与するひとつの実践が、久野俊彦氏と小池淳一氏による奥会津地方の修験寺院蔵書調査に始まる真言寺院聖教の網羅的な調査と、地域自治体と協同して取り組む宗教文献と古典籍の広域アーカイヴ化である（『説話文学研究』五九号シンポジウム記録、二〇二四年九月刊行予定）。二〇二二年の秋、再開した只見線に乗って奥会津に赴き、国文学研究資料館の齋藤真麻理氏、そして近本氏も参加して、一同でその聖教群の価値と意義を、伝承された地域の方々と語り合ったのだった。そうした積み重ねを、どう生かしていくか、我々に託されたフィールドとテクストは、果てしなく未来に続いていく。

探し物と考え事
——現代の注釈の場

伊東玉美

わたくしが説話文学会に入会したのは、今から四〇年前、一九八三年（昭和五八年）のことだったが、その頃の説話文学会の、今のシンポジウムに相当する企画は「研究発表会テーマ」と呼ばれており、初めて参加した一九八二年のテーマは『今昔物語集』本朝世俗部をめぐって」で、森正人先生、小峯和明先生、そして今野達先生（発表順）のご報告、活発な議論を、今もありありと覚えている。その前年のそれは「『江談抄』と『古事談』」で、この頃はテーマに説話集の名前の入ったものは珍しくなかったが、一九九二年に「研究発表会」が「公開シンポジウム」に名を変えた頃から、説話集の名前が入った催しは減少していった。絵画と関係する『天狗草紙』や『病草紙』などを除けば、二〇二三年度九月例会の『宇治拾遺物語』は、二〇〇二年の「『唐物語』をめぐって」以来、二一年ぶりの、「説話集」に注目した催しであったことになる。

その席上、高橋貢先生が「かつての説話文学会は、一人でも研究しやすい課題ではなく、学会の場で力を結集して学ばねばならないと思われる問題を優先して扱って来たので、例えば『今昔物語集』や『宇治拾遺物語』といった作品は、取り上げられにくかったのだ」といった趣旨のお話を皆にして下さり、シンポジウムテーマの傾向についての、積年の疑問の根本が氷解した。

説話文学会で繰り広げられている研究スタイルの主軸には、わたくしの言葉で言えば、大きく分けて「探し物」と「考え事」があると思う。両者を併用しながら論じ、探求していけるなら、そういう研究成果は、より優先して意識せねばならない研究史となりやすく、どちらか一方にあまりにも偏ると、実のところ少し迫力のない論で終わってしまうようだ。例えば、せっかくすばらしい資料を探しても、その価値を論じる段になると、いつも別の人の編み出した既存の論任せであり続けたり、ひらめき優先で、それを論証する説得力のある資料（証拠）を伴わなかったりする場合である。ただ、利き手・利き足があるように、人によって自ずと置きやすい軸の位置はあり、それがその人らしいスタイルになるのだと思う。

時代によって、軸の置き方には一定程度流行があり、かつてはあるアプローチが必須だったものが、その論点が踏まえ尽くされると、また別のアプローチが尊重されるようになる、という変遷は、それぞれが感じているところであろう。

「探し物」派か「考え事」派か。時代の主な潮流に乗ろうとするのか、しないのか。学会に属する研究者にはいろいろなタイプがあり、だからこそ集う価値があるわけだが、どういうスタイルの人に対しても、説話文学会が提供できる、共通して役に立つ企画には、講演会・シンポジウム・研究発表会といった集いや『説話文学研究』誌面以外に何があるだろう、と考えると、わたくしはいろいろなレベルの「注釈」ではないかと考えている。この論集の中で言えば、本井牧子氏が、説話文学会六〇周年記念大会ラウンドテーブル「説話文学研究つぎの六〇年に向けて」の「説話集研究の現状と今後」で注目されたことと、重なる部分があると思われるが、ここでは、わたくしの関心から、「注釈」について述べてみたい。

一つ一つの記事だけ分かっても、作品全体の目指すもの・資料全体の価値や傾向は分からない、という場合はもちろんあるのだが、肝心な箇所の意味は分からないまま、全体の傾向は分かる、ということも、実際には少ないように思う。また、勘所となる記述の解析を後回しにしたままの論考に対して、受け留め手側は、「この研究は、まだ全体を論じる地点に至りついていないようだ」という印象を持つことになろう。その点注釈は、一定程度まんべんなく、そして勘所にこそ施される必要があり、肝心な箇所を避けて通ることはできない形態の表現である。

注釈のつけ方にも巧拙はあり、読者が知りたいであろうことを先回りして施注するサービス精神が求められる。現代語と語感の違う語、主語に注意が必要な箇所、背景が分からないと意味が通じないところなどには、ぜひ注が欲しい。本文より注が長くなるといったことは、スペースの制約のある注釈の場合、おおむねマナー違反である。しかし、語釈ばかりではなく、時々は適切な用例や解説も記してくれないと、読者としては施注者への信頼が増していかない感じがする。自分の知識を示すことが根本で優先されている注も、スマートではない。それらの兼ね合いと誠実さが、施注の総合的な価値を決めていると思う。

　これらは、どんなものにも品質があり、注釈にもそれがあるというだけの話かも知れないが、すぐれた研究者であっても、施注に秀でていない場合というのが時々あることに、読者として気づかされることがある。その原因を想像してみると、注釈の仕方を学ぶ機会が、以前よりも減っているからではないかと思う。

　施注する立場になる人で、古典文学自体に関心がなく、あるいはあまり読んだことがない、というケースは稀であろうに、どうしてそういうことが起きるのか考えてみると、以前に比べ、注だけを頼りに古典を読んだ経験があまりないからではないかと想像される。注を必死で読んでいくと、自ずと施注のポイントを体得していくことになる。しかし、注以外（以上）のサービスを、古典のシリーズで早くから提供されることが増えると、例えば全訳や見出しで急いで全体像をつかむことが優先され、必要でなさそうな注までいちいち読むケースは減るだろう。入学試験問題でいえば、リード文のついた問題のような形式で、古典を読む場合が増えて来たために、一定数の古典の本を読んでいれば、自ずと施注の仕方が分かる、という道筋は細くなって来ているのではないだろうか。

　しかし、学校の教科書が、本文と注の形式を踏まえていることもあり、注釈つき古文の形式に慣れ、活用法を知っている熱心な読者は今も多い。

　一般読者の需めに学術研究が直接的に応えられる限られた場としても、また、研究の軸足が異なる研究者同士が共に集える場としても、まだ施注されていない作品・資料の注釈書を発行し、基礎的情報を外部にもたらすと同時に、施注の仕方について学ぶ機会を、学会が内部に提供できたらよいと思う。それは、技能の伝授ということに留まらず、注釈は「探し物」と「考え事」をつなぐ、重要な接点でもあると考えるからである。

　探し出して来たばかりのものは、すぐには施注の対象になりにくい。発見を知らせ、大まかな重要性を共有した後に、簡単でもよいので施注されれば、「考え事」の対象として、その作品や資料を活用する場合にも、大いに助けになる。もちろん研究の進捗に応じて、初期の注は淘汰されていくだろうが、それが具体的な読みや資料活用の、目に見える目標や目安にもなる。

　注釈は、例えば研究を顕彰する、各種の賞の対象にならないことがほとんどである。研究は論じるところまで練り上げて初めて提示できるものであり、ある記述、ある場面についての個々の説明を積み重ねるだけでは、まだばらけた素材であって、塊やうねりを成していないからだろう。論にするためには、多少の無理をしてでも、素材の中から何らかの共通点を見出し、骨格を形作らねばならないので、どうしてもいったん横に払いのけていかねばならない素材が出てくる。ある論のためには払いのけられても、また違う観点から見ると、意義がある材料群かも知れない素材たちをである。

したがって、全体をまんべんなく対象とせねばならない「注釈」は、ある論を編み出す材料を提供する後押しになるだけでなく、まだ生まれ出て来ない新たな論の材料になるかも知れない、いったんは淘汰される材料についても、活用の芽を出させる助けになる作業でもある。

説話自体、様々なジャンルの「素材」の性質を持っており、どういう角度から切り取るかによって、無限の用い方が可能だろう。そのことが、説話文学会全体の成長の源になっていると思うが、一方では、自分が関心を持つアプローチ以外への、一定の無関心も招き兼ねない深さで、それぞれの研究が進行している側面も否めない。

「深める」と同時に「広げる」経験を共有しやすい環境作りのために、少し意外な共通基盤として、「注釈」の場を、本学会が提供できたらよいのではないかと思い描く次第である。

説話文学と絵画

石川　透

一、はじめに

説話文学研究において、その絵画を含めての研究の歴史は、そう長くはない。特に、『今昔物語集』や『宇治拾遺物語』といった、説話文学と聞いて誰もが思い浮かべる作品については、ほとんど研究がないのである。理由は単純で、それらの説話集の古い絵入り本は、残念ながら、現存していないからである。

江戸時代より前であるならば、『今昔物語集』や『宇治拾遺物語』の写本自体が多く作られていないのであるから、これはいたしかたのないことである。これらの説話集の本文すべてを含めた古い絵入り本が、いずれ出てくることを期待するしかない。

江戸時代になっても、説話集の本文全文が入った絵入り本は、平仮名本の版本くらいであろう。江戸時代前期に制作された奈良絵本・絵巻は、当時出版された絵入り平仮名本を元に制作していることが多いので、奈良絵本くらいは制作されている可能性がある。

現に、フランスのパリのチェルヌスキ美術館には、『古今著聞集』の奈良絵本二〇冊が保管されている。

ただし、説話集全体を絵巻にした作品は、これまでのところ出てきていない。おそらくは、説話集全体では長すぎるために、絵巻に仕立てた場合には膨大な作品になってしまい、制作が困難であったのであろう。それは、いまだに、『源氏物語』の本文全文を含めた絵巻が見付からないのと、同じである。

二、説話文学作品の絵画化

では、説話文学作品の絵入り本がないのかと言えば、かなり存在しており、それらのいくつかは、すでに紹介・研究されている。

これは、説話文学という範囲の問題とも関わることであるが、以前から神社仏閣に保管されていた軸物の研究は行われていた。軸物のテーマは、寺院の由来を語る縁起系の内容だったり、創始者である高僧たちの伝記であったりするのであるが、説話的な内容が多いことから、その調査・研究が行われ、場合によっては、その絵解きの内容を記した書の本文との比較研究も行われている。

その絵解きのために作った軸物を、絵巻にしたような作品(もちろん、逆に、絵巻を軸物にした作品もある)も存在している。これらの縁起や人物伝を記した絵巻は古くからあるが、こうなると、説話文学研究からずれる印象を持つ方は多いであろう。

ちなみに、現存する絵巻物として、最大クラスの分量を有する作品としては、『法然上人絵伝』が複数あるが、基本的には四八巻の作品である。『聖徳太子伝』は、数多くの写本が古くから制作されているが、絵解きの軸物はあっても、なぜか、その絵巻物は少ない。もし、『聖徳太子伝』が絵巻物として制作されれば、相当に長大なものになったであろうが、今のところ、簡略化されたものや、版本の絵本くらいしか出てきていない。

三、説話集の絵巻化

著名な説話集が絵巻として作られた例は少なかったと思われるが、説話集のごく一部が絵巻として制作された例は少なくはない。近年報告された例としては、山口眞琴氏「奈良絵本『宇治拾遺物語』における改作について」(『言語表現研究』三三、二〇一七年)は、絵巻物として制作された『虎物語』についての論文である。

もちろん、古くから指摘のあったように、奈良絵本『るし長者物語』は『宇治拾遺物語』の本文を利用している可能性が大きい。一方で、『今昔物語集』の説話を利用して成立したとされる縁起や高僧伝、さらには、『是害坊』『俵藤太』『羅生門』といった作品群は、類話と見ることはできるが、『今昔物語集』の本文を利用した、とは簡単には断定できない。

ということは、『今昔物語集』は、古くから存在する類似の説話が多くあるため、『今昔物語集』を直接利用して成立したとは言いにくいのである。

たとえば、真田宝物館が所蔵する『祇園精舎』という絵巻は、祇園精舎の由来を記した絵巻であるが、その本文を調べると、『今昔物語集』等の説話集を利用したのではなく、その本文は『太平記』を利用していたのである(拙論「真田宝物館蔵『祇園精舎』の意義」『中世文学の展開と仏教』『奈良絵本・絵巻の生成』所収）。

このように、少なくとも江戸時代前期に制作された、説話集系の奈良絵本・絵巻については、『太平記』や『源平盛衰記』の本文を利用していることが多い。おそらくは、江戸時代初期には、『太平記』と『源平盛衰記』の版本が大量に作られており、『今昔物語集』や『宇治拾遺物語』の版本より、簡単に手に入ったからであろう。ということは、説話集を利用したと言われてきた作品についても、『太平記』や『源平盛衰記』の本文を点検する必要があることになる。

絵入り本の研究をする場合には、江戸時代前期の出版事情を考慮しなければならない、ということはしばしばある。版本の例であるが、以前、『桜川物語』という版本が新出の作品のようにして紹介されたことがあったが、それは、浅井了意作とされる『大倭二十四孝』（寛文五年〈一六六五〉刊）の一部であった。江戸時代では、本来は説話集的な作品であっても、その一部が利用できると思えば、独立させて一つの作品のようにして出版していたのである。

こういった例もあるために、一つの説話が奈良絵本・絵巻として存在していても、何をどのように利用して制作したかは、深く検討する必要があるのである。

『今昔物語集』や『宇治拾遺物語』は、その本文すべてを奈良絵本・絵巻に仕立てることは難しかったが、その一部を独立させて一巻や二巻で奈良絵本・絵巻を制作することは、しばしばあったと考えられる。

四、『宇治拾遺物語』絵巻の存在

奈良絵本・絵巻は一七世紀を中心に制作された作品であるが、ここに、一見古そうに見える絵巻物がある。内容は、明らかに『宇治拾遺物語』の説話の内四話を記した、一軸の絵巻物である。『宇治大納言物語』と題し、巻末には、冷泉為恭の署名がある。

情けないことに、まだ精査できていないので、偽物の可能性がないわけではないが、あの伝説的な幕末の冷泉為恭の作品であるとすると、たいへんおもしろい。ここに、その書誌を記す。

所蔵、架蔵
形態、絵巻、一軸
時代、［江戸末期］写

表紙、繍表紙
外題、題簽「宇治大納言物語」
内題、「宇治大納言物語」
紙高、二〇・五糎
字高、一七・三糎
挿絵、五図
奥書、「冷泉三郎為恭拝写之」

冷泉為恭（一八二三～一八六四年）は、本来は岡田氏であるが、復古大和絵の絵師として知られている。当時の尊王攘夷派に敵視され、四二才で殺された人物である。その人生も説話的であるが、その絵が復古調であった。本絵巻も、署名さえなければ、もっと古く見える作品である。

この絵巻を、何かを元にして写したのか、絵の部分は独自に描いたのかは、簡単には分かりそうもない。一部ではあるが、本絵巻の写真を四枚掲載して、本稿を閉じたい。

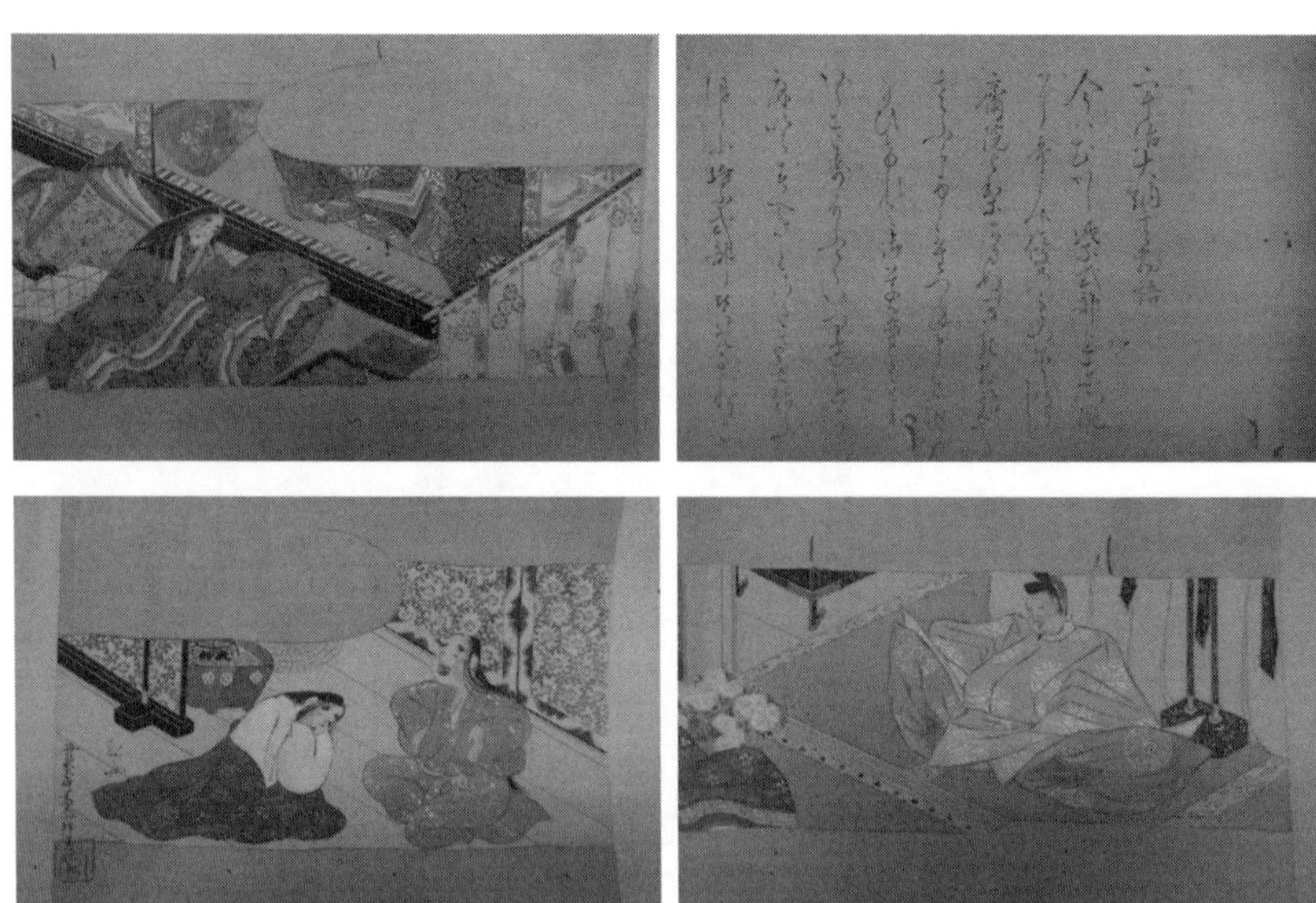

表象をつなぐ
——画題と説話研究

齋藤真麻理

説話文学の研究者で、国立国会図書館の古典籍資料室や、デジタルコレクションを利用したことのない方はほとんどいらっしゃらないのではないだろうか。現時点で古典籍資料室には貴重書をはじめ、古典籍や清代以前の漢籍、蘭書等を含めて約二九万冊が所蔵されており、一〇万点のデジタル画像を閲覧できる。思いがけない出会いに恵まれることも少なくない。

その一つとして、寛文延宝頃の作と思しい「花いくさ」を紹介したい（DOI: 10.11501/1286972）。濃彩の美麗な絵巻一軸で、詞書はない。舞台は中国の宮廷、女主人公のもとへ牡丹など大ぶりの花々が運ばれる光景から始まる。宮女は二手に分かれて花を手に打ち合い、さらには逆勝手に家臣を従えた貴人が現れて、華やかな争いを見つめる。決着はつかず、場面は庭へと続き、再び貴人が見守る中でより激しい「花いくさ」が展開する。最後は女主人公が逆勝手に現れ、悠然と椅子に座し、宮女に傅（かしず）かれるさまで終わる。

この絵巻は書題簽に「花いくさ」とあるのみで奥書等を持たず、未詳作とされてきた。しかし、多くの牡丹や、女主人公の居所の帳に描かれた鳳凰が指し示すのは、楊貴妃をおいてほかにない。恐らくは玄宗と楊貴妃の故事「風流陣」に取材した作であろう。玄宗・楊貴妃の故事がいかに愛好されたかは、五山詩や一連の「玄宗皇帝絵」がよく物語っており、時には画中画にも「玄宗皇帝絵」が描かれて物語世界を豊かに彩っていた。その故事は、室町期の古写本や古活字版が伝わり、今日の体裁が中国明代以降に整ったと考えられる『開元天宝遺事（かいげんてんぽういじ）』をはじめとする諸書に見え、狩野派の画論『後素集（こうそしゅう）』も画題「風流陣図」を挙げて「明皇と貴妃、酒酣の時、宮女百余人を両陣にわけ太液庭にて花枝を持、相たゝかふ、是を見て楽める体」と説明する（拙稿「室町物語と玄宗皇帝絵——『付喪神絵巻』を起点として」『和漢のコードと自然表象 十六、七世紀の日本を中心に』勉誠出版、二〇二〇年三月、竹村則行「「開元天寶遺事」の傳本について——日本傳存の王仁裕自序をめぐって——」『文學研究』

「花いくさ」（国立国会図書館デジタルコレクション）

一〇二、二〇〇五年三月など参照)。

こうした作例は、文学研究の立場から絵を読むことの面白さ、重要性を改めて教えてくれる。周知のとおり、御伽草子絵巻などは本文と挿絵の双方が享受層や時代性によって変容し、齟齬を生じた例が散見する。従って、挿絵を本文に従属するものと限定せずに、より広い視野から変容を招いた作用のありかを考え、絵画表象の背後にある教養世界を読み解く必要があろう。そのためには説話研究ならではの手法と知見が欠かせない。絵画表象は、豊かなことばや説話世界と深く繋がっているからだ。

『説話から世界をどう解き明かすのか：説話文学会設立50周年記念シンポジウム［日本・韓国］の記録』（笠間書院、二〇一三年）から一〇年、デジタル画像の公開は国内外で急速に進んだ。同書には見えないDOI（Digital Object Identifier）やIIIF（International Image Interoperability Framework）などの用語も、当たり前に使われるようになった。国立国会図書館や国文学研究資料館、京都大学、東京大学等々、また、e国宝や海外の諸機関等が同様の枠組みで画像公開を行っており、研究環境は大いに向上している。だが、「花いくさ」に引き寄せていえば、説話研究の視点から絵画表象を読み解くには、画題や題画詩、画賛の存在を等閑に付すことはできない。たとえば、デジタル画像とデジタルテキストを連携させ、画論や五山詩、とくに類題詩集などの用例も含めて、網羅的かつ横断的に検索できるような環境を整えられないか。画題を起点とする時代の好尚を、図様の変容とともに検する道も拓(ひら)けるだろう。漢故事由来の画題であれば、狩野派の粉本に焦点を絞っても面白い（国文学研究資料館編リーフレット「粉本画像を読み解く――麻布一本松狩野家資料への多角的アプローチ――」、二〇二四年三月）。膨大な粉本群には豊かな教養と時代性、諸派のエッセンスが凝縮されているが、ほぼ手つかずの研究資源であり、デジタル画像の公開も進みつつある。隣接諸学と結んで、その活用を考えてみる余地は十分ある。IIIF画像を活用すれば座標軸を指定して容易に注釈を施すことができ、紙媒体に比して加筆修正の自由度も高い。すでに個人レベルで利用できる注釈ツールも開発されている（通称「顔コレ」）。同様の方法によって書体や書風なども検討対象にできるかも知れない。

　加えて、画像の比較から差分を検出することで、同一工房で制作された奈良絵本・絵巻を見出し、制作実態を浮かび上がらせるなども期待されよう。実際、国文学研究資料館蔵『大黒舞(だいこくまい)』と成蹊大学図書館蔵『竹取物語』、国立国会図書館蔵「諸芸画」、コロンビア大学蔵『浦島太郎』などは特徴的な衣装の文様や面貌表現が一致する。システマティックに画像の差分検出ができるようになれば、さらなる成果と課題が見えてくるだろう。

　一方で、デジタル画像の過渡的な現状も意識しておかねばならない。たとえば、デジタル画像は細部を検証するには便利だが、絵巻全体のすがたを観るにはいささか不便である。長尺の作品の場合、現段階では一部を重ね撮りしながら一定の幅で撮影したデータが作成され、予算の都合も手伝って、画像接合は行わずに公開される場合が多い。従って、読者はコマ切れの画像を眺めていくことになるのだが、実際に絵巻を手に取って披(ひら)けば、その動きとともに人物や景物が現れ、物語は生き生きと動き始める。先の「花いくさ」であれば、末尾で逆勝手に楊貴妃が現れるという流れは、彼女の側が勝利を収めた顛末を読者に体感させる仕掛けとなっている。この体感は読書体験そのものといってもよい。そこで五山詩を検すると楊貴妃の勝利を謳った例が見出され、「花いくさ」の表象世界はそちらと繋がっていた道すじが見えてくる。

付言すれば、ここ半世紀近く、絵巻の研究には『日本絵巻物全集』（角川書店、一九五八〜六八年）から『続々日本絵巻大成』（一九九三〜九五年）等に至るまで、続々と刊行された大型本の叢書が基本の参考文献であった（荒木浩『古典の中の地球儀　海外から見た日本文学』NTT出版株式会社、二〇二二年）。これらは解像度ではデジタル画像に遠く及ばないが、資料の特性に鑑みて、できる限り長尺で絵巻の全体像を提示した利点は小さくない。その一例がボストン美術館蔵『化物草子』の最終話、男に化けた案山子(かかし)と寄る辺なき女の哀話である（『新修日本絵巻物全集』別巻2、角川書店、一九八一年）。挿絵には構図の近似する出会いと別れの場面が描かれているが、長尺の図版によって、二人の位置は後者の方が離れていることを即座に視認できる。その空間には二度と相まみえることのない運命や、人間の抱く根源的な孤独まで込められているように感じられる。こうしたかつての長尺による図様公開と、やや断片化された高精細のデジタル画像と、現在は過渡的な段階にあるといえようか。むろん、個別の作品によっては画質の優れた影印も刊行されているが、全体図より、解像度を上げた部分図の提示に力点を置く傾向が強い。また、撮影方法の工夫やデータ分析技術の開発、古典籍のマテリアル研究等も始まっている。いうまでもなく、デジタル画像やデータベース等だけでは研究は完成しない。原本にあたる折々の光の加減やそれがもたらす陰影、料紙の手触りや持ち重り、空気感。デジタルデータの特質を問い返しながら、原本に触れ、原本を知ることによって、「読書」の意味を考えていく態度を大切にしたい。

説話と変形菌の汎世界性を見つめて

杉山和也

説話の汎世界性

神話学者・高木敏雄は『比較神話学』（明治三七年〈一九〇四〉）の中で、「メールヘン」について「遊離説話」、「童話」、「お伽噺」、そして「説話」という訳語を示した上で、次のように述べている。[1]

独り遊離説話に至りては、宗教の束縛を受けず、民間信仰の抗束を免がれ、娯楽或は教訓をば、その最大目的として、国民の何れの部分にも、自由に伝唱せられ得る特質を具え、且つその性質、極めて単純清素にして、極めて了解し易く、極めて記憶し易く、一定の人格と、一定の方処とに関して物語らるると云うが如きこと無くして、任意の人格と、任意の方処とに、自在に適合するの自由性を有し、且つその根本的性質に於て、国民的ならずして世界的なり、人種的ならずして人間的なるを以て、些の束縛なく、些の制限なく、至る所に伝播するに至る。之を称して、遊離説話の伝播性という。

つまり、説話の中には、その内容の簡明さ、面白さ、記憶しやすさ故に、民族にも、宗教にも、言語にも束縛されずに「遊離」するものが含まれているわけである。瘤取爺や羽衣伝承、歌い骸骨など、実際、そうした例は枚挙に暇がない。そして、その根本的性質について、「国民的ならずして世界的なり、人種的ならずして人間的」とも述べている。明治期初頭、西欧人たちの間で『宇治拾遺物語』が注目を集めた背景には、こうした説話を全球的（グローバル）に比較研究することに対する当時の西欧の学界での関心の高まりがあった。そして、『宇治拾遺物語』への関心は『今昔物語集』への関心を呼び起こす要因とも成り得た。芳賀矢一の『攷証今昔物語集』を始め、日本の研究者たちによる説話学の黎明は、先行していた西欧の日本学での説話学を受けたものだったと捉えるのが自然だろう。[2]

南方熊楠の学問の射程

ところで、日本での説話学の黎明期に活躍した人物の一人として南方熊楠がいる。[3] 彼は在野の研究者で、人文学のみならず自然科学の研究も行っていたことでも知られる。南方が関心を持っていた研究領域としては、民俗学、説話学、性科学、人類学、宗教学、自然史、変形菌（粘菌）、隠花植物、藻類、菌類などが挙げられる。南方は、澁澤龍彦が評したように「悦ばしき知恵（gai savoir）」を地で行っていたのだろう。[4]「自由独行」なままに「智」を堪能していた。それ故、反面、学問の公共性ということへの意識は、しばしば二の次だったようだ。だから、南方の研究は分かりづらい。一見すると、南方の関心の在り方は、確かに散漫で脈絡がないように見える。けれども、その実、そこには一貫したものがあるだろうと私は考えている。南方は様々な次元での〈自己〉に対して、多くの〈他者〉を設定している。日本人としての〈自己〉、東洋人としての〈自己〉、人類としての〈自己〉、動物としての〈自己〉、生命体としての〈自己〉…。南方は、それぞれに対する〈他者〉を徹底的に追究する。そのためには、自ずと様々な研究領域に足を踏み入れる必要があった。そして、その追究を通して見極めたかったのは、結局、〈自己〉存在そのものに他ならなかったのではないか。〈他者〉に対する飽くなき探究心は、恐らく〈自己〉へのそれと表裏一体だった。それは、生涯にわたり折に触れて、自分自身の姿を写真に収め続けるという、強烈な〈自己〉意識に支えられた行動原理とも矛盾しない。様々なことをしているようで、その実、〈自己〉存在の飽くなき探求ということで、一貫性があるように私には思えるのだ。

変形菌の汎世界性

南方の自然科学の研究としては、変形菌のことが特に有名だ。大正一〇年（一九二一）には、自宅の庭の柿の木から発見した変形菌が新種・新属と認められ、ミナカテラ・ロンギフィラと名付けられた。その認定の際に協力を仰いだのが、アーサー・リスターと、娘のグリエルマ・リスターだが、彼らの著書『改訂版・変形菌モノグラフ（*A Monograph of Mycetozoa*）』第二版、一九一一年（一八九四年、初版）では変形菌について次のように述べられている。[5]

これまでの変形菌標本の探索は比較的限られたもので

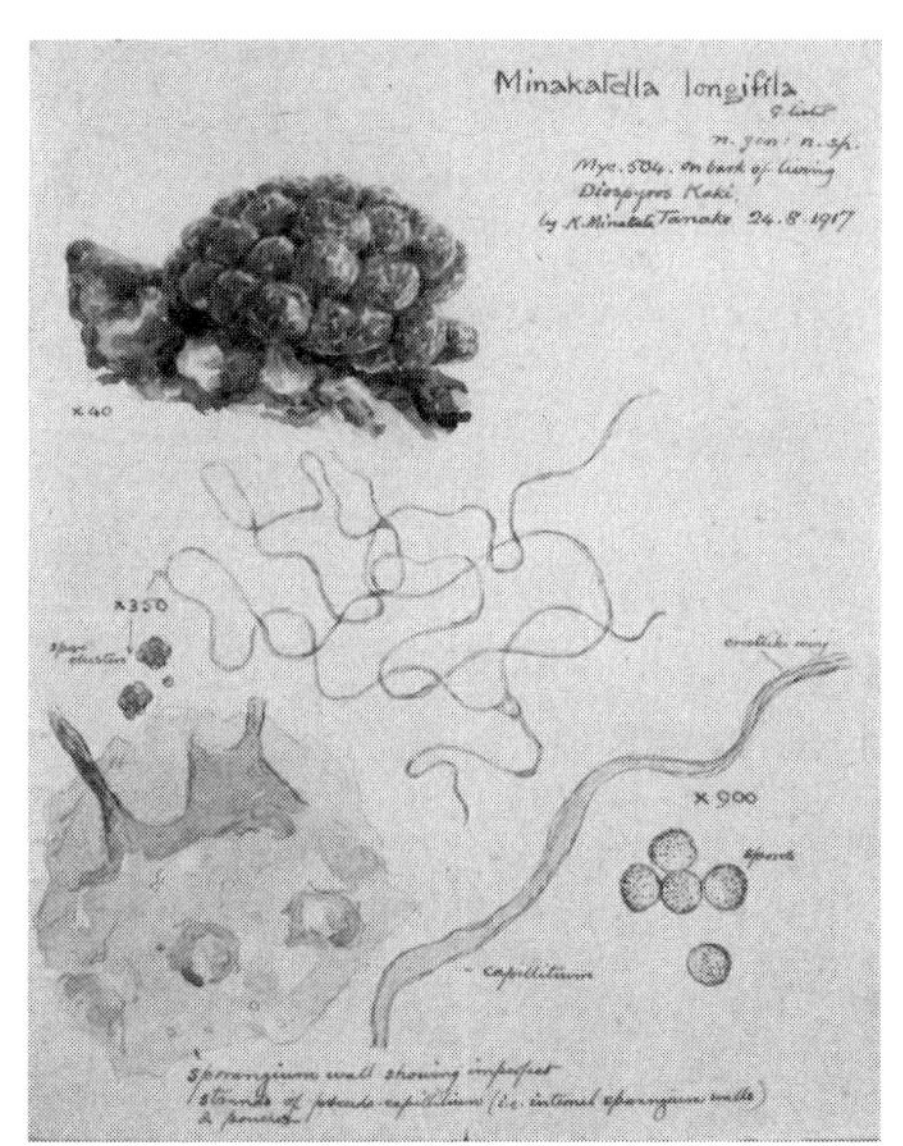

グリエルマ・リスター 画「ミナカテラ・ロンギフィラ」（南方熊楠顕彰館（田辺市）蔵）

はあるが――それが対象の小ささのためであることはもちろんである――それでも胞子嚢の耐久性のおかげで、半世紀以上、時には百年前にさかのぼって、多くの国で採集されてきた標本を、いまではいろいろな植物園で見ることが出来る。手荒な扱いを受けずにすんだ場合には、そうした標本はその種としての特徴を完壁に保っている。胞子が小さく、長期にわたって生命力を保つことによる、変形菌各種の分布の汎世界的な性格を考えれば、――我々はこう結論づけてもよいだろう――これまで探索がなされていなかった地域から、我々に既知の種数に大きな追加が今後なされるかどうかは疑わしい。現在までによく分かっていないのはその生活史であり、その方向にこそ未来の重要な仕事があるはずだ。

ここで示される短小さ、汎世界的な分布といった変形菌の特徴は、説話のそれと見事に重なりを見せている。なるほど、南方はきっと変形菌についても、説話についても、汎世界的な視座の下に研究を行っていたのだろう。南方の考えに寄り添って言えば、両者は「それほど多くの種類があるわけではない」という特徴も重なる。例えば、南方は「これにて、人間の想像の区域に大抵限りあり、材料に定数あることを知るべし」（明治三六年〈一九〇三〉七月一八日付、土宜法龍宛書簡[6]）などと述べている。人間の発想の在り方に限りがあるために、地域、民族、文化が異なっても、その説話や習俗、信仰に類似性や同一性が認められることがあると、南方は繰り返し主張しているのである。南方の中では、両者に対する研究の関心も方法も地続きであったように見える。[7]研究対象が汎世界的であれば、その研究が自ずと普遍性の追究へと向かうのも道理だろう。

文学の普遍性を追究する研究の不在

そんな自然科学への視座も持ち合わせていた南方の研究を踏まえて、翻って考え直してみると、そもそも学問というものは、普遍性を明らかにすることを目的の一つとするのが常ではないだろうか。自然科学も含め、所謂、理系とやらの研究を瞥見するだけでも、そのように言えるだろうし、言語学などもそうだろう。それに対して、日本文学も英文学もフランス文学も、それぞれの特殊性を明らかにすることにばかり焦点が当てられ、人類にとっての文学の普遍性という方向の研究は、ほとんど行われて来なかったことに気付かされる。[8] そして、その〝気付き〟から私は「文藝人類学」とでも言うような学問があるべきではないかと考えている。「国民」、「伝統」、「民族」、「宗教」といった価値基準で、その固有性や特殊性を追究するのではなく、ホモ・サピエンスの言語活動の諸相から、古今東西の共通項を抽出し、人類の創出し享受する諸文藝の普遍的な在り方、本質を問い直す。そうして、文藝とは何か、人類とは何かを追究する。その上で説話は、最も重要なトピックの一つと成り得るだろう。文学作品の傑作として名高い「ロミオとジュリエット」も「ハムレット」も、説話なくしては成立し得なかったし、[9] 羽衣伝承の汎世界的な広まりは、能「羽衣」、組踊「銘苅子」、リヒャルト・ヴァーグナーの歌劇「ローエングリン」といった作品の源泉となっているのだから。[10] 登張竹風（とばりちくふう）の回想に拠れば、高木敏雄の師でもある日本学者のカール・フローレンツは、その講義の中で「一メールヒェンに全力を注ぐことは、即ちまたファウストやワレンシュタインに全力を注ぐ所以である。メールヒェンは文芸の珠玉である。之を軽んずる者は文芸その者を軽んずるものである」[11] 云々と述べていたようだが、私もまた、この言葉に全く以て同感なのである。

注

1　高木敏雄は同書で「ミュトス」に対しても、訳語の候補として「説話」を挙げている。

2　拙稿「国文学研究史の再検討――『今昔物語集』〈再発見〉の問題を中心に」（『説話文学研究』五一号、二〇一六年八月）、参照。なお、同様のことは神話学についても、沖縄学やアイヌ研究についても言えそうだ。前者については佐藤マサ子『カール・フローレンツの日本研究』（春秋社、一九九五年）、後者については、山口栄鉄『英人日本学者 チェンバレンの研究：〈欧文日本学〉より観た評価』（沖積舎、二〇一〇年）など参照。

3 拙著『南方熊楠と説話学』（平凡社、二〇一七年）など、参照。

4 澁澤龍彦「悦ばしき知恵あるいは南方熊楠について」『朝日新聞』一九七六年二月一三日（飯倉照平・長谷川興蔵編『南方熊楠百話』〈八坂書房、一九八五年〉再録）。

5 翻訳は、田村義也「新種ぎらいの分類学――南方熊楠の変形菌研究――」（『熊楠研究』第六号、二〇〇四年三月）に所載のものに拠る。南方熊楠の変形菌研究については、この論文の他、萩原博光「変形菌（粘菌）」（松居竜五・田村義也編『南方熊楠大事典』〈勉誠出版、二〇一二年〉）、参照。

6 飯倉照平・長谷川興蔵・編『南方熊楠・土宜法竜往復書簡』（八坂書房、一九九〇年）。

7 三中信宏は、系統を推定して進化の歴史を復元する生物系統学など、自然科学の領域で採られている方法と、人文科学に於ける歴史学、伝本研究や方言研究の方法に多くの共通項があることを指摘している。今後、研究領域を越えた対話があることが望まれる。三中信宏『生物系統学』（東京大学出版会、一九九七年）、同『系統樹思考の世界』（講談社学術新書、二〇〇六年）など参照。なお、三中信宏の研究の存在については萩原博光の教示による。

8 比較文学という研究もあるが、比較は飽くまでも方法論であろう。私はこれを言語を操る存在としての人類の問題に還元したい。また、昨今、「世界文学」という言葉が注目を集めつつある。これはその一つの例外ではある。ただ、私としてはあらゆる面で不満を感じている。その誇大な呼称とは裏腹に、扱える対象が余りに狭小で、私は全く賛同しない。

9 南方熊楠に拠れば、「ハムレット」の元になったデンマークの説話「アムレット」については、世界中に類話が確認される。イスラーム圏にも仏典にも見え、さらには井原西鶴『武道伝来記』第七の「我が命の早使い」にも見えるという（「英雄美人叢談」『日本及日本人』第七四七号、一九一九年一月〈平凡社版『全集』第五巻、再録〉）。松居竜五「漱石のハムレットと熊楠のハムレット」（『熊楠 works』第五一号、二〇一八年四月）、参照。

10 水野祐『羽衣伝説の探求』（産報、一九七七年）、参照。

11 「ドイツ語懺悔」『登張竹風遺稿追想集』（郁文堂出版、一九六五年）。

古典を現代語訳する、ということ

田中貴子

二〇二三年は、古典文学の現代語訳にジャーナリスティックな注目が集まった年だった。「変わらぬ感性、今の読者に　続く「日本古典文学の現代語訳」」と題する新聞記事（日本経済新聞、二〇二三年五月三〇日付）には、町田康『口訳　古事記』（講談社、二〇二三年）と中嶋隆『好色一代男』（光文社古典新訳文庫、二〇二三年）の二作品が紹介されている。また、「令和の古典ブーム到来！古事記、源氏物語……現代に転生した「あの古典」がこんなにおもしろい理由」（三宅香帆、『群像』web版、二〇二三年一二月一四日付、https://gendai.media/articles/-/120524?page=2、二〇二三年一二月二六日最終閲覧）という記事も目にとまった。二〇二四年の大河ドラマの主人公が紫式部であることも契機となって、『源氏物語』を主とする古典文学の関連本も続々刊行されている。「池澤夏樹＝個人編集　日本文学全集」のなかから古典文学のみを文庫化するという「河出文庫　古典新訳コレクション」の刊行も始まった。こう並べてみると、古典文学が時ならぬブームを迎えているかのように見える。

しかしながら、これらの古典文学の現代語訳やリライトが一般読書人に普及することは喜ばしいものの、説話文学にはほぼスポットが当たっていないといってよく、その偏りは激しいようである。本稿では、古典文学の現代語訳を刊行した自分自身の体験も踏まえて（『好色五人女』光文社古典新訳文庫、二〇二四年）、説話文学を含む古典文学の現代語訳の現状と課題を述べることにしたい。

古典の現代語訳、という場合、ただちに思い起こすのが『リポート笠間』五九号（二〇一五年）の「古典の現代語訳を考える」と銘打たれた特集であろう。これは、前出の河出書房新社版『日本文学全集』を読んだ研究者からのレスポンスが中心となっており、説話文学に関しては小島孝之（『発心集』）、兼岡理恵（『日本霊異記』）、渡辺麻里子（『宇治拾遺物語』）の評が掲載されている。三氏三様の評だが、共通するのは、研究のための訳文と読者にわかりやすく楽しく読んでもらう訳文とはおのずから役割が異なるという、至極もっともな指摘である。いわゆる一般読者や作家は、現代語訳が付された「全集本」「新全集本」などを参看しても、読み物としては面白くないという感想を持つことが多い。とくに敬語表現については厳密に訳さないと研究に資することはできないが、これも過剰でわかりにくいといわれる。たとえば、『源氏物語』を全訳した角田光代は、

敬語や謙譲語の使いかたによって登場人物たちの身分の微妙な差や関係性がわかるという、この作品の特徴的なひとつのおもしろさは、思い切って削ってしまった」

（「訳者あとがき」『源氏物語　上』、河出書房新社、二〇一七年）

と、その立ち位置を述べている。リーダビリティーに主眼を置いた立場としては、ありうる方法かもしれない。

研究のための訳文と「読ませる」訳文が異なるのは当たり前なのだが、では、両者はまったく別の領域に棲み分け続けてよいのだろうか。それは、古典文学に対する読者層を分断してしまう行為なのではないかという危惧を抱く。河出版『日本文学全集』で現代語訳を手がけたのはすべて作家であり、光文社古典新訳文庫も作家、評論家が多い。古典を現代につなぐ試みとして意欲的かつ貴重なものであるがゆえに、読者がこれを読んで「古典文学研究者の仕事はつまらない」といった感想を抱くことがあるとするならば、それは古典文学の危機といっても過言ではないだろう。

だが、古典文学研究者は「研究は楽しい、古典文学はおもしろい」ということが自明の世界に生きているせいか、その「おもしろさ」を世間に発信することがあまり得意ではない。また、そういう仕事をしている者をいささか見下すきらいがなくもない。研究と一般読者を架橋する積極的な行動は、「ブーム」といわれる今こそもっとおこなわれてよいと私は強く思う。そして、作家たちがこぞって古典文学の世界へ進出している動きについて、何らかの反応をしていくのも研究者としてのつとめだろう。その意味で『リポート笠間』はほとんど唯一の反応だったといえる。

たとえば、光文社古典新訳文庫では大岡玲訳の『今昔物語集』が二〇二一年に出版されているが、これに対する説話研究者の見解を私はまだ見出してはいない。大岡の現代語訳は平易で、解説も研究書を参照した本格的なものである。過去に何度も言われてきたことではあるが、作家と研

究者との対話の場が設けられることがあまりないのが現状であろう。たしかに、学術誌にはこうした現代語訳評を書く適切な場がないことも事実であり、文芸誌に書ける機会はさらに少ないが、このままでは研究と読者との間は距離が開くばかりである。いうまでもなく、影響力は作家のほうが数段上なのだから。

河出版『日本文学全集』完結後、古典文学の訳者を集めて『作家と楽しむ古典』シリーズが三冊出されている（河出書房新社、二〇一七年）。トークショー形式による読者との交流を含むこの講演集で、『宇治拾遺物語』を担当した町田康は、今回の現代語訳は曲のカバーに似ているという指摘に対してこう述べる。「原文にないことは書かない。原文から聞こえてくる音以外はつけない」。しかし、カバーであるなら編曲はおこなうわけであり、実際「鬼に瘤取らるる事」で町田はかなり自分の解釈を取り入れた訳をしている。鬼に瘤を取られた爺が帰宅したときの箇所である。「妻の姥、「こはいかなりつる事ぞ」と問へば、しかじかと語る。「あさましきことかな」といふ」という原文の最後を、町田はこう訳している。「妻はこれを聞いて「驚くべきことですね」とだけ言った。私はあなたの瘤をこそ愛していました。と言いたい気持ちを押しとどめて」。これについて町田はこう述べる。

最後の一文は原文にまったくないことです。これは創作といえるかもしれません。ストーリーに関係ない部分ですけど、辞書的に訳しただけでは、せっかく登場しているお婆さんの内面が見えてこないですよね。

私は、町田の付け加えた一文を、原文通りではないと糾弾したいわけではない。ただ、これは現代語訳ではなく、町田独自の解釈が施された「新釈」である。とくに説話の場合、内面描写や登場人物の行動の理由を述べる部分がないに等しいので（それが「説話」の特徴でもあるが）、訳者の解釈を付け加えた段階で現代語訳の範疇を逸脱してしまうおそれが否めない。ある程度内面がうかがえる描写が原文に見出しやすい作り物語とは異なり、説話は訳しても原文とほとんど変わらなくなってしまうというジレンマがある。

読者がイメージとして抱く「現代語訳」、作家が創作すれすれの解釈を施した「現代語訳」、そして研究者が研究のために作った「現代語訳」を、内容に少しずつズレがあるにもかかわらずすべて「現代語訳」と称するのは無理があるし、誤解を招くこともあろう。一律に「現代語訳」という語でくくってしまうのはいかがなものか、と疑問に思う。作家には、作家独自の解釈で語り直した古典文学があってしかるべきであるが、そこに解釈が含まれるということは読者に周知しておく必要があるのではないか。

　このような考えがあって、私が『好色五人女』を「現代語訳」した際には、文体を工夫したものの極力原文に忠実に訳文を作成し、こう読み取れるのではないかという解釈は（　）でくくって付け加えることにした。それが最良の方法かどうかはわからないが、解釈を明示することが、研究者として「読ませる」訳文を作るための一つの選択だった。

　なお、「古典教材の未来を切り拓く！（コテキリの会）」でも紹介された、『作家さんと日本の古典を読んでみた！』（全三冊、ポプラ社、二〇二四年四月）は、子ども向けと銘打たれたものの、いわゆる逐語訳と作家による「読ませる」訳を上下段に組むという興味深い試みをおこなっている。

　さて、現代語訳というともう一つ気になっているのが、「現代語とはいつの時代をさすか」という点である。かつて橋本治が現代女子高生の言葉で綴った『桃尻語訳　枕草子』は巷間に衝撃を与えたが、一九八七年の刊行から四〇年近く経過した今、すでに女子高生言葉とは思えない、典雅とすら言える文体へと印象は変わった。一九八〇年代若者言葉で古典文学を訳すという歴史的価値は古びることなく文学史に屹立しているが、現代流布している「令和若者言葉訳」と称する古典文学の訳本は、おそらく三年も経たずに死語だらけとなることだろう。そこには橋本のような方法と企みがないからだ。

　一〇〇年たつと言葉も変わる。一〇〇年後に古典文学研究が残っていることを祈るばかりだが、一〇〇年後にも読まれうる「現代語訳」はどのようなものなのか、考え続けてみたい。「古典ブーム」が一過性のものとして消費されることのないように、作家と研究者、そして読者の協働はもっと試みられてよいと痛感している。

　最後に、私が高校生時代に求め、説話文学研究に向かうきっかけとなった一冊の本に言及しておきたい。百目鬼（どうめき）恭三郎『奇談の時代』（朝日新聞社、一九七八年）である。古代から近世にかけての様々な説話を、『古今著聞集』ふうに分類してその内容を紹介したものだ。益田勝実の仕事に触発されて説話文学の面白さに目覚めたと語る著者は、冒頭の「この本の宣伝のための架空講演」で馬場あき子の『鬼の研究』を痛烈に批判したうえでこう述べている。

> それよりは、格好が悪くても、私のこの『奇談の時代』のような手引書をまずお読みくださって、原典に対する興味をもたれるようにおすすめします。

本書はあくまで内容の紹介に徹しているが、それがむしろ高校生の私にとって次の段階に進むためのよき階梯になってくれた。現代語訳全盛の今、説話文学に限っていえば川端善明『影と花　説話の径を』（笠間書院、二〇一八年）などを除くと、こうした類の本をあまり見かけないのが残念である。中高の古文教科書で知った説話文学をもっと読みたいと思った学生が、何を読んでいいのかわからない状況なのだ。現代語訳以外に、読者と原典をつなぐ存在として、たとえば説話をキュレーションするような仕事も必要なのではないだろうか。私が思い描くのは、『太平広記』や『太平御覧（たいへいぎょらん）』のような類書的キュレーションである。類書や梗概書によって古典を知る営みは、江戸時代まで続く伝統でもある。単なる紹介にすぎないではないか、と言う前に、研究者ならではのキュレーション能力を発揮する試みは、膨大な量を誇る説話文学にとって裾野を広げる方法となるだろう。

説話文学を含む古典文学の研究論文が年々数を減じ、大学からも日本文学科が速度を増して消えつつある。説話文学研究の未来は明るいものとは言いがたい。当たり前のようなことばかりかもしれないが、今できる精一杯のことをしていく必要を感じている。

〈枠〉を超えて拓かれる説話研究

目黒将史

一、執筆動機〜六〇周年記念大会ラウンドテーブルに感じたこと

エッセイを依頼されたものの、こういうものは書き慣れておらずどうしようかと考えてみたが、先に行われた六〇周年記念大会ラウンドテーブルの内容に気になったことがあり、引き受けることにした。粗々とになるが簡単に述べていくしだいである。

二〇二三年七月一日、早稲田大学にて説話文学会六〇周年記念大会が行われ、「説話文学研究　つぎの六〇年に向けて」と題したラウンドテーブルが企画された。詳細な内容については、別に企画、論考があるかと思われる。テーマとしては、

一、説話集
二、軍記物語
三、絵画
四、能楽

という四つの切り口が用意された。ラウンドテーブルを聞きながら考えていたことは、今後の六〇年に自分の居場所はあるのだろうかということだ。すべてのテーマにおいて、言わば中世文学の作品が主流であり、中世文学会で行ってもよいような内容だ。「説話」という言わば広大な裾野が広がっているテーマは、ジャンルや時代区分、つまりは〈枠〉を超越できる研究であるはずである。研究者人口が少なくなっていくなかで、中世という時代以外の研究者に「説話文学研究」とは何なのかを示す必要性があるのではないだろうか。そうすることで、さらなる説話文学研究が拓けていくことにもつながろう。そんなことを考えていたのである。

もちろん今回のラウンドテーブルは、あくまでこれまでの研究史を踏まえて、今後どのように展開していくのか、拓いていくのか、を論じたものであるということは理解しているつもりである。しかし、今後どのように時代区分を越えて拓いていくのか見えづらかったことも確かであろう。

私自身、研究分野を尋ねられると、中世・近世軍記文学と答えているが、いずれは軍記という〈戦いの文学〉の専門であると、時代区分を外すことができればという思いがある。中世と近世の間を彷徨（さまよ）う者だからこそ、最近考えていることを、ラウンドテーブルの内容に沿って、あらあらと述べていきたい。

二、近世の説話集

説話というジャンルの確立から、これまで中世の説話集が説話研究の中心であったことは間違いない。しかし、近世にも説話集は存在するだろう（近世にかぎらず、例えば『伊勢物語』や『大和物語』といった物語文学にしてもそうなのだが）。まずは、今回（六〇周年記念大会）の研究発表の中にもあったが、西鶴の作品は説話集という分類で問題ないのではなかろうか。しかし、真っ向から説話研究として西鶴を扱った研究は数少ない。このあたりが中世文学研究と近世文学研究との壁を感じるところである。説話研究という概念を近世文学研究に持ち込むことができたならばその世界は大きく切り拓かれるであろう。

わかりやすいところで西鶴を挙げたが、ここでもう一つ話題としたいのは、未知の説話集についてである。近世は出版文化が花開いた時代であるが、写本も多く流布している（というより刊本の模写も含めたら、多く残るのは写本であろう）。ここに一冊の写本がある【図1】。これは十数年前、神田の古本街でたまたま見つけたもので、外題も内題もなく、何の作品かわからなかったが安かったのでとりあえず購入してみたものである。榛名山（はるなさん）のことや恋の百首、お多福絵のことなど記されている。唯一の手掛かりは、「甲斐国／建岡神庫／大八田」（正方形朱印）の蔵書印のみである。

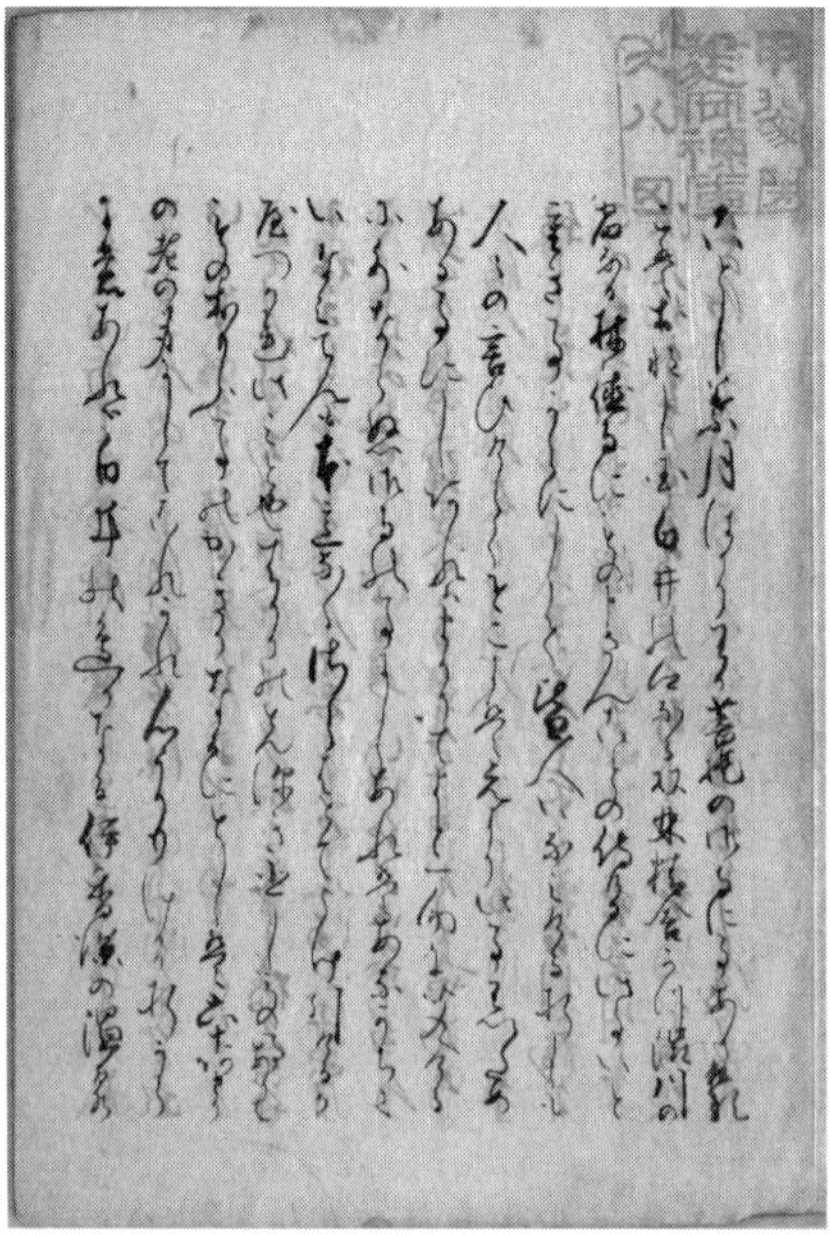

図1　架蔵本未詳説話集

山梨県の建岡（たておか）神社の旧蔵書かと思われるが、現在どのような状態なのか、蔵書がどう管理されているのかなど、これからの調査が必要となる。たまたま今年のゼミ生がこれに興味を持ってくれたので、何か明らかになるかもしれない。

　こうした説話集のような単一作品は、中世・近世研究の両方面からなかなか研究の俎上にあがってこなかったのではないだろうか。当然ながら、単作品を紹介するだけでは総体を見通すことはできないだろう。しかし、点を明らかにしていくことが線を結ぶ手掛かりになるはずである。また、この手のものが星の数ほどあることも理解している。だからこそ書籍との出会いを縁に見つけた者がその存在を明らかにする必要性がある。時代区分を超えてそのようなことができるのは説話文学会ならではないのだろうか。

三、戦いの文学のカテゴライズ

　軍記については筆者の専門ということもあり、様々なところで発信してきているつもりである。著書でも論じたように（『薩琉軍記論　架空の琉球侵略物語はなぜ必要とされたのか』文学通信、二〇一九年）、戦いの文学として時代を超えて相対的な研究が必要なのだろう。ただし、これは新たなカテゴリを作ろうというものではない。

　話はそれるが、筆者の勤務先は、地域創生学部地域創生学科地域文化コースである。そこからコア・ユニットで多文化共生と文化継承とに分かれる。コア・ユニットは分かれるが、その学びは切れていないと学生に説明している。そこで最近は多文化共生というのも一つの研究テーマとなっているのだ。さて、そこで考えることは、「多文化共生は本当に可能なのか」ということだ。まさにこれは今問題にしているカテゴライズの問題なのである。

　〈薩琉軍記〉は軍記なのか、軍記研究者は軍記として認識しているのだろうか問題である。軍記物語という名称の研究史は近代以降のカテゴリによるものだろう。近世には『平家物語』だって同じ軍書として読まれていたはずである。書名にしたって『薩琉軍記』という内題・外題をもつテキストが残されている。それが後から決められたカテゴライズにより、軍記というカテゴリから排除された。これが人であれば人権問題になるだろう。書籍にもそういう権利があるように思えるがいかが。カテゴライズは差別につながっていくのだ（ここで差別と区別とを論じても意味はない）。

　カテゴライズを超越しながら、相対的にまとまった言説研究を行う（当然テキストごとの性格の把握は必要）。説話文学研究には、そうした可能性をもった学問として大いに期待するところである。

四、近世に書写される模本群

最近、近世の模本についてふれる機会が多くなっている。「高知県立高知城歴史博物館蔵『後三年合戦絵巻』をめぐって」（『調査研究報告』四三号、二〇二三年）、村中汐吏・目黒「付喪神絵巻考——近世に広まった絵巻群に着目して——」（『県立広島大学地域創生学部紀要』三号、二〇二四年）などで述べてきたが、模本を詳しく精査して読み解いていくことが絵巻研究には求められている。論稿の繰り返しになり、また紙幅もかぎられることから、ここでは簡潔にまとめるにとどめたい。模本として書写されるということは、それだけ需要があったということだろう。その需要の内容は絵巻それぞれで異なるはずでその作為を読み解くことが作品の受容史を明らかにし、作品の性格も見えてくる。十把一絡に模本を扱うのではなく、模本ごとの特徴を精査する必要性があるはずだ。

五、地域に残る語り物

ラウンドテーブルでは、能楽であったが、ここでは「地域に残る語り物」と少々幅を広げたい。中国地方には神楽（かぐら）が残っている。最近の広島における神楽は、神事としてのものよりも大衆に向けた芸能としての神楽が広まっているようである。町おこしなどにも関わっているようであるが、神事かどうかとか、町おこしだからとか、そういうところにとどまらない問題を感じている。

ある日のことである。宮島に行く機会があり、そこで外国人観光客向けに神楽の紹介をしていた【図2】。鬼と鬼女と龍蛇（りゅうじゃ）がいたので、何の題目かよくわからなかった。その後、鬼がいなくなったので、これは『道成寺（どうじょうじ）』であろうと推測し、その場で説明している人に尋ねたが要領を得ない。結局その場では、よくわからないままになった。昨年、また別の機会があり、神楽を観覧した。そこで鬼女が滝夜叉姫（たきやしゃひめ）であり、龍蛇が八岐大蛇（やまたのおろち）であることを知った（鬼はよくわからず）。物語がない交ぜになっているのだ。ない交ぜと言うよりは、むしろめちゃくちゃで、物語がまったく理解されていないのである。地域において神楽を存続していくために、神事という枠組みを外れて、大衆演芸化し

図２　宮島の神楽紹介

ていくのはしようがないことにも思えるが、自分たちが何を演じていて、それがどのような物語なのか理解せずに演ずるのは、芸能としていかがなものかと思われる。

神楽を観覧していて感じたことは、武家物の多さである。『八岐大蛇』にしてみても、素戔嗚尊（すさのおのみこと）が剣をとり、大蛇と決戦する場面が中心となる。乱暴な物言いになるが、やはり大衆受けを狙うとチャンバラになるのだろう。この手の語り物芸能は古典の範疇である。能や幸若、歌舞伎にも武家物は多い。こうした語り物としての説話を、どのように地域のものとして継承していくことができるだろうか。そこには説話そのものを理解して発信することが必要とされるのではないだろうか。少なくとも外国人を相手に、衣装などの形だけで説明することが良いものとは思えない。今自分が暮らしている地域に、このような物語があるのだと胸を張って説明してもらいたい。

広島には、広島なりの説話があるはずである（例えば厳島合戦など）。そういった地域独特の説話を神楽という語り物を通して大衆に広めていく。そのような活動が求められているようでならない。今後どのように関われるのか、未知の部分があるが、広島という地域に根付いた語りを、少しでも残していけるように発信していきたい。

六、おわりに

今回は神楽の話題以外は、近世文学との往還に話を終始したが、「説話」という概念は時代を問わず、必要なものである。例えば、現代におけるオムニバス小説のたぐいを説話集と認め得るのだろうか。第二次世界大戦から八〇年が過ぎ、戦争体験者が亡くなっていくなかで、説話化・物語化も進んでくるだろう、そうしたものを軍記研究者は扱っていくのだろうか。高畑勲のアニメーションが古典を踏まえていることはすでに研究が進みつつある。それぞれに議論が必要であろう。

最近学生たちと話していると読解力の乏しさに驚く。これではネットニュースなども読めないのではないかと、ため息をつきたくなる。写真や動画も平気で「嘘をつく」。しかも最近では、一見してそれが嘘か実か判別できない。「嘘をつく」と述べたが、これは説話としてこちらに問いかけているとも言えるのではないだろうか。ようするに、そこに「作為」があるということである。古典の説話集にだって編者の作為があり、皆がそれを読み解いているように、現代で流布しているさまざまな言説、写真や動画も、発信者の作為を読み取らなければならないはずである。そうしないとフェイクにだまされることになる。今の現代にこそ「説話」という概念が必要なのかもしれない。説話を読み解く力が現代人には必要なのである。様々な〈枠〉を超えて説話文学研究がつづいていく。私自身もそのような研究にとりくんでいきたい。

方法論を携えて

森　正人

一九七二年六月、ということは設立から一一年めになるが、説話文学会（以下「学会」と略称することがある）に入会した。さほど熱心な会員ではなかったけれども、同時期に入会したほかの学会、さらにその後入会したいくつかの学会のどれよりも多く参加して、時にシンポジウムでの発表や講演を務め、時に機関誌『説話文学研究』に論文や書評を執筆し、運営にも携わり、最も深く関係を保つことになった。振り返れば五〇年である。今は会員の一人という以上の責務もなく、学会の活動状況には関心を持たなくなっているが、説話および説話集を読み解き、その文学的価値を明らかにすること、説話とは何かと問うことから離れられない私は説話研究の動向に無関心ではない。しかし、私の期待する研究を近年の『説話文学研究』に見ることは希（まれ）である。もちろんこれは個々の研究の成果を評価してのことではない。

かつて私は、「古代の説話と説話集」（『説話の講座4』勉誠社、一九九二年）という総説的論文に、説話および説話集研究の動向について次のように書いたことがある。

ところが、研究対象の拡大と、それに伴う方法の多様化が現在急速に進んでいる。しかし、これは、厳密には、方法の深化が対象の拡大をもたらしたというべきで、新しい方法こそが、従来顧みられることのなかった資料を必要とするようになったのである。

私自身は研究対象の開拓にはほとんど意欲を持たなかったけれども、当時の研究状況から新しい地平が拓かれる可能性を見ていた。一方、こうした流れは、後年池上洵一氏の「「私の説話・伝承研究史」――神戸大学文学部最終講義――」（『国文論叢』第三〇号、二〇〇一年三月）に、大学紛争後の「方法論偏重時代」とそれに続く「新資料主義」として批判されることになる。そして、研究対象は今やさらに拡大し、併行して会員の問題意識は分散するばかりで、中心の空洞化（説話集が研究の中心から滑り落ちたという意味ではない）が進行しているように見える。池上氏の言葉を借りるなら、新資料主義が方法論を押し流してしまったということであろうか。

そうであるとしても、説話文学会には会員が共有し、方法論を携えて共同で取り組むべき課題があると私は考えている。学会発足時にさかのぼる課題、学会の存在意義にかかわるはずの課題である。

入会したばかりの私は時おり耳にすることがあった。発足時に学会の名称を説話学会とするか説話文学会とするか、なかなか意見の一致を見なかったというのである。『説話文学研究』第三〇号（一九九五年七月）の〈説話文学研究第三十号記念特集・回顧と展望〉にも、当時を振り返る文章の幾編かがやや立ち入ってそうした事情に触れている。結局、会則第一条に「説話文学会」と定め、第二条には「広く説話および説話文学の研究を各分野から推進することを目的」として標榜することになった。第二条に研究の対象として二つを挙げながら、第一条の名称にはそのうちの一つだけを掲げるのは、明らかに整合性を欠く。そして、「広く」「各分野から」（と修飾語を重ねて）「推進する」という第二条の趣旨に基づくかぎり、名称は「説話学会」の方が論なくふさわしい。

ただし、会則に定めて終わったのではなく、学会では、説話および説話文学の概念規定を行い、両者の関係を明らかにする努力が続けられた。

『説話文学会会報』第一号（一九六二年七月。なお、初期の会報は『説話文学会会報　第1号〜第23号』として岩田書院より覆刻刊行されている。以下『会報』と略称する）に、「第一回委員会（七月七日／於早大会議室）報告」が掲載され、今後の研究活動としてまとめられた六項目の方針の一つに「説話文学の定義のためのシンポジウム」とある。『会報』第一号掲載の「第一回大会報告」には、説話文学の課題について共同討議が行われ、「説話文学の成立条件、言語と伝承の問題が討議され」たとの記事もある。第五回大会（一九六六年六月）では「シンポジウム　説話と説話文学——説話とは何か」が開催され、『会報』第一〇号（一九六六年一〇月）に「第五回大会シンポジウム報告」として掲載されている。九人の発表要旨、これに対する意見交換の記録によれば、多方面からの多様な考え方が披瀝されるにとどまっている。また、『会報』には説話および説話文学の概念規定や特質に関する寄稿が目につく。これらにとどまらず、説話と説話文学の関係をめぐる論説は、一九八〇年代までさまざまな場で目にすることもあったが、学会に共有される概念規定はおろか、標準的な説あるいは多数が拠る考え方にもたどり着かないまま議論は終息したように見受けられる。

それは、共通理解を得る見通しが立たなかったことに加えて、国文学界で説話および説話集を文学として扱う意義が次第に認められるようになって、学会内で説話の文学性を確認し、外に対して理解を求める積極的な理由が失われたこと、そして、後述する「説話」「説話文学」二元論に立脚しての、文学（研究）と方法論に対する忌避の気分によるであろう。

ともかくもこうして、「説話文学」という名称も、主として説話集を指してジャンルとしての認知を得て、日本文学史に一角を占めることはできた。また、「説話」は文学研究の術語として、いわゆる説話文学を超えてさまざまの文学の分析に活用されてもいる。さらに、中等教育の国語科においては、古文の教材として今昔物語集、宇治拾遺物語、沙石集などが用いられ、それらには「説話」「説話集」という説明が与えられている。このように教育・研究の領域で広く流通し、日本文学研究以外の学術分野でも用いられるようになったにもかかわらず、説話文学会において、概念規定がなされていない、あるいは標準的な考え方も提示されていないということは、専門家集団として役割を果たしていないと言わざるを得ない。

とはいえ、私は学会の創立時点に立ち返れと主張しているわけではない。学会として公式見解を打ち出すべきだと提案しているわけでもない。第一回委員会において活動計画に取り上げられていた「説話文学の定義」という課題は、すでに克服されていると言ってよい。たとえば、今成元昭氏が、「『今昔物語集』の不成立をめぐって」（『説話文学研究』第一二号、一九七七年六月）その他の論文で述べるように、説話と説話文学とを二元的に捉えるのでなく、「説話文学とは、説話を文学圏のものとして捉える場合の一異称にすぎない」とすべきであろう。『日本古典文学大事典』（明治書院、一九九八年）の「説話文学」（三木紀人氏執筆）にも、「説話を文学としてとりあげる時の称」と説明されている。説話文学と呼ばなければそれを文学として扱うことができないわけではない。説話と説話集という術語さえ定義しておけば、文学としての分析や記述に支障はきたさない。

実のところ、ここまで踏み込んで述べてはいないが、私がこうした趣旨の発言をするのは初めてではない。中世文学会の平成二八年（二〇一六）度春季大会の「文学の生まれる〈ところ〉」と題するシンポジウムにおいて、「説話が機能を超えるところ」という報告を行い、それは『中世文学』第六二号（二〇一七年六月）に同じ題で掲載された。そのなかで、現今の研究は、説話そのものが研究の対象とならず、説話を契機とする漢字文化圏の宗教思想文献、芸能、美術の研究になっている（この背景には、研究者のキャリア形成をめぐる環境の変化も関係していよう）と指摘した。そして、説話文学会が周年記念に編んだ『説話から世界をどう解き明かすのか』（笠間書院、二〇一三年）に触れて、さまざまの表現の領域に説話が遍在することの意味、そのような説話とは何かが問われなければならないとして、同書収載の「説話文学会五十周年記念大会の記録　第一セッション　説話とメディア――媒介と作用――」における、徳田和夫氏の問題提起と、シンポジウムをまとめる竹村信治氏の発言を引き、それが学会に受け止められていないことに対して、注意を喚起した。竹村氏の仮称「メタ説話」とは、種々の表現媒体を超える「こと」としての説話の本性にかかわる一つの観点であるが、近年顕著に拡大した対象素材についての研究成果をもって、これに向き合わなければならない。また、拡大した対象素材による研究成果は、この観点からの検証に委ねられるべきであろう。

説話への観点はほかにもあるはずだ。というより、なければならない。私たちは、気分に流されることなく、それぞれ方法論を携えて研究対象に臨むことが求められている。

説話文学研究から学んだこと

阿部龍一

私は元々仏教論書や注釈書の研究を専門にしておりました。しかし幸運にも小峯和明先生、河野貴美子先生、荒木浩先生、阿部泰郎先生、阿部美香先生、石川透先生、昨年残念ながら急逝されてしまった近本謙介先生をはじめ、説話研究に関わる多くの研究者の方々と知り合いまたご一緒にお仕事をさせていただくことで、大変多くのことを学びました。特に般若経典類、『維摩経』『法華経』などの初期大乗経典の読解には、説話研究のアプローチが有効であることに気付かされました。

これは説話が仏教経典と文学及び諸芸術の創作を結ぶものであることを考えれば当然です。仏教経典がどのように東アジアの民衆に受け入れられ普及していったか、仏教の教えがどのように民衆の間に浸透し、影響力を持ったかを理解するため、説話や説話画に示された理解を糸口にして経典に向かうのが適切であると思います。これとは対照的に、例えば『法華経』の注釈書として権威的ではあっても難解な天台大師智顗の『法華玄義』を、どれだけの人が実際に読み学習し理解したかを考えれば、経典が一般民衆に与えた広範な影響を考察する上で、伝統的な教理書に頼るのが得策ではないことは明白です。

教理的注釈類による経典理解の限界

私は大乗経典を理解するには、経典が説く物語がどう組み上げられるか、つまり物語の虚構という仮定法的視野から普遍化された物語や比喩の綾に法（ダルマ）の真実性がどのように映し出されるか、を見定めるのが最重要だと思っております。この立場から見ると各仏教宗派が重視する伝統的教理や注釈類は、経典を読み解くためにはあまり役に立ちません。経典に触発された説話や物語絵に頼る方が、物語の虚構性と法の真実性の関連に迫るには有効です。

六朝期から唐代までに形成された漢文の経典への注釈書には一定の形式があります。そのうちでも最も顕著なのが東晋の道安（三一二～三八五）が始めたという「科文」でしょう。これは一経典をまず大まかに「序分」「正宗分」「流通分」に分け、その上で経典の各章（品）を独立したものとして扱い、さらに各章をもっと細かな段落の集まりへと——例えばどれが序、どの部分が教理の核心（正宗）、どの部分が教えを喧伝するための文言（流通）の部分かなどと——詳しく分けてゆく方法です。時代が降るにつれ、科文の手法はさらに細分化して煩瑣になります。なぜこんな作業が行われるようになったのでしょうか。仏教経典の注釈を宗派的に内部からではなく、中国の知識体系の形成の歴史から、つまり仏教学の外側から眺めるような研究は始まったばかりですが、例えば「義疏」という形式や高座を用いる講義法が儒教の経典に対する注釈と仏教経典への注釈で共有されたことが指摘されています。[1] 中国古代からあった儒教経典への注釈として作り上げた知の体系に対抗できるものとして、仏教勢力が仏教の教えを中国の知的伝統に適合した哲学体系として、つまり「宗」として構築しようとする試みが、仏教経典への難解な注釈類の制作だったと理解できます。

　しかしこのような仏教経典への解釈のスタンスは、経典の物語を理解する立場からは有害です。各章が独立したものとして扱われるので、経典全体の大きな物語の流れや綾が分断されて見えなくなります。異なる章の登場人物同士の関係、同じ登場人物が別の章で再び現れる時の意味の取りようなども、注釈類のみに依存していると見えません。

　例えば『法華経』で最も人口に膾炙した部分で民衆一般に大きな影響を与えたのは観音信仰を説いた「普門品」でしょう。鳩摩羅什（くまらじゅう）訳の『妙法蓮華経』では第二五章に当たり、別行して『観音経』としても知られています。天台智顗は『観音玄義』（かんのんげんぎ）という注釈書を書いていますが（智顗口述、灌頂筆録）、この書は「普門品」を天台宗の教理の中心概念である、一心、三諦、三観、十界、千如などに沿って解釈したものです。これらの理論的概念を使って観世音という「人」の名の意味や普門という「法」の意味を教理的に追求します。しかしこの章の物語の内容や『法華経』のその他の章との関連には全く触れません。科文の解釈法に依拠する『観音玄義』をいくら読んでも、なぜ観音が東アジアの様々な文化で民衆に最も信仰される菩薩になったのか、それについて『法華経』全体がどのような役割を果たしたかは、全く見えてきません。

説話研究的な経典解釈の長所

このような教理的な解釈から離れて、一般民衆に広まった観音の特徴を念頭に置いて「普門品」の観音菩薩の物語を読むと、そこには他の章の物語との深い関連が、さらに『法華経』の大きな物語の流れが見えてきます。まず一切衆生の苦悩を救うために、救われる者と同じ姿を現すという観音信仰でも最も重要な菩薩の三三身への変化ですが、これは一つ前の章「妙音菩薩品」に注目しないと、その意味が分かりません。妙音菩薩は宇宙の東方の彼方の浄光荘厳という浄土の住人ですが、釈迦如来が『法華経』を説いている娑婆世界に詣でて、釈尊を褒め称えたいと思います。同時に娑婆世界の釈尊が説法している霊鷲山では、八万四千の蓮華が現れ、釈尊がその意味を明かすと、その蓮華から妙音菩薩と彼に率いられた八万四千の浄光荘厳世界の菩薩が現れます。この妙音菩薩は前世で数えきれないほどの如来の下で修行し、『法華経』の教えを学び、守り継ぎ、教え広めてきた、それで身体が清浄になり世界のすべてをその身体に写す「現一切色身三昧」という三昧力を得、それによって三三身の変化をして衆生を救うことができる、と釈尊が説明します。

妙音菩薩と八万四千の菩薩は浄光荘厳世界に帰ってゆきますが、次章では観音菩薩が三三身の変化によってこの娑婆世界の衆生を救う者として登場します。つまり妙音菩薩が『法華経』で習得したことを現世の娑婆で受け継いでゆくのが観音菩薩であると、物語の繋がりを読むことができます。この繋がりを見ないと、観音が現一切色身三昧（仏教学一般では「普現色身三昧」という）を達成した者であることと、観音と蓮華のシンボリズムの関連も見えません。

「普門品」の物語でもう一つ重要と思えるのが、観音があらゆる衆生を救うことを讃えて、無尽意菩薩が美しい瓔珞を観音に捧げる場面です。釈尊の勧めにより観音はこの瓔珞を受けるのですが、すぐさまそれを半分に割って、一つを釈尊にもう一つを多宝塔の多宝如来に捧げます。

次の図はボストンのガードナー美術館蔵、東魏武定元年（五四三）制作の釈迦立像光背背面の陽刻線刻二佛並座図です。この二佛並座像図の特徴は多宝如来と釈迦如来の間の空間に描かれた大きく花開く蓮華でしょう。先行研究ではこの蓮華は『法華経』そのものを表すとされます[2]。二佛は同じく『法華経』を説くのですから、この指摘は誤りではないでしょう。

釈迦立像光背背面陽刻線刻二佛並座図（部分）543 年（イザベラ・ガードナー美術館蔵、2023 年 11 月筆者撮影）

しかしこの図に対応する『法華経』の「見塔品」では二佛の間に大蓮華が現れるなどという描写はありません。そこで注目されるのが「普門品」で観音が二佛の中間に立ってそれぞれに半分に割った瓔珞を捧げるエピソードです。観音信仰は世界最古の完本『法華経』である竺法護訳の『正法華経』（二八六訳出）により観音の名が「光世音」と訳されて以来、すでに中国に広まりました。一九四三年に青蓮院で発見された『光世音応現記』から知られるように、すでに三九九年以前から観音（光世音）を讃える説話類が制作されていたことが分かります。[3] また五世紀後半から北魏金銅仏像の観音像で蓮華を持つものが多数知られており、蓮華が観音を示すシンボリズムであることもすでに広まっていました。[4]

　これらの背景を考えると、二佛の中央の大蓮華は『法華経』テクストのみでなく「普門品」で二佛の中央に立つ観音を表すと捉えるべきでしょう。また台座の碑文から二佛の左右両側下方に描かれた菩薩像は二体とも観音であると指摘されています。[5]「見塔品」には観音は登場しないので、やはりこの図は「見塔品」と「普門品」の繋がりに注目して制作されたと見るべきです。陽刻線刻図の意図をこう考えると、『法華経』を習得することで清浄な普現色身三昧を得る修行者となること（「法師功徳品」）、そのために二佛を中心とする三世十方諸仏が『法華経』の音声を宇宙に遍満させること（「見塔品」・「神力品」）、その音声を体現した妙音と観音が普現色身三昧の三三変化によって衆生を救う菩薩となり、観音は『法華経』の音声を与えてくれた二佛に二分した瓔珞を捧げて恩に報じる（「普門品」）、と観音の物語が『法華経』全体の物語の文脈によく収まります。

このような物語の流れは『妙法蓮華経』よりも、世界最古の『法華経』である竺法護訳の『正法華経』と『正法華経』と『妙法蓮華経』を校合修治した闍那掘多（ジニャーナグプタ）・達磨笈多（ダルマグプタ）共訳（六〇一訳出）『添品法華経』による章立てを見る方がよく分かります。例えば『平家物語』を対象とする文学テクスト研究では、異本を比較検討するのは当然です。同じような研究態度がこれからの仏教経典研究にも求められて良いと思います。

最後に説話研究に携わる皆さんから多くの学恩をいただいたことに改めて感謝いたします。説話文学会のますますのご発展をお祈りします。

注

1 古勝隆一『中国中古の学術』特に上篇の第二章と第五章を参照されたい。

2 林保尭『法華造像の研究――イザベラ・スチューワート・ガードナー博物館像東魏武定元年石造釈迦像考』筑波大学博士論文（一九九五年）、岡田文弘「ボストン・ガードナー美術館の妙法蓮華」（『現代宗教研究』五五、二〇二一年）一八九～一九九頁、など。

3 山崎順平「六朝初期における観音信仰の一側面」（『集刊東洋学』九五、二〇〇六年）、二一～四〇頁。

4 例えば松原三郎「北魏金銅観音菩薩立像――太和八年銘――」（『美術研究』三一三、一九九六年）、二〇～三一頁。

5 林の前掲論文（第四章）では二佛並座の両側に立つ左右の菩薩像を、台座の銘文中の「観世音二像」と付き合わせて、観音像と推定した。筆者はこの点を踏まえて、また法華経全体で観音が物語に登場するのは「普門品」のみなので、この陽刻線刻図が「見塔品」だけではなく「普門品」――特に観音の方便力を象徴にした左右対称の二つに分けられた瓔珞の場面――と深い関連があると見る。

逸話的様式の寡黙な王朝文学
——貴族説話集の機能を考える

イフォ・スミッツ

正直なところ、私は長い間、説話集と総称されるものに困惑してきた。もっと正確に言うと、「貴族説話集」と呼ばれているものが理解し難いと思う。つまり、仏教伝説の説話集ではなく、王朝人の文化的生活を扱った説話集、それをどう取り上げればよいかという問題である。一つ一つのそれぞれの「はなし」の理解というよりも、その数話を蒐める「集」全体がどう読まれたか、どんな役を果たしたかということである。

平安後期から鎌倉初・中期にかけて、説話集が著しくしかも急激に増加した。『江談抄』、『中外抄』、『富家語』、『俊頼髄脳』の中の歌人の逸話、『袋草紙』、『無名抄』、部分的に『今昔物語集』の本朝世俗部も、『宇治拾遺物語』、『古事談』、『十訓抄』、『古今著聞集』など、王朝人の文化的活動や知識のいろいろを語る「超小物語」の集が多数残されている。こういう集を全部「説話集」と呼ぶのは疑念を招くかもしれないが、ここであの明治時代の造語である「説話」を広い意味で使いたいと思う。談または談話、口伝、随脳、抄、釈、注、語、故事、場合によって「物語」[1]、などを含む、口承文芸の、あるいは口承文芸に基づいた、逸話的ジャンルとして考えてみたい。

高橋貢氏が述べたように、説話は「根本的には『だれが（何が）何をした（どうなった）』という話の型を持っているように」[2]思われるであろうが、ポイントがあるようにもみえない話が多い。一つの例を挙げると、『江談抄』巻第三二九段は、

> 菅根無止者也。雖然殿上庚申夜、天神ニ頰ヲ被打也云々。
> （「菅根は止むごとなき者なり。しかりといへども、殿上庚申の夜に、天神に頰を打たるるなり」と云々。）
> （引用文、読み下しは岩波新日本古典文学大系による）

が全文である。確かに、超小物語といってよいであろうが、ポイントが何であるかはとらえ難い。まさに小峯和明氏が

いうように、「話の背景や人物関係の認識がないと真意が読みとれないものばかり」[3]である。無論、専門学者の注釈のおかげで、この物語の主人公や事情については何とかわかるが、原文には解説が加えられていないのである。同じような話が繋がって「集」になると、説話集が文字通りの逸話集、つまり逸らす、ねらいをはずす話の集である、と感じてしまうのである。

長年の、説話集に関する国文学上の研究の多くは、次の二点に焦点を当てる傾向が見られる。

(a)内容、および内容の意味合い、

(b)構造、または組織的な編集原則。

まず後者については、説話が文学作品として機能しているという前提がある。この考え方は、五〇年代後半以降、「説話文学」というカテゴリーができて、広く取り上げられるようになり、その後数十年間は、それまで文化的地位の低かったこれらのテキストが実際に「文学性」を持っていることを証明することが重要になったという時代の流れを汲むものと思う。[4]「はなし」がそれ自体として機能する、つまり解釈学的に首尾一貫していることが前提であり、それらが置かれた「集」についても同様である。研究者がしばしば、作品集の構造を支配する「編集意図」を指し示すのはこのためであろう。説話を文学の一ジャンルとしてとらえる考え方は、欧米の研究者の大半に受け継がれた。説話集は、特に翻訳される場合、日本の当時の世界観を知る手がかりを与えてくれる、本質的に文学的な性質を持つ作品として、紹介されることが今なお主流であると言ってよいと思う。

以上の前提は、文学はその時代を反映するものであり、したがって文学テキストはそれを生み出した時代を理解するために利用できるという、世界中の文学史家や文化史家に広く共有されているもう一つの仮定と関係がある。説話文学の場合は、説話集が中古後期から中世初期の日本の世界観についての貴重な示唆をもたらすと考えられていることを意味する。説話集は、とりわけ文化思想、宗教的伝統、民俗学、文学の概念、あるいは言語の側面について、われわれに情報を与えてくれるデータセットとして長い間受け止められてきた。

しかし、説話文学にはもう一つの側面があるのではないか。それは、内容や構造以外の一見無意味な機能である。

ここでは、短小であり、かつ一見無意味である（また漠然とした意味を持つ）ことが特徴の逸話を、教訓的機能を有するものという観点から考えてみたい。つまり、説話を知識の伝達様式、または言説（ディスクール）の新しい様式とみながら、その「真意が読みとれない」ことを考えることである。そこに説話の非常におもしろい一点がある。

一見無意味な説話集に関しては、小島孝之氏が指摘したように、「寡黙な説話集と饒舌な説話集とに分かれる」[5]。いわゆる寡黙な説話集は、はなしを「裸な形で提示されることが多い」とされ、そのはなしに解説は加えられない。では、一見無意味なはなしを「裸な形で」蒐める集の機能をどう理解すればよいのか。もしかすると、一つの可能性としてこういう説話は、それ自体として機能するはなしではなくて、テキスト以外の指導者による解釈を添えながらテキスト以外の教訓を説く筆録と考えられるだろうか。

少しずつわかってきたことは、平安後期や鎌倉前中期には、事情や人物に対する「単独の」つまり「裸の」逸話が、新しい知識の規範を構築する学問の基礎となったということである。そしてその伝達は、しばしば一見無意味に見える逸話の集の様式で行われた。特に「家学」と呼ばれる系統の中で伝えられていた逸話的説話は知識を伝えるためのひな型であった。つまり、逸話には口頭での解説が添えられていたのであろう。それは、当時の学問の典型的な伝達パターンと考えられる（または、そういう逸話がすでに共有された知識を指しているとも考えられる）。平安後期や鎌倉前中期における王朝的学問はある「家」の内部に限られていたわけではなかったが[6]、学問の「家」以外では指導者の何らかの助けなしには逸話の意味が伝えられるとは考えられない。

本稿の冒頭に引用した『江談抄』巻第三―九段は「云々（うんぬん）」という語で終わる。「云々」とは、「ということである」の意で引用文を終える語であるが、引用文を中途で切り以下を省略する語でもある。そう考えてみれば、庚申（こうしん）の夜に頬が撃たれるその逸話の真意は、あの「云々」によって省略されたのかもしれない。すると、逸話は人と人との相互作用の一側面でしかなく、その意味はテキスト以外に見出されなければならないものであろう。そこに説話集を理解することの難しさ、そしておもしろさがある。

注

1 例えば『江談抄』の段を「物語」と言う例は、『今鏡』巻第十敷島の打聞三七一に「匡房の中納言の物語書ける書(ふみ)」、そして『中外抄』巻下一二段に「又御物語次ニ被仰出故匡房卿□事」。

2 高橋貢「説話」(『日本伝奇伝説大事典』角川書店、一九八六年一〇月)。

3 小峯和明「『江談抄』の語りと筆録」(『院政期文学論』笠間書院、二〇〇六年一月)。

4 国東文麿「解説(承前)」(『今昔物語集 二』日本古典文学全集、小学館、一九七二年九月)。

5 小島孝之「閑居友 解説」(『宝物集 閑居友 比良山古人霊託』新日本古典文学大系、岩波書店、一九九三年一一月)。

6 海野圭介「学問の「家」の人――和歌の「家」の展開と釈家・儒家との交渉」(河野貴美子他編『「文」と人びと――継承と断絶』日本「文」学史 第二冊、勉誠出版、二〇一七年六月)。

韓日説話に見る「左と右」「数字」「方位」の話

琴　榮辰

はじめに

まず、筆者が「左と右」に関心を持つようになったきっかけを紹介しよう。月を会社のロゴマークとして長年使ってきた花王の月の形は三日月であった。こんな「☽」形で左を向いている。ところが、一九四三年以前までは確かに有明の月であった、こんな形「☾」で右を向いている。イスラム国の国旗に見るほとんどの月は大体このように右を向いている。ところが、日本や韓国など東アジア文化圏ではイスラム国とは違って左を向いている三日月がより好意的に捉えられているような気がする。花王の月のロゴの向きが従来の右から左に変わった理由がその何よりの証拠である。

会社のますますの成長を祈願する気持ちとしては、やはり欠けた有明の月（老人）よりはこれから満ちていく三日月（若者）の方が縁起がいいに決まっている。花王の初期ロゴの月の顔は老人であったのに、後に若者の顔に変わったのもそのためである。アニメ『鬼滅の刃』に登場する十二鬼月を見てもこうした発想はなお明らかである。左を向いている上弦の月の鬼は、右を向いている下弦の月の鬼をはるかに上回る強さを持っているのである。それもそのはず、上弦の月はこれからますます大きく成長していくが、下弦の月はだんだん小さく消滅していくからである。

こうした発想は韓国の説話集である『三国遺事』巻一、「紀異第一」の百済の義慈王の占い話からもなお確認できる。亀の背中に書いてあった「百済は満月であり、新羅は新月である」という文句の解釈をめぐって占い師は義慈王の機嫌を損ねてしまう。満月はこれからだんだん欠けていくが、新月はますます満ちていくから百済は新羅より劣ると答えたのがまずかった。怒った義慈王はその占い師を殺してしまうが、この様子を見た他の占い師が逆の占い判断をし、王の機嫌がよくなったというから何だか悲しい話である。▼1

そして、こうした「左と右」の話が、意外と韓日両国の説話集には豊富である。また、韓日説話の比較研究を進めていくうちに、説話における「左と右」の話は「数字」や「方位」の話ともかけ離れない密接な関係を持っていることがわかった。そこで、本稿では、「左と右」「数字」「方位」という三つのキーワードを中心に韓日説話を比較検討していくことにする。

一、「左と右」の話

『古事記』には亡き妻のイザナミを訪ねて黄泉（よみ）の国を訪れたイザナギの話が見える。このとき、イザナギは自分の髪の左のみづらにさしていた櫛の歯を一本折って火をともしたとある。なぜよりによって「左」なのか気になるところである。そもそも「ひだり」という言葉自体が「ひでり（日出り）」から来たことを踏まえて考えると「左」と「火をともした」行為との関連性はなんとなくわかる。

類似する発想が韓国の説話にも見える。『三国遺事』巻二「紀異第二」には新羅の王である神文王が東海の龍から「万波息笛（万の波を眠らせる笛）」と玉帯を授かった話が見える。王はその帰り道に、玉帯の左の二番目の装飾ひとつを投げる。するとそこから龍が昇天し、池ができたという。[2]神文王がなぜ左の二番目の装飾を投げたのかその理由ははっきりしないものの、『古事記』に見る「左」の霊異が韓国の説話からもうかがえるのは興味深い。

そこで、もうひとつ考えるべきことは左と右の序列関係である。わざわざ左大臣と右大臣の例をあげるまでもなく、太陽が昇る東（南に向かって左手）が太陽が沈む西（南に向かって右手）より上であることは確かである。朝日は夕陽（斜陽）より強いのである。大相撲の横綱が二人いる場合、東の方（左）の横綱が西の方（右）の横綱より格上であるのもそのためである。

『三国遺事』巻第五「孝善第九」「大城孝二世父母」には慶州の仏国寺縁起譚として知られる金大城の転生譚が見える。死んだ金大城が金文良の家に生まれ変わるとき、天から「牟梁里（モリャンニ）の大城が今、君の家に転生するだろう」という声が聞こえてきた後、金文良の妻が息子を産んだのがすなわち金大城なのである。彼は生まれたとき、左手を握ったまま開かなかったという。七日後やっと左手を開いたのだが、手のひらに「大城」という二文字が刻まれた金色の金具があったという。[3]

面白いことに『日本霊異記』中巻、第三一話にも左手を握ったまま生まれた娘の話が見えるが『三国遺事』の説話とよく似ている。両親は娘の握っている左手を開こうとするが娘はいっこうに開こうとしない。娘は七歳になったときやっと握っていた左手を開いたが、手のひらには仏舎利が二粒あったという。これが磐田郡の七重塔の縁起譚である。[4]

江戸時代の読本作品である馬琴の『南総里見八犬伝』にもこれと同様のモチーフが見える。八犬士の一人である犬江親兵衛は生まれつき左手が開かなかった。後に左手が開いて手のひらから珠が現れ、八犬士ということが判明し、「真平」の名を「親兵衛」に改め、諱を「仁」としたとある。もう一人の八犬士である犬山道節も生まれながらに左肩に瘤があった。それが荘助と斬り合った際、切り裂かれた道節の左肩の瘤から珠が飛び出したとある。

「右」と比べ、「左」の方が「霊異」を表す象徴性をより豊富に持っているのは日本も韓国も同じである。これはもちろん仏教の影響であろう。「左手」をトイレ専用とするインド人の風習をあげるまでもなく、「左」の持つ「非日常性」はときには「右」より劣るものと見なされる。ところが、東アジア文化圏では「右」より序列が上であると見なされる嫌いのある複雑なものである。そして、これこそ説話における「左」と「右」の象徴性にどう向き合うべきか気になるところなのである。

二、「数字」の話

右にあげた『三国遺事』や『日本霊異記』の話には共通する数字が二つある。「二」と「七」がそれである。『三国遺事』に見える「大城」という二文字と『日本霊異記』に見える「二粒」の仏舎利は前者であり、『三国遺事』に見える「七日後」と『日本霊異記』に見える「七年後」や「七重塔」は後者である。

仏教の七宝や亡くなった人が輪廻転生し極楽浄土へいくのが七日×七回の四十九日後であることなどを踏まえて考えると数字「七」はなんとなくわかる。ポイントは「大城」という二文字と二粒の「仏舎利」に見る数字「二」の解釈の問題である。『日本霊異記』の二粒の仏舎利の話は日本の他の古典説話集からもなお確認できる。

たとえば、『三国伝記』巻一〇、第一〇話には、天竺の慶摩(けいま)童子が三歳になってはじめて両手を開き、二粒の仏舎利を示したという内容が見える。これは両手にそれぞれ一粒ずつ握ったということである。また、『古今著聞集』巻二「釈教」第二・通巻五一話にも二粒の仏舎利の話が見える。永観律師は七宝塔に仏舎利二粒を安置し、自分が往生できるのなら舎利の数が増えるだろうと予言する。後年に七宝塔を開いて見ると、なるほど四粒になっていたので彼は随喜し、二粒を本尊の阿弥陀仏の眉間に込めたという。

そして、ここに浦島太郎の元祖ともいうべき山幸彦の龍宮に行って妻の豊玉姫と舅の竜王から潮満珠と潮乾珠の二つの珠をもらった場面を思い出さずにはいられない。また、神功皇后が住吉神社の化身である龍神から授かった潮満珠と潮干珠が島になったという下関沖の二つの無人島伝説も然りである。

ところで、韓国古典にも龍宮に行って竜王から二つの珠をプレゼントされたという似ている話がある。金時習（一四三五～一四九三）の『金鰲新話』「龍宮赴宴録」第一二話には龍宮の宴会に招かれた韓生が家に帰るとき、竜王から二つの珠と白い錦を二反（日本の一反の長さは約一二・五メートルであるが朝鮮前期の韓国では約一六メートル）もらったという内容が見える（於是，神王以珊瑚盤，盛明珠二顆，氷綃二匹，爲贐行之資，拝別門外.）。そもそも双璧を為すという表現からもわかるように、珠は一対を成すのが常である。

そして、こうした考えは珠と偶数との関係をもうかがわせてくれる。たとえば、『南総里見八犬伝』にはそれぞれ「仁」「義」「礼」「智」「忠」「信」「孝」「悌」を表す八つの珠を持つ八犬士が登場する。してみれば、アニメ『犬夜叉』に出てくる四魂の玉のかけらもアニメでは二七個に変わっているが原作ではもともと二四個であった。神道のある一派では、「勇」「親」「愛」「智」という一霊四魂の思想を提唱しており、それが『犬夜叉』の四魂の玉と何らかの関連を持っているかもしれない。人間の一〇八煩悩を表す数珠の数も偶数であり、仏教でいう人間を苦しめる体の病気も四〇四病でやはり偶数である。さらに、仏教における「六道輪廻」や「六曜」「四苦」「八苦」「八戒」「八識」「八大地獄」などなど、偶数は人間の喜怒哀楽の世界を包括している。

一方、「七五三」からもわかるように、一般的に奇数は縁起がいいものとされる。それは七五三なる苗字を注連縄の「しめ」と読んだり、大丸デパートや三越デパートのロゴマークの「大」と「越」の字における七五三の筆の髭文字からもうかがえる。言われてみれば「五重塔」「七重の塔」「九重塔」のように塔は奇数の階のものが圧倒的に多い。

ここに説話の世界における奇数と偶数の象徴性ならびに関係をも調べてみる必要性が出てくる。その中でも、とくに数字「三」は魔除けや鬼退治において欠かせない数字である。

　イザナギは黄泉の国から逃げる際、今度は自分の髪の右のみづらにさしていた櫛の歯を一本折って自分を追いかけてくる妹のイザナミや鬼の連中にこれを投げる。これは山ぶどうに変わったが鬼たちはそれを拾い、食べ終わってはまた追っかけてくる。二番目は筍に変わったが結果は同じであった。三番目の三つの桃にはさすがの鬼たちも歯が立たず、退散してしまった。

　面白いのは韓国の伝来童話にもこれと似ている話が存することである。狐の変化である末っ子の妹が家の家畜をはじめ、親と兄たちを皆殺し、最後は唯一生き残った長男を追っかけてくる。兄は逃げる途中、持っていた白い瓶を投げる。すると妹の前に茨の茂みができ、追尾のスピードを若干は遅らせたものの、すぐにまた追いかけてくる。そこで兄は二番目の青い瓶を投げる。すると今度は川ができ、行く手を阻むが、妹はこれもなんとか泳いでまた追っかけてくる。そこで兄は三番目の赤い瓶を投げる。すると今度は大きな炎が立ち上がり、狐の妹は焼けて死んでしまう。

　さて、韓日両国のこれらの話とモチーフが非常に似ている話が中央アジアにも存在する。坂井弘紀の研究によれば[▼5]、カザフスタンにはジャルマウスという妖怪の老婆が、継母にいじめられて森を彷徨(さまよ)っている三人の娘たちを追いかけてくる内容の話が見える。一番目の娘は櫛を投げ、そこに大きな森ができるがジャルマウスはすぐにまた追いかけてくる。二番目の娘は針を投げ、そこに高い山ができるが、ジャルマウスはこれも乗り越えてまた追いかけてくる。三番目の娘は鏡を投げ、そこに湖ができ、三番目の娘に騙され、首に石を結んで渡ろうとしたジャルマウスはついに溺れて死んでしまう。韓国の狐の妹の話の他のバージョンに三兄弟が逃げる類似する場面が見られることから両者が親戚関係であろうことは容易に察せられよう。数字は韓日両国の説話はもちろんのこと、ユーラシアの説話をも繋いでくれる重要なキーワドのひとつなのである。

三、「方位」の話

　さて、説話における「左と右」や「数字」の関係性を追究するにおいて「方位」をも同時に検討する必要がある。たとえば、『桃太郎』に登場する三匹の家来である猿、雉、犬は、馬琴の『燕石雑誌』によれば主に酉の方角を表す。これは鬼門の方角である丑寅のちょうど反対側に当たる。そして、鬼門の方角にまつわる説話として『今昔物語集』巻二四、第一四話「天文博士弓削是男占夢語」をあげることができる。弓削是雄という陰陽師は偶然同じ宿に一緒に泊まった伴世継に次のように教える。

「あなたがどうしても明日家に帰りたいと思うのでしたら、いいですか、あなたを殺そうとする者は家の丑寅（東北）の隅に隠れているはずです。（中略）あなた一人、弓に矢をつがえ、東北の隅の、そういうものが隠れていそうな所に向かい、『おれを殺そうとしていることは先刻承知だ。出てこないと直ちに射殺してしまうぞ』。こういえばおのずから事が発覚しましょう。」

この占いのおかげで伴世継は難を逃れる。菰の中に隠れていた間男の法師を検非違使に引き渡し、妻とは離縁したのである。そしてこの話、実は『三国遺事』にも似ている話が見える。▼6 人間の言葉が話せる鼠が現れ、当時の新羅の王である毗處王に烏が飛んでいく方角についていくよう教えるのである。そこで王は部下に命じて烏の飛んで行った方向に行かせたところ、部下は二匹の豚が喧嘩をしているところでつい烏を見失ってしまう。そしてすぐそこの池から一人の老人が現れ、部下に密封した手紙を手渡す。

その封筒には「開けると二人が死ぬが、開けないと一人が死ぬ」と書いてあった。王は一人が死んだ方が二人が死ぬよりましだというが、占い師は一人は王を指すから封筒を開けた方がいいと助言する。そこで封筒を開けてみたところ、「弓の矢を琴箱に射りなさい」と書いてあったのである。宮殿に戻った王がそのとおりにしたところ、王の妾（宮主）と密通していた僧侶（焚修僧）が琴箱に隠れていたことがわかった。そこで二人を死刑に処したという。

この話に烏が飛んで行った方角は示されていないが、鼠と豚はそれぞれ「亥」と「子」の方位を表し、これは北の方角に当たる。『桃太郎』の雉を「酉」に相当するものと見なした先例に照らし合わせ考えると、烏も「酉」に当てはめることができよう。『桃太郎』の三匹の家来が「申」「酉」「戌」の方角である「酉」の方に主に集まっているのと同じく、『三国遺事』のこの話では烏、豚、鼠がそれぞれ「酉」「亥」「子」の方角、すなわち「北」の方に集まっているのも興味深い。

　鬼門として嫌われる丑寅の方位は韓国の説話ではそれほど気にしないようである。駕洛国（からこく）の金首露（キムスロ）王が亡くなったとき、葬る方位として丑寅が出てくるぐらいである。いくら同じ東アジア文化圏といっても韓日説話における方位の象徴性が必ずしも一致するとは限らないようである。

おわりに

　韓日説話の比較研究の効用のひとつはやはりその普遍性や特殊性の確認であろう。「左と右」「数字」「方位」といった特定のキーワードを通じてその普遍性が東アジア文学の隅々まで行き渡っていることを確認するとともに、両者必ずしも一致しない特殊性をもなお確認できるのである。これは将来、ユーラシア比較文学の観点から研究の範囲をさらに広げていく際、比較における二つの重要な軸として活用できる。

　たとえば、説話における霊異を「左」と「右」の二つの範疇に分けて分析すると、大体の相対比率や分布の状況が見えてくるはずである。「左」と「右」の割合が正確に五対五になることはまずあり得ない。「左」の方が圧倒的に多い地域もあれば、その逆の地域も当然出てくるはずである。これによって韓日両国の説話と比べ、ユーラシア大陸の他の地域の説話では「左」と「右」のどちらが霊異との関連性がより深いのかが見えてくるはずである。これはしいては、塔をくるくる廻るとき、時計回りの地域と反対回りの地域の割合や地域分布の傾向といったユーラシア比較文化研究にまでもつながるものである。

　もうひとつの効用は具体性の欠けている自国の説話の曖昧さを補うことができる点である。たとえば、韓国の狐の妹の話にはそれぞれ異なる「三つの瓶」のバージョンがいくつかある。ところがどれがより本来の姿に近いのかはわからない。そしてイザナギの話に見える「山ぶどう」「筍」「桃」の順番は大いに参考になる。「青い瓶→白い瓶→赤い瓶」バージョンの話が原話により近い可能性を示してくれるからである。

　『三国遺事』の説話に見える数字「二」や「七」の理解を深めるにおいても『日本霊異記』をはじめとする日本の説話集は欠かせない。また、『今昔物語集』の「丑寅」の方角や『桃太郎』の三匹の家来が表す方角の意味を検討した上で類似する韓国の説話を調べてみると、これまであまり気にしていなかった「方位」の意味がよりはっきり見えてくるのである。自国の説話の再発見において隣国の説話資料は欠かせない貴重な存在なのである。説話研究が国際比較研究でなければならない理由がここにある。

付記　本稿は拙稿「ユーラシア比較の観点から見た韓日神話の中の左と右」『日本學研究』五四輯（檀国大学校日本研究所、二〇一八年）の一部を修正加筆したものであることを断っておく。

注

1　有一鬼入宮中大呼曰〝百濟亡百濟亡〟，即入地・王恠之使人掘地深三尺許有一龜・其背有文〝百濟圓月輪新羅如新月〟，問之，巫者云〝圓月輪者滿也滿則虧，如新月者未滿也未滿則漸盈・〟王怒殺之，或曰〝圓月輪盛也如新月者微也意者國家盛而新羅寖微乎〟，王喜・
韓国史データベース http://db.history.go.kr/

2　王宿感恩寺十七日到祇林寺西溪邊留駕晝饍・太子理恭即孝昭大王守闕聞此事走馬來賀徐察奏曰〝此玉帶諸窠皆真龍也・〟王曰〝汝何知之・〟太子曰〝摘一窠沉水示之・〟乃摘**左邊**第二窠沉溪即成龍上天其地成淵・因號龍淵）
韓国史データベース http://db.history.go.kr/

3　未幾城物故是日夜國宰金文亮家有天唱云〝牟梁里大城児今托汝家・〟家人震驚使檢牟梁里城果亡其日與唱同時・有娠生児**左手**握不發**七日**乃開有金簡子彫‘大城’二字又以名之迎其母於第中兼養之
韓国史データベース http://db.history.go.kr/

4　聖武天皇御世　弟上年七十歳、妻年六十二歳、懐妊生女。捲**左方手**、以所産生。（中略）年至**七歳**、開手示母曰、「見是物」。因瞻掌、有舎利二粒。中田祝夫『日本霊異記』日本古典文学全集六（小学館、一九七五年）、二二七～二二九頁。

5　坂井弘紀「中央ユーラシアと日本の民話・伝承の比較研究のために」（『表現学部紀要』一六巻、和光大学表現学部、二〇一六年）、四一～六〇頁。

6　射琴匣第二十一　毗處王一作炤智校勘王・即位十年戊辰幸於天泉亭・時有烏與鼠來鳴，鼠作人語云〝此烏去處尋之或云神徳王欲行香与輪寺，路見衆鼠含尾恠之，而还占之‘明日先鳴烏尋之云云，此説非也・・〟王命騎士追之南至避村，今壤避寺村，在南山東麓・兩猪相鬪留連見之忽失烏所在・徘徊路旁時有老翁自池中出奉書・外面題云‘開見二人死，不開一人死・’使來獻之，王曰"與其二人死莫若不開但一人死耳." 日官奏云"二人者庶民也,一人者王也." 王然之開見書中云"射琴匣." 王入宮見琴匣射之.乃内殿焚修僧與宮主潜通而所校勘奸也. 二人伏誅. 韓国史データベース http://db.history.go.kr/

龍の説話学をめざして

高　陽

エッセイ

二〇二一年に専著『説話の東アジア――『今昔物語集』を中心に』という本を勉誠出版から出した。ありがたいことにこの本で二〇二三年に説話文学会賞をいただいた。この本では南方熊楠（みなかたくまぐす）についてもふれているが、今年二〇二四年一月に、紀伊田辺の南方熊楠顕彰館で開催された毎年恒例の『十二支考』のその年の干支をめぐるシンポジウムに参加した。今年は辰年で小峯和明氏、金文京氏、松居竜吾氏の三人がそれぞれ講演されたが、大変興味深い刺激的な会であった。

竜のイメージと象徴性は世界の様々な文化にまたがっており、小峯氏は熊楠の論考の冒頭で引かれる『俵藤太物語』から始まり、絵巻類の龍宮の図像を中心に、仏教の世界観に広がる問題を検討された。金氏は龍の爪の図像に注目し、三本と五本の爪の相違に注目し、五本の爪が権力と権威の象徴となり、東アジアの伝統の中で重要な役割を果たしていると強調された。松居氏は西洋の芸術や文化における、調伏された対象のドラゴンのイメージを説明した。シンポジウムの最後に、私が指名されて、お三方がふれておられない龍の特徴について述べたので、ここで紹介しておきたい。

龍には両面性があり、畜生道にあるにも関わらず、神通力を有していること。瞋恚（しんい）心が強く嫉妬深く、三つの苦しみを受けなければならない存在であること。菩薩のような聖なる面の一方で、災害をもたらすマイナスの面を持つことなどである。

龍は修行に精進して、大乗仏法の経典を短時間で読破しすぐ悟ることにより神通力が賦与されると同時に、瞋恚や嫉妬深く、異類の中でも巨大で恐ろしい存在になって畜生道に堕ちる。有名な『道成寺縁起絵巻』の中で、清姫が瞋恚によって蛇に変身する場面で、本文では蛇なのに、図像では龍に描かれている例などにうかがえる。『長阿含経（じょうあごんきょう）』によると、龍には三つのはげしい苦しみがあって、熱風や熱砂で皮肉や骨髄を焼かれる、悪風が吹き起こって居所や衣飾などを失う、金翅鳥に子を食われることが挙げられる。例えば、聖衆来迎寺所蔵の有名な『六道絵』の畜生道にその図が描かれている。また『平家物語』の壇ノ浦合戦で平家滅亡の際、二位尼が安徳帝を抱いて「波の底にも都の候ふぞ」と言って入水するが、その都とは明らかに龍宮をさしている。延慶本『平家物語』第六末（巻一二）廿五「龍宮の夢・語りの終結」には、龍の三患にも言及される。建礼門院が夢の中で、知盛から龍宮は一日に「三時の患」があるので助けてほしいと言われ、その患を『法花経』や阿弥陀の法号を唱えたら免れられると思った、という話がある。ただし、『長阿含経』には無熱池にいる龍だけ三患を免れることができるとされる。

三患の苦しみのほかに、龍にはもう一つの悩みがある。龍は人間の姿に変身して行動するのが普通であるが、ただし睡眠、交合、出産の際は人間の姿でいられず、元の龍の姿に戻ってしまう。龍にまつわる逸話の中で、中世日本紀では、豊玉姫が出産のときに、人間の姿から龍の姿になってしまう例などが典型的である。『日本書紀』では「化為八旬大熊鰐」とあるように、鰐になったとされるが。

また龍は水神、保護神であり、幸運や繁栄をもたらすことができる一方、暴虐な面もあり、禍をもたらす存在でもある。例えば、『大唐西域記』巻三「阿波邏羅龍泉及仏遺跡」に、龍は人間の作った田を糧としているので、一二年に一回人間の播いた稲の実をもらうために、水害を起こしていると記述されている。また同じ巻三「鉢露羅国」や「迦湿弥羅国　仏牙伽藍及伝説」にも、航海の際、船に奇異な花果の種や舎利のような宝物を載せるとよく沈没するのは龍の仕業で、龍がその宝物を奪おうとしているからだと解釈されている。自然の猛威を龍に仮託し、龍が水災、船の沈没などの災害を巻き起こしているという解釈ではあるが、それ以上に自然の猛威にそのような存在を見ざるを得ない人間の創造力（想像力）を感じさせるであろう。

小峯和明氏の「龍宮への招待」（『図書』二〇一二年三月）において、宝蔵としての龍宮が紹介され、龍樹菩薩の話に言及しているが、経典が龍宮にあることは、法会の場で語られる説草にも見られる。例えば、称名寺所蔵『弁暁説草』や『湛睿説草』の「花厳大意事　覚賢翻経事」には、経典は如来涅槃後の六〇〇年まで龍宮に久しくあったが、龍樹菩薩によって天竺に伝わり、覚賢が漢訳して広めたので、龍王が喜んで仕えたという。天上界と龍宮とで経典を奪い合うほど尊重されたから、この経典を持っている人は唐土天竺、古往今来、感応がない人がいないとされている（破損で文意ややたどりにくいが）。この説草の典拠は西天に相伝したもので、例えば、『大方広仏華厳経感応伝』にも「相伝釈云」として引用されている。同様の例は、湛睿撰の『華厳演義鈔纂釈』にも見られる。ここでは省略するが、多くの経釈にも引用されている。

　さらに龍宮には経典ばかりではなく、漢方薬の仙方もあったようである。唐代の有名な『酉陽雑俎』巻二の話で、旱魃になって、西域の僧が昆明池に来て雨乞いした。夜になって、老人の形をした昆明池の龍は、唐代の名高い道宣のところにきて、「旱魃は天意で、私のせいではない。西域の胡僧の雨乞いは名目上であって、実際は私の脳を奪おうとしているので、助けてほしい」と頼んだ。道宣は友達の孫思邈なら助けられると伝えた。孫思邈は昆明池にいた龍王に会って、龍宮にある漢方薬の仙方を私に授けたら、助けてあげようと約束した。龍王は、「漢方薬の仙方は天の命令がなければ人間世界に伝えられないものであるが、危険が目の前に迫っている状況の中で渡すしかない」と言った。それで龍王は助かった、という話がある。『宋高僧伝』巻一四にも類話がある。ほかにも如意宝珠のように様々な宝物が龍宮にあったとされ、龍宮は一大宝庫であり、それを伝えられる人は特殊な力が求められていた。

　この話のように、漢方薬まで龍宮にあったとされる例が興味深い。ほかにも『太平広記』にみる孫思邈が龍宮から持ち出した『千金方』の話は有名な伝説だが、実際に『千金方』が中医の漢方薬では今でも活用されている。これと同じように、『抱朴子』で知られる葛洪は『神仙伝』も書いており、同時に医薬学の『肘後備急方』という医学書も作った人でもある。この『肘後備急方』は現在も活用されており、特に、屠呦呦氏は『肘後備急方』からインスピレーションを受けて試行錯誤してノーベル賞を受賞し、医学界に多大な貢献をした。

　『肘後備急方』と現代医学の対話は時代を超える交流で、歴史文献の現代研究に対する重要性を表明している。私たちは古典の知恵を深く掘り下げるべきで、人類の学知の伝統の中でインスピレーションを求めることが重要である。例えば本草学があらためて見直されているように、古代の文献は種々の実用的な情報が隠されている宝庫なので、特に医学の分野も含めて、説話文学の果たす役割はさらに重くなるに違いない。もちろん説話だけに特化した研究もそれはそれで説話学としての意義があるが、文学と現代医学との融合した、まさに学際的な領域の結実によって、説話を説話だけで研究することの限界を教えてくれる。

ここで述べたような龍にまつわる説話は、東アジアでは唱導、絵巻などの多くのメディアに乗っていろいろ展開されたことが分かり、多様なメディアの展開を改めて追及するとともに、他分野との協同からさらにダイナミックに読みかえることが期待されていよう。

ベトナム説話文学世界の再発見と日本説話文学会の架け橋の存在

ファム・レ・フイ

歴史研究の立場から文学研究をみると、近代的文学研究も歴史産物の一種である。東アジア各国の近代的文学研究は、いずれも欧米列強による植民地化に対抗するために国民国家の意識を強化した一九世紀後半から発足して、近代国民国家の成熟とともに「国文学」を中心に展開したが、一九九〇年代から「国文学」の限界を乗り越えるために「漢字・漢文文化圏」という東アジアの共通的な伝統に遡って、それを軸に新たな研究の原動力を模索しはじめた。

その風潮のなかでベトナムは、近年東アジアの「漢字・漢文文化圏」の南限に立っている地域として再発見され、かつて漢字・漢文で記録されたベトナムの説話文学も国際的に注目を集めるようになってきた。その一端を示したのは、日本の説話文学会が二〇二一年一二月例会で一九六二年設立以来、初めてベトナムの説話文学をメインテーマとして取り扱ったことである。

ベトナムの説話文学世界が東アジアの漢字・漢文文化圏で再発見された背景には、一九世紀後半から二〇世紀前半にかけて、ベトナムは他の東アジア諸国と違って、ラテン文字圏のフランスに植民地化されるとともに漢字・漢文からラテン文字およびそれによる新しい国文に移行したという特殊な軌跡を見せたことがある。具体的に一九〇六年、フランスのインドシナ（仏印）政権は、同年五月三一日付法令をもって、ラテン文字によるベトナム語表記、いわゆる「国語（クオック・グー）」に基づく新学制を導入した。さらに一九一九年に入ると、阮朝の啓定帝（在位：一九一六～一九二五）は同年の科挙試験を最後の漢学試験として位置づけ、出世手段として漢字・漢文教育を支える科挙制度に終止符を打つ運びとなった。漢字教育から国語教育に移行するその方針は、ホーチミンが独立宣言を行った一九四五年以後もベトナム民主共和国に維持され、また南北分断されたベトナム戦争時代（一九五四～一九七五）にもイデオロギーと関係なく、南北両政権に推進され、統一ベトナム（ベトナム社会主義共和国）に継承され、現在に至って

エッセイ

いる【図1】。

ベトナムはこうして二〇世紀を通じて、脱植民化を図っていたが、文字に限っては植民地時代に定着化した文字体系およびそれによる新国文をそのまま継承することになったのである。それ以前ベトナムは日本が万葉仮名、ひらがな、カタカナを、そして韓半島がハングルを創出したように、自国の言葉を表記するために漢字を運用してベトナムの漢字型国字、いわゆる「喃字」(「㗂喃」の独創を工夫した。それに伴い、ベトナムの説話世界も、一六世紀成立『越史演音』や一七世紀成立『天南語録』などの作品で喃字で再

第八年　南風雜誌　第八二冊

◉國文中漢字參用之問題　南風

國語一問題爲我國今日吸新保粹續往產來之問題夫人而知之矣惟我國民中號爲國民之耳目能肩斯責者厥有二派一爲歐學派一爲漢學派歐學派受泰西之文明造將來之利益無論爲科學爲文學爲博學爲淺學爲精髓學爲皮相學爲江河沛然之學抑或爲鸚鵡能言之學凡所謂國文者將必受其最速之影響以產出其最新之音話語言蓋潮流之浸度使然也雖然彼新學派對於國文之前途有快境焉有活境焉而亦有險境焉彼若能志在高深不[illegible]梯航輸名山之良玉採巨海之明珠則國文前途何患乎不豐且富若不能然則日久而無人供[illegible]家佛不靈國文前途惟有日就消滅而已國文之前途若何新學派豈得辭其責哉然姑舍是勿論我國東方一古國也向來一漢學國也無論爲漢學諸家文章言論洋洋灑灑含英吐華即至雜然散見於民間不識字者之日用常話尤歷歷可徵不啻方言諺語一般茲概分類而略述之詞雖杜撰語雖淺近間或有鄙俚不馴雅者然味之覺有天然之能力在興味無窮如倫理類則有一心忠孝頭上君親師生之誼父子之兵朋友之交瓜葛之情君明臣良父作子述男婚女嫁夫唱婦隨兄弟如手足貧賤之交不可忘夫婦和家道成非緣債不成夫婦爲子孫作馬牛今日[illegible]子弟他日爲父兄一字爲師半字爲師弟子如子半子猶子虎父無犬子有福看兒孫等話如勸戒類則有害人人害生事事生禍從口出病從口入戲者無益貪者無益敬老得壽有志更成歲月如梭波濤易溺淫者萬惡之首孝爲百行先黄金常黑世心所食不過適口無心還無事謀深禍亦深一世訟三世讎一誤豈容再誤聖人不自滿足皇天不負好心天理常在人心君子成人之美一事不信萬事不信樂不可極樂

國文中漢字參用之問題　五八

図1　『南風雜誌』漢字本で国文における漢字参用の問題を議論した記事

生された時期もあったが、複数の漢字を組み合わせてできた喃字は、漢字より複雑で、造字および運用の原理も体系的に統一されないため、日本のひらがなやカタカナ、また韓半島のハングルのように広く普及に及ばず、喃字による作品の普及および喃字の原型である漢字自体の使用の継続を支える役割が果たせなかったのである【図2】。

注目すべきことにラテン文字に移行するとともに、かつて漢字・漢文で書かれたベトナムの説話は、今度ラテン文字で再生されることになった。拙稿(「ベトナムの説話世界の独自性と多元性：東アジア世界論・単一民族国家論・ナショナリズムを超えて」、小峯和明編『説話文学研究の最前線』文学通信、二〇二〇年)でも言及したように、一九世紀末にフランス人学者 Par A. Landes はベトナム各地の口頭伝承を調査し、それをフランス語で記録して、「Contes et Légendes Annamites［安南の神話と伝説］」と題して『Excursions et reconnaissances［遊覧と観察］』という刊行物に連載した。それをうけて一九五七年から一九八二年にかけての間、ベトナム民間伝承研究の先駆者グェン・ドン・チー氏は Landes の記録をベトナム語に翻訳した上で自らの調査で収集した地方伝承も加えて、『Kho tang truyen co tich Viet

Nam［ベトナム昔話の宝庫］』という説話の集大成を「国語」で書き上げた。現在のベトナム小中学校の教科書に登場した説話の多くは、『ベトナム昔話の宝庫』から転載されているため、ベトナムの子供たちに親しまれた多くの説話の語りは、漢文から現代語訳されたものではなく、フランス語からベトナム語に翻訳されたものである。

ラテン文字世界に移行したことは、国民の識字率を急速に高める一方、漢字・漢文を学習する人口を急激に減少させ、漢字・漢文で書かれた一次資料が学問的に取り扱える研究者層も縮小させ、結果的に喃字文学も含めた、漢字・漢文を土壌に養成された伝統文学に対する理解力や開発力を低下させた消極的な側面もある。ベトナムの伝統文学は、多くの場合、写本の形で伝来してきたが、各写本を校合し、文字を翻刻することができる人材が急速に減少したため、結果的に研究を支える翻刻作業が重視されなくなり、現代語訳に比重が置かれるようになった。近年問題が改善されつつあるものの、漢文資料が読めず、現代語訳をもとに研究している研究者がまだ多くいるのである。現代語訳が出版される際にその訳本の定本となる影印本がつけられることもあるが（そもそも経費を削減するためにそれをつけない出版物が多い）、写本が多く残っている場合、校合本がないなら、研究資料として非常に取り扱いにくいことはよくある。さらに従来十分に注目されていない問題として、文学作品やその研究を支える出版業界にも影響が及んでいた。すなわち出版業界で漢字・漢文を通じる人材が確保できなくなると、漢字・漢文の編集やその印刷も不可能になり、問題がさらに深刻化した。たとえば、一九三〇～四〇年代にかけて「吐納亜欧、調和新旧」の方針で刊行した『Tap Chi Nam Phong（南風雑誌）』は、国語本とともに漢文本も

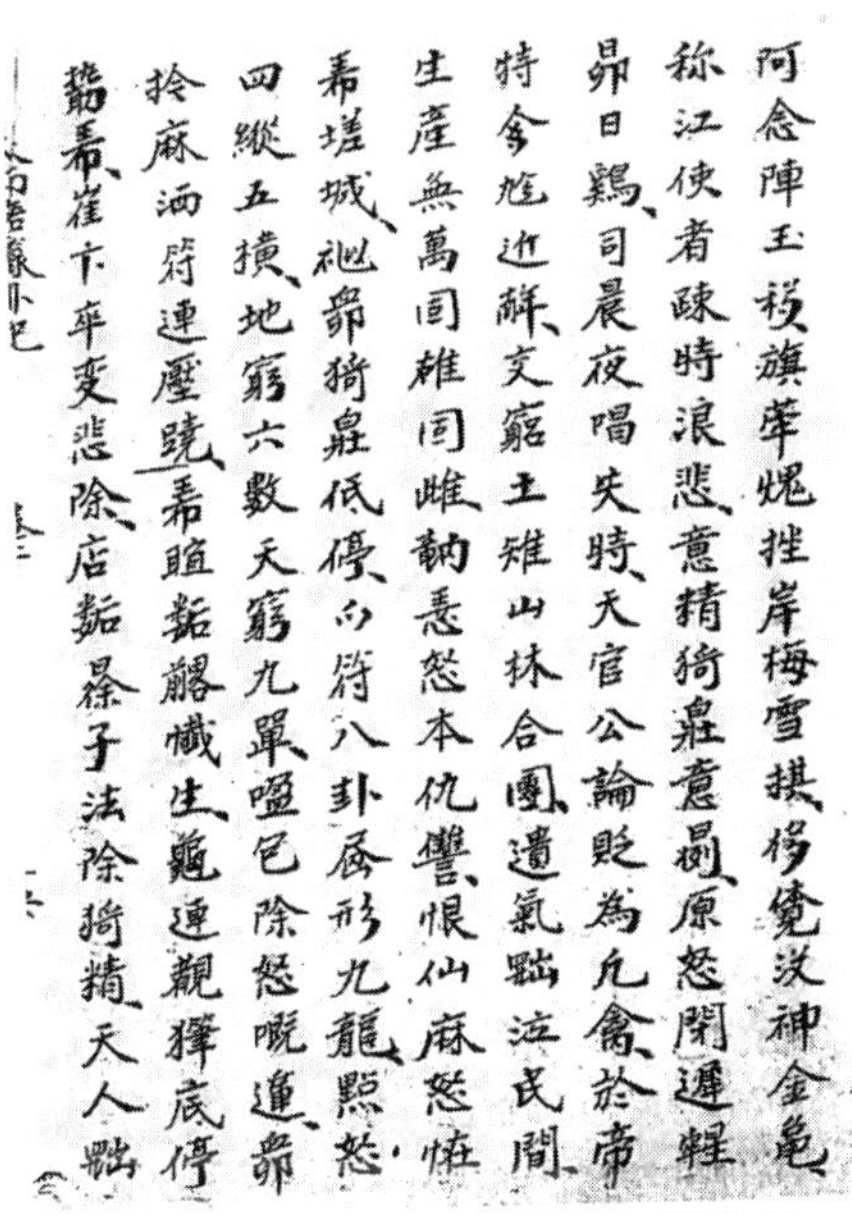

図2　『天南語録』で喃字で再生された「金亀伝」

刊行され、そのなかに「文苑」の部を設けて、『歴朝憲章類誌』をはじめ、様々な漢文資料の翻刻を行ったが、一九六〇年代に入ると、北ベトナムでは資料の翻刻はもちろん、研究論文における漢字引用すらも姿を消した。南ベトナムでは一九六〇年代にはグェン・シ・ザク氏が翻刻した『Le trieu chieu linh thien chinh［黎朝詔令善政］』（サイゴン大学院法学部、一九六一年）などの翻刻本がまだみられたが、一九七〇年代に入ると、南ベトナム政府の文化特責国務卿翻訳委員会の古文文庫シリーズに代表されるように、翻刻のかわりに影印本を現代語訳につけるのが一般化した【図3・4】。写本の校合に関して、近年レ・マイン・タト氏が校合した『Thien uyen tap anh［禅苑集英］』にみられるように、翻刻本の上ではなく、ベトナム語の現代語訳を注記する形で行うのが一般的であるため、ベトナム語の現代語がわからない外国人の研究者ならば、その校合を参考にすることができないことになっている。現在『嶺南摭怪』や『粤甸幽霊集』などの古説話集を検討する際に、国内外の研究者は台湾の『越南漢文小説叢刊』や中国の『越南漢文小説集成』のような、ベトナム国外で出版された翻刻・校合本に頼らざるをえないのである。また筆者がかつて『考

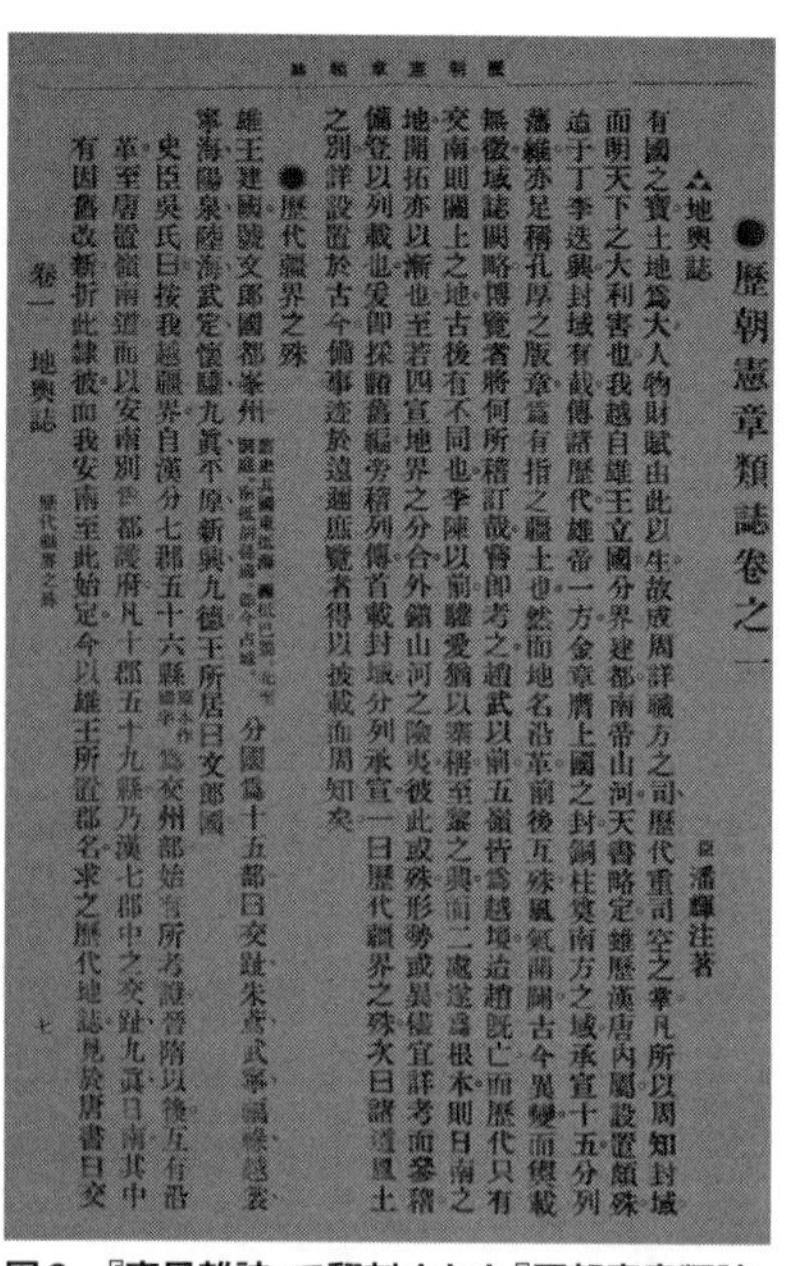

図3 『南風雑誌』で翻刻された『歴朝憲章類誌』

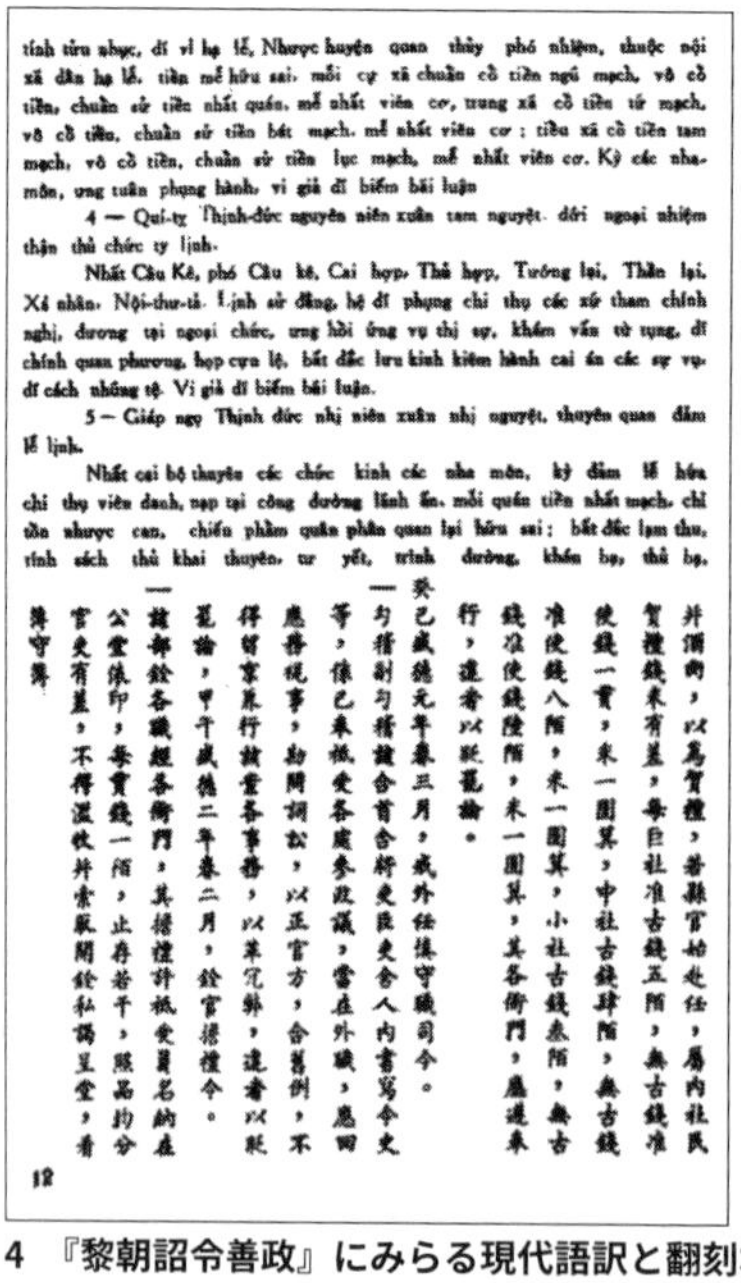

tính tửu nhục, dĩ vi hạ lễ. Nhược huyện quan thủy phó nhiệm, thuộc nội xã dân hạ lễ. tiền mễ hữu sai, mỗi cự xã chuẩn cổ tiền ngũ mạch, vô cổ tiền, chuẩn sử tiền nhất quán, mễ nhất viên cơ, trung xã cổ tiền tứ mạch, vô cổ tiền, chuẩn sử tiền bát mạch, mễ nhất viên cơ ; tiểu xã cổ tiền tam mạch, vô cổ tiền, chuẩn sử tiền lục mạch, mễ nhất viên cơ. Kỳ các nha-môn, ưng tuân phụng hành, vi giả dĩ biếm bãi luận

4 — Quí-tỵ Thịnh-đức nguyên niên xuân tam nguyệt. đối ngoại nhiệm thận thủ chức tỵ lịnh.

Nhất Câu Kê, phó Câu kê, Cai hợp, Thủ hợp, Tướng lại, Thần lại, Xá nhân, Nội-thư-tả. Lịnh sử đẳng, hệ dĩ phụng chỉ thụ các xứ tham chính nghị, đương tại ngoại chức, ưng hồi ứng vụ thị sự, khám vấn từ tụng, dĩ chính quan phương, hợp cựu lệ, bất đắc lưu kinh kiêm hành cai án các sự vụ, dĩ cách nhũng tệ. Vi giả dĩ biếm bãi luận.

5 — Giáp ngọ Thịnh đức nhị niên xuân nhị nguyệt, thuyên quan đãm lễ lịnh.

Nhất cai bộ thuyên các chức kinh các nha môn, kỳ đảm lễ hứa chi thụ viên danh, nạp tại công đường lãnh ấn. mỗi quán tiền nhất mạch. chỉ tồn nhược can, chiếu phẩm quân phân quan lại hữu sai ; bất đắc lạm thu, tính sách thủ khai thuyên, tư yết, trình đường, khấu bạ, thủ bạ,

12

図4 『黎朝詔令善政』にみらる現代語訳と翻刻本

古学雑誌』（第一号、二〇一三年）に隋代の交州舎利塔銘、『漢喃研究雑誌』（第四号、二〇一三年）に李朝期の思琅州崇慶寺鐘銘に関する論文を発表する際に、編集や印刷段階で漢字が文字化けになったのも雑誌編集部および出版業界における漢字・漢文を通じる人材不足の問題を示した。

一九世紀から二〇世紀にかけて、東アジア各国で共通的に漢字廃止論が浮上し、その後それぞれの道を歩んできたのは周知通りであるが、上記にみられるように、最も早く漢字廃止を決行したのはベトナムであり、漢字・漢文資料を取り扱う歴史・文学研究に多大の悪影響を与えた結果となった。それは、近年漢字教育を徐々に廃止しようとしている韓国も含めて漢字・漢文文化圏の諸国に参考となるべき教訓を多くもたらしたのである。

そうした状況のなかで、ベトナムの漢字・漢文世界を再発見して、東アジアの漢字・漢文文化圏に再び橋をかけてくれたのは日本学界の関係者である。すべて事例を取り上げると、枚挙に遑がないが、台湾で生まれで、日本で育ち、慶應義塾大学文学部史学科東洋史専攻を卒業した陳荊和先生の業績が代表的である。陳先生は一九六〇年代から一九八〇年代にかけて、阮朝期の宋福玩・楊文朱撰『暹羅国路程集録』（一九六六年）、阮朝嗣徳帝著『嗣徳聖制字学解義歌訳注』（一九七一年）、『校合本 大越史記全書』（一九八四～一九八六年）、『校合本 大越史略』（一九八七年）など多くの資料の校合・翻刻・訳注に手をかけていた。近年の代表的な事例として二〇一四年、説話文学会の重鎮である小峯和明先生と川口健一先生を中心に「ベトナム漢文を読む会」が結成され、写本問題が複雑な『嶺南摭怪列伝』の検討会などの活動が行われた。『嶺南摭怪』の説話をメインテーマに開催された説話文学会の二〇二一年一二月例会は、これらの活動の結実である。当学会の発表について、『説話文学研究』（第五七号、二〇二二年）ですでにコメントを述べたように、川口健一・金英順・宇野瑞木・佐野愛子各氏の研究を通じて、『嶺南摭怪』の各種写本が再検討され、『嶺南摭怪』に登場した「金亀伝」「越井伝」と中国の説話が比較され、説話の成り立ちが明らかにされるとともに、「洞天思想」などの視点で東アジアコンテクストにおける説話が検討された。ベトナム説話研究にとって大変有意義なこれらの研究発表はすでに説話文学会の機関誌『説話文学研究』（第五七号）に掲載されたが、筆者の知る限りでは、『嶺南摭怪』の検討会の結果として近いうちに『嶺南摭怪』の校合・訳注本が出版される。当書は世に出たら、ベトナムの説話文学研究を大きく発展させる一冊になると確信する。

『嶺南摭怪』が検討されていくうちに、説話に登場した地名や生態（環境）に関する知識がなければ、文面だけで説話の理解が不十分であると、「ベトナム漢文を読む会」の関係者の間で問題意識が共有された。それは、『越南漢文小説叢刊』や『越南漢文小説集成』がかつて直面した問題でもある。それを克服するために小峯先生を中心に「傘円」や「越井」など『嶺南摭怪』に登場した地名に関する現地調査が行われるようになった。筆者も研究協力者として傘円山の調査に参加させていただいた。まだ三〇代末だった筆者は、早足で山道を登った七〇代の小峯先生を必死に追いかけて、「前の世代の背中をみて育つ」というのはこういうことかと、汗まみれで実感していた。

日本説話会の現地調査をよくアレンジしてくれたのは、元ベトナム漢喃研究院のグエン・ティ・オワイン先生（今はタンロン大学教員）である。オワイン先生は、日本説話文学会の各活動に積極的に参加し、『〈予言文学〉の世界：過去と未来を繋ぐ言説』（勉誠出版、二〇一二年）『夢と表象：眠りとこころの比較文化史』（勉誠出版、二〇一七年）、『シリーズ日本文学の展望を拓く：資料学の現在』（笠間書院、二〇一七年）、『説話文学研究の最前線：説話文学会五五周年記念・北京特別大会の記録』（文学通信、二〇二〇年）、『シリーズ東アジア文化講座』（文学通信、二〇二一年）、『日本と東アジアの「環境文学」』（勉誠出版、二〇二三年）などの出版企画でベトナム説話に関する論文を数多く発表した。小峯先生のご好意により、筆者自身も『シリーズ日本文学の展望を拓く』『説話文学研究の最前線』『シリーズ東アジア文化講座：東アジアに共有される文学世界：東アジアの文学圏』『日本と東アジアの「環境文学」』といった一部の企画に参加する機会を得た。これらの企画ではベトナム側の研究者は、自国の説話資料を紹介するだけではなく、「予言文学」「夢」「環境文学」など日本説話文学会が次々提示した新しい視点やキーワードからヒントを得て、東アジア諸国の研究者と問題意識を共有しながら、対話することができるようになった。日本の説話文学会はこうしてベトナム説話文学を再発見して、東アジアの文学世界に合流させる架け橋の存在を果たしたのである。

日本の説話文学会は今後ともその架け橋の役割を発揮して、ベトナム国内の研究者と密接に協力しながら、『嶺南撫怪』だけではなく、他の説話集も視野に入れて、各種写本を検討した上で、研究の基盤になる翻刻・校合本を作成し、また現地調査の重要性を意識しながら、新しい視点で東アジアにおけるベトナム説話世界を多面的に検討していくと期待される。ベトナムの説話文学およびその研究は、漢字世界から喃字世界へ、またラテン文字世界に移行したということは前述通りであるが、結果的にラテン文字世界への移行が漢字・漢文世界から断絶を生じさせた反面、言説の視点からみれば、もともと漢字・漢文で記録された説話はどのように喃字で読まれ、またフランス語や「国語」などのラテン系文字で再生されたのかという経緯とその内実の検討も興味深い研究テーマになるだろう。また前近代東アジア世界が漢字、儒教、律令、漢訳仏教という諸文化を共有する文化圏であるという西嶋定生の東アジア論を参考に考えると、東アジアの説話文学は、漢訳仏教、漢文道教という要素も共有していたことが見え、その漢訳仏教、漢文道教を軸に検討するならば、新しい文学像が発見されると期待可能である。その可能性は、説話文学会の二〇二三年七月例会「仏教、道教　仏伝文学としての『釈氏源流』」といった学会でもすでに指摘されていたが、今後ベトナムも視野に入れてさらに検討すれば、より豊かな東アジア説話文学世界を明らかにすることが可能だと考えられる。

説話文学会

例会・大会の記録

2013～2023

第一五五回例会　二〇一三年（平成二五年）九月二一日　駒澤大学

［実演と講演「消え行く話芸の世界」］

のぞきからくり―グロテスクな絵と哀切な節まわしが形づくる縁日の芸能　上島敏昭

街頭紙芝居の時代―その源流と変遷―　榎本千賀

絵解き―唱導から見た説話と絵画　林雅彦

第一五六回例会　二〇一三年（平成二五年）一二月七日～九日　和歌山大学

◇一二月七日

エクスカーション「紀の川の古刹をめぐる」

◇一二月八日

［シンポジウム「〈根来寺〉の輪郭―空間・資料・人―」］司会〇佐伯真一

惣国首都の空間構成とネットワーク　海津一郎

智積院新文庫聖教について―その成立と伝来を巡って―　宇都宮啓吾

〈根来寺〉四周と延慶本『平家物語』―その「往還」の試み―　牧野和夫

コメンテーター〇大河内智之・高橋秀城

◇一二月九日

有志エクスカーション「紀三井寺・和歌浦の寺社をめぐる」

第一五七回例会　二〇一四年（平成二六年）四月一九日　上野学園大学

［研究発表・講演会「中世の音楽、芸能と説話文学」］司会〇三島暁子

『古今著聞集』音楽説話の原拠について　櫻井利佳

音楽説話の多氏―御神楽の拍子の家の形成をめぐって―　中本真人

展示「中世の音楽史料」〈解説〉福島和夫

『古今著聞集』を読む―巻十六、五五六・五五七話から―　田口和夫

第一五八回例会　二〇一四年（平成二六年）九月二七日　専修大学

［シンポジウム「唱導説話と芸能」］総合司会〇井黒佳穂子
シンポジウム司会〇小林健二
唱導と説法　渡辺麻里子
仏に八種の音声あり―鸞鏡・山鳥の説話と『釈迦譜』　岩崎雅彦
狂言における説法の摂取と消化―「どちはぐれ」の位置―　稲田秀雄

第一五九回例会　二〇一四年（平成二六年）一二月一三日　奈良女子大学

［講演・シンポジウム「南都・鬼・霊異記」］
講演　後戸猿楽の鬼と荒神　松岡心平
神道灌頂資料展観解説　伊藤聡・鈴木英之
シンポジウム司会〇千本英史
『日本霊異記』と「鬼」の説話―中国仏教説話との比較―　山口敦史
「鬼」を語り記すことの意味―『日本霊異記』と内典・外典―　河野貴美子
アジア東部における日本の「鬼神」―奈良・平安前期を中心に―　吉田一彦

第一六〇回例会　二〇一五年（平成二七年）四月二五日　大妻女子大学

［シンポジウム「モノノケの宗教・歴史・文学」］司会〇小井土守敏
囲碁・雙六によるモノノケの調伏―中世前期を中心として―　小山聡子
〝託宣〟の史料的検討―平安時代を中心に―　上野勝之
モノノケの憑依をめぐる心象と表現　森正人

第一六一回例会　二〇一五年（平成二七年）九月二七日　根津美術館

［女院と尼僧の信仰の軌跡　根津美術館蔵「春日若宮大般若経」をめぐって］
オーガナイザー〇近本謙介
コメンテーター〇阿部泰郎
春日若宮大般若経および春日厨子―作品と研究史　白原由起子
一筆経としての「春日若宮大般若経」―尼浄阿の書風　松原茂
尼浄阿一筆書写大般若経の転読料所と安置空間　藤原重雄
大般若経と春日若宮信仰―女院と尼僧の鎌倉仏教史　近本謙介

第一六二回例会　二〇一五年（平成二七）一二月一二日・一三日　愛知県立大学

◇一二月一二日
［シンポジウム「山寺をめぐる道と山寺に遺された書物―地方の文化遺産から見えるもの」］司会〇中根千絵
山寺における文字文化の形成と発見―三河国普門寺の文化遺産　上川通夫
普門寺縁起をよむ―中世一山寺院の宗教空間　阿部泰郎
高野山を結界する山林寺院―縁起・仏像から復元する地域史　大河内智之
※図書館展示「愛知県史展」（愛知県立大学長久手キャンパス図書館1階ロビー）
◇一二月一三日
バスツアー・史資料見学　舟形山普門寺
〈解説〉上川通夫

第一六三回例会　二〇一六年（平成二八年）四月二三日　日仏会館ホール

［シンポジウム「占いと説話」］司会〇伊藤信博
コメンテーター〇小峯和明
説話の中の占い師像の変貌―『安倍晴明記』とその周辺　マティアス・ハイエク

近世の占い人気と『一休ばなし』に読む民衆の禅的な知恵
ディディエ・ダヴァン
歌占の系譜―託宣から占いへ― 平野多恵

第一六四回例会 二〇一六年（平成二八年）九月二四日 名古屋市立大学
［シンポジウム「無住―その信仰の軌跡―」］司会〇土屋有里子
挨拶 伊藤恭彦
講演 『沙石集』における「慥なこと」について 大隅和雄
紹介 吉田一彦
シンポジウム
無住の律学と説話 小林直樹
無住における密教と禅 米田真理子
無住直筆「置文」・「無想事」 土屋有里子

第一六五回例会 二〇一六年（平成二八年）一二月一七日 同志社大学
［シンポジウム「大名文化の編成と八幡信仰」］司会〇鈴木彰
尾張徳川家の大名道具に見る八幡信仰 龍澤彩
中世近世移行期における尾張・三河の八幡再興の〈物語〉 中根千絵
湯月八幡宮の再興と武の物語 小助川元太
小報告 大名家の歴史意識と八幡宮・八幡縁起―主に萩藩毛利家の事例から― 鈴木彰

第一六六回例会 二〇一七年（平成二九年）四月二二日 成蹊大学
［シンポジウム「「医事説話」研究が〈拓く〉世界」］司会〇中根千絵
医事説話の嚆矢 辻本裕成
医事説話の中興期 入口淳志
医事説話の行方 福田安典

第一六七回例会 二〇一七年（平成二九年）一〇月七日 筑波大学
［シンポジウム「画中詞研究への視座―絵と言葉のナラトロジー―」］
画中詞の成立―「矢田地蔵縁起絵巻」を中心に 井並林太郎
宝蔵絵の再生―伏見宮貞成親王による「放屁合戦絵巻」転写と画中詞染筆 山本聡美
画中詞の創作―『住吉物語』絵巻と『稚児今参り』絵巻 江口啓子
美術からみた画中詞―書記空間と絵画空間の関係性から考える
三戸信惠
ディスカッサント〇藤原重雄
オーガナイザー兼パネリスト〇山本聡美

第一六八回例会 二〇一七年（平成二九年）一二月一六日 早稲田大学
［シンポジウム「中世古今集注釈とテクスト・信仰・学問」］
譬喩と古今注―為顕流・宗祇流― 石神秀美
『玉伝深秘巻』の宗教的基盤と神祇書への展開 高橋悠介
吉田神道と『古今和歌集』註釈一斑―『古今和歌集』註釈史と中世後期・近世前期学問史の一隅をめぐって― 野上潤一
コーディネーター兼司会〇海野圭介
ディスカッサント〇伊藤聡・小川剛生

第一六九回例会 二〇一八年（平成三〇年）四月二八日 大阪市立大学
［シンポジウム「寺院における学問と唱導―天野山金剛寺聖教を起点として―」］
オーガナイザー兼パネリスト〇箕浦尚美
ディスカッサント〇三木雅博・小林直樹
金剛寺蔵『明句肝要』の典拠とその利用 仁木夏実
中世金剛寺僧が書写した摘句集―金剛寺蔵〈無名仏教摘句抄〉の性格
中川真弓

金剛寺蔵『能生諸仏経釈』に見る平安後期の法華経講説　箕浦尚美

第一七〇回例会　二〇一八年（平成三〇年）九月二二日　学習院女子大学

［シンポジウム「お伽草子と説話」］司会○徳田和夫・岩崎雅彦

基調講演　お伽草子の説話／説話のお伽草子　徳田和夫

玉藻前と犬追物起源譚―故実とお伽草子―　伊藤慎吾

お伽草子『二十四孝』と渋川清右衛門の女訓書　ケラー・キンブロー

『平家物語』の女性説話とお伽草子・能・民間伝承―　ロベルタ・ストリッポリ

つなぐ霞―物語表象から―　山本陽子

第一七一回例会　二〇一九年（平成三一年）四月二〇日　文教大学

［シンポジウム「十四世紀の宗教文芸―『梅林折花集』『真友抄』の世界―」］

オーガナイザー兼パネリスト○芳澤元

司会○近本謙介

コメンテーター○恋田知子

南北朝内乱の騒擾と寺院社会―醍醐寺賢西『梅林折花集』と『真友抄』―　芳澤元

賢西と上醍醐丈六堂　高橋慎一朗

『梅林折花集』の文芸と環境　猪瀬千尋

第一七二回例会　二〇一九年（令和元年）九月二一日　大妻女子大学

［シンポジウム「〈異域〉説話をめぐって」］

合戦描写と異域―琉球、蝦夷、そして天草　目黒将史

漂着から見た近世の琉球と日本　屋良健一郎

〈異域〉としての遊廓―元禄・享保期の江戸俳諧を視座に―　稲葉有祐

コメンテーター○松本真輔・安原真琴

司会○木村淳也

第一七三回例会　二〇一九年（令和元年）一二月七日　二松学舎大学

＊仏教文学会との合同例会

［シンポジウム「音楽と文学―『胡琴教録』の作者は鴨長明か―」］

第1部　楽書と文学―『胡琴教録』を中心に―

『胡琴教録』の成立をめぐって　落合愛菫

『胡琴教録』と説話　鈴木和大

『胡琴教録』の原態について　神田邦彦

『胡琴教録』の作者は鴨長明か　磯水絵

第2部　琵琶の流派とその説話―桂流と西流―

西流の楽書、演奏家　櫻井利佳

中原有安と桂流　神田邦彦

第3部　琵琶の音楽（調絃、曲種、奏法）―『源氏物語』宿木巻を起点に・付実演―

琵琶の撥合（かきあはせ）から秘曲まで　スティーヴン・G・ネルソン

啄木のこと　早川太基

演奏　中村かほる

第一七四回例会　二〇二〇年（令和二年）一〇月四日　園城寺・YouTube Live（限定公開）

＊共催　渡辺麻里子代表科研（C）（平成30年〜令和3年度）「園城寺所蔵天台関係聖教の調査による中世天台談義書を生成するネットワークの解明」

［基調講演・シンポジウム　園城寺の学問世界―園城寺勧学院聖教を基点として―］

【第一部】基調講演

ご挨拶　福家俊彦

基調講演　談義・論義・竪義―寺内修学制度に関わって―　苫米地誠一

【第二部】シンポジウム

趣旨説明　渡辺麻里子

園城寺蔵資料の見取り図　石井行雄

園城寺蔵『寺門法華大会勘例』について　中川仁喜

園城寺の学問世界をめぐって　渡辺麻里子

第一七五回例会　二〇二〇年（令和二年）一二月一二日　Zoomを用いたオンライン配信

［シンポジウム「ベトナムの漢文説話を読む―『嶺南摭怪列伝』を中心に」］総合司会〇河野貴美子

基調講演　『嶺南摭怪』から見たベトナムの信仰と宗教　大西和彦

シンポジウム「『嶺南摭怪列伝』を読む」

趣旨説明・司会〇小峯和明

『嶺南摭怪列伝』各種写本をめぐって　川口健一

「越井伝」―裴鉶『伝奇』「崔煒」と比較して　佐野愛子

「金亀伝」にみる王女の愛と反逆をめぐって　金英順

『嶺南摭怪』と洞天思想　宇野瑞木

コメント〇グエン・ティ・オワイン、ファム・レ・フイ、髙津茂

第一七六回例会　二〇二一年（令和三年）四月二四日　Zoomを用いたオンライン配信

＊軍記・語り物研究会との合同例会

［シンポジウム「『曽我物語』と説話」］

曾我兄弟の処刑譚をめぐる諸問題　渡瀬淳子

頼朝流離説話と伊東・北条　坂井孝一

近世芸能における『曽我物語』　黒石陽子

コメンテーター〇會田実・宮腰直人

司会〇小井土守敏

研究集会　二〇二一年（令和三年）一一月二八日　名古屋大学

＊主催　科研費基盤研究（B）「唱導の場から見た日本古代中世文学の特質についての総合的研究」（研究代表者：牧野淳司／課題番号：20H01235）

科研費基盤研究（A）「中世拠点寺院の蔵書と美術に基づく人と知のネットワーク解明」（課題番号：20H00012）・科研費挑戦的研究（萌芽）「科学技術を駆使した唱導資料と交流史に基づく東アジア法会学創成への挑戦」（課題番号：21K18360）・名古屋大学最先端国際研究ユニット「文化遺産と交流史のアジア共創研究ユニット」（以上研究代表者：近本謙介）

共催　説話文学会

※説話文学会二〇二〇年度大会シンポジウム、及び二〇二一年度九月例会で予定していた内容であったが、いずれも新型コロナウイルス感染症の影響により中止せざるを得ず、代替の研究集会を実施することとした。

［西域・中国からの水脈―仏典と翻訳・俗講―］

開催挨拶、趣旨説明、講師紹介　牧野淳司

『今昔物語集』巻四「龍樹・提婆二菩薩伝法語」に見る「日本化」の様相　船山徹

西域、流沙の契り―東大寺「四聖」の源流を求めて―　小島裕子

祇園精舎の鐘と銅鼓―祇洹寺図経覚書（結）―　黒田彰

コメント〇近本謙介

質疑応答・討論　司会〇牧野淳司

閉会挨拶　近本謙介

第一七七回例会　二〇二一年（令和三年）一二月一八日　Zoomを用いたオンライン配信

［シンポジウム「図像説話と女」］
趣旨説明　堤邦彦
一七世紀後半の絵巻と女性—『子易の本地』を例として—　恋田知子
女の救いと絵語り・文字語り—『熊野観心十界曼荼羅』「賽の河原」をてがかりに—　橋本章彦
《常宣寺縁起絵巻》と地獄絵《受苦図》の交点—女人往生と和泉式部伝承の視点から—　鈴木堅弘
女霊の表象—古浄瑠璃に始まるもの　堤邦彦
コメンテーター○徳田和夫
司会○日沖敦子

第一七八回例会　二〇二二年（令和四年）四月一六日　Zoomを用いたオンライン配信

［シンポジウム「歴史史料と説話文学」］
開会挨拶　柳川響
基調講演　武士論の現在と『今昔物語集』　髙橋昌明
『法華験記』における人物の再検討　柳川響
素材としての「三史」　蔦尾和宏
『続古事談』が目指したもの—『愚管抄』・「年代記」類を発端に　伊東玉美

第一七九回例会　二〇二二年（令和四年）九月一七日　早稲田大学・Zoom併用

＊共同開催：国際日本文化研究センター共同研究「ソリッドな〈無常〉／フラジャイルな〈無常〉—古典の変相と未来観」（研究代表者：荒木浩）

［シンポジウム「五大災厄のシンデミック—『方丈記』の時代」］
趣旨説明・報告者紹介　モデレーター　荒木浩
『方丈記』「都遷り」の生成と遷都をめぐる表現史　木下華子
慈円の災異論と台密修法—『愚管抄』の災厄記事を中心に　児島啓祐
海外の受容から窺う『方丈記』の五大災厄—英語圏における翻訳とアダプテーションを中心に　プラダン・ゴウランガ・チャラン

第一八〇回例会　二〇二二年（令和四年）一二月一七日　長崎市立図書館・Zoom併用

＊共催　学術振興会・科学研究費助成：基盤B・20H01236「一六世紀前後の日本と東アジアの〈異文化交流文学史〉をめぐる総合的比較研究」（研究代表者・小峯和明）、同：基盤C・22K00317「近世「反キリシタン文学」の基礎的研究—「吉利支丹由来記」を起点に」（研究代表者・南郷晃子）

［キリシタン文化と説話文学—一六世紀前後の〈異文化交流文学史〉］
コーディネーター・総合司会○松本真輔・小峯和明
開会の辞　松本真輔
［第一部　講演会「キリシタン文学と異文化交流」］
キリシタン文学を日本文学として読む—ヨーロッパの原典に当たって　パトリック・シュウエマー
メンデス・ピント『東洋遍歴記』における豊後滞在記事　伊川健二
［第二部　シンポジウム「キリシタン文化と説話文学」］司会○小峯和明
聖母マリアの霊験記—バレト写本と漢訳『聖母行実』　小峯和明
キリシタン文学再考—『吉利支丹由来記』、実録類を手がかりとして　南郷晃子
『吉利支丹物語』に於けるキリシタン　杉山和也
コメンテーター○服部光真・菊池庸介・樋口大祐

第一八一回例会　二〇二三年（令和五年）四月一五日　大正大学・Zoom併用

＊協力　国立歴史民俗博物館・名古屋大学・龍谷大学・福島県只見町教育委員会・金山町教育委員会・南会津町教育委員会

＊三菱財団人文科学研究助成（第四九回（二〇二〇年度）、大型連携研究助成五〇周年記念特別助成）「地域と連携する宗教文化遺産の探査とアーカイヴス化による文化遺産と社会の創成」

＊JSPS基盤研究A「宗教テクスト文化遺産アーカイヴス創成学術共同体による相互理解知の共有」（22H00005、研究代表阿部泰郎）

＊JSPS基盤研究C「古代～近代陰陽道史料群の歴史的変遷と相互関係の解明」（21K008558、研究代表梅田千尋）

＊Core-to-Coreプログラム「テクスト学による宗教文化遺産の普遍的価値創成学術共同体の構築」（研究代表阿部泰郎）

［シンポジウム「学僧祐俊の修学と聖教典籍書写の旅―奥会津真言寺院調査の成果と課題」］

司会・進行○渡辺麻里子・阿部泰郎

開会の辞　渡辺麻里子

趣旨説明　阿部泰郎

『神皇正統記』只見本、『和漢朗詠集私註』慶応義塾大学本と僧祐俊の足跡　久野俊彦

中世末真言宗における陰陽道―『安部懐中伝暦』とその周辺―　小池淳一

中世末真言新義僧の修学における地方（田舎）と上方―祐宜・祐俊ら修学活動の背景にあるもの―　坂本正仁

コメント○渡辺匡一、ブライアン・ルパート、阿部美香

＊　＊　＊　＊　＊

平成二六年度大会　二〇一四年六月二八日・二九日　同志社大学

［講演会「平安京・京洛・京都と説話」］

今出川校地の発掘調査―公経・義晴そして義満―　鋤柄俊夫

平安京の虚像と実像　山田邦和

平安京の街角―公家日記と説話―　池上洵一

『日本霊異記』における天皇と権力　坂口健

お伽草子『隠れ里』の「食」の風景―祝言の世界と異類の交差　塩川和広

曇華院蔵『なよ竹物語』の成立背景について　横山恵理

新出『因縁集』について―『三国伝記』・『撰集抄』との関係を中心に―　松尾譲兒

新出の平仮名本三国伝記について　黒田彰

『古今著聞集』と中国画論　河野道房

「九想（相）詩」と「九相図」・再考　田中貴子

平成二七年度大会　二〇一五年六月二七日・二八日　二松學舍大学

［講演会「仏教説話の流れ」］

『日本霊異記』をどう捉えるか―自土意識（国家意識）の視点から　多田一臣

対外観の中の仏教説話と説話集　荒木浩

仏法の語り方―『発心集』から見た仏教文学の流れ　伊東玉美

「隠者」という語について　劉瀟雅

『発心集』神宮本独自説話について―山王関係説話を中心に―　李曼寧

催馬楽「同音」関連話の諸相―『枕草子』『古今著聞集』『教訓抄』など―　本塚亘

国文学研究史の再検討―『今昔物語集』〈再発見〉の問題を中心に―

ベトナム李朝における帝位継承と仏教―徐道行の転生譚を中心に―　杉山和也
後鳥羽院と神護寺所領問題―『古今著聞集』と『平家物語』の文覚説話―　旅田孟　佐野愛子
林羅山『本朝神社考』の典拠と引用標示について―羅山の学問と近世前期学問史の一隅をめぐって―　野上潤一
「わが事」としての近世説話―地方社会における『本朝故事因縁集』　南郷晃子
醍醐寺焔魔王堂再考―成賢による冥府儀礼空間の構築　阿部美香
『中外抄』にみる言談の〈場〉の諸相　田中宗博

平成二八年度大会　二〇一六年六月二五日・二六日　慶應義塾大学

［シンポジウム　聖徳太子と説話］
基調講演　中世聖徳太子伝記の一隅―成阿弥陀仏など―　牧野和夫
律院と聖徳太子伝―称名寺と橘寺を中心に　高橋悠介
聖徳太子伝の日羅をめぐる諸説と愛宕山の縁起　松本真輔
瑞泉寺本聖徳太子絵伝―その〝説話性〟と〝礼拝性〟をめぐって　村松加奈子

『今昔物語集』巻二十七「近江国生霊来京殺人語第二十」の話型に関する考察　藤崎祐二
鼻に付随する観念―大鼻・赤鼻と異形―　旅田孟
『古今著聞集』第二六五話前半部について―『刀自女経』と台密におけるダキニ天法をめぐって―　猪瀬千尋
『大橋の中将』の成立と流布　条汐里
絵画テクストによる説話改変―月岡芳年『新形三十六怪撰』における絵の語りを中心に―　古明地樹

京都市立芸術大学所蔵「平家物語絵巻」粉本について―伝土佐光信筆「平家物語絵巻」の模本として考える―　山本陽子

平成二九年度大会　二〇一七年六月二四日・二五日　名古屋大学

［シンポジウム　神仏の儀礼と宗教空間を担うものたち―唱導・仏像・仮面］
司会〇阿部泰郎
唱導資料から見る堂舎建立と造仏の営み　牧野淳司
鎌倉の寺社と芸能、儀礼　古川元也
「霊験仏師」運慶の誕生―称名寺聖教をてがかりにして―　瀬谷貴之
コメント〇船田淳一

『平家物語』白拍子起源譚と藤原宗輔女若御前の関連について　根本千聡
佛光寺門徒にみる古今伝授　―その性格と系譜―　吉田唯
南方熊楠の妖怪研究と近世説話資料　伊藤慎吾
和泉国一宮大鳥大社の縁起の位相　向村九音
新出資料による安楽庵策伝の出自と交流の再検討　湯谷祐三
八幡神本地大日如来説について―『八幡愚童訓』「本地事」を中心に―　村田真一
『心性罪福因縁集』法志「説法論議比丘」説話考―真福寺蔵新出院政期写本の紹介を兼ねて―　吉原浩人

平成三〇年度大会　二〇一八年六月一六日・一七日　法政大学

［シンポジウム　判官物研究の展望］
オーガナイザー〇小林健二
基調報告　判官物と『義経記』の位相　鈴木彰
『御曹子島渡り』と室町文芸　齋藤真麻理

判官物の絵巻化—『義経奥州落絵詞』の形成— 本井牧子
『義経記』の展開と変容—『異本義経記』を一例として— 西村知子
義経の悲運を〈語る〉劇—判官物の能の手法— 伊海孝充
貞敏の琵琶にまつわる史実と説話、その形成について 根本千聡
『扶桑略記』の宗派性—宗論・相論に関する言説を中心として— 三好俊徳
『愚管抄』の勧学—台密註との比較を通じて— 児島啓祐
融通念仏宗教団における「祖師」の形成—『融通大念仏本縁起』と『両祖師絵史伝』を中心に— 今枝杏子
『児今参り』物語の再創造と室町期女房の文芸活動 末松美咲
『宮寺縁事抄甲納文書目録 第三』諸本について—書陵部本『宮寺縁事抄巻第五』・『石清水八幡宮并極楽寺縁起之事』・『諸起記』・『宮寺縁事抄目録 甲納文書目六』— 生井真理子

五五周年記念・北京特別大会 二〇一八年（平成三〇年）一一月三日〜五日 中国人民大学

◇一一月三日
開会の辞○小峯和明
［Ｉ 講演会「中国仏教と説話文学」］
朝鮮翻刻明伊王府刊『釈迦仏十地修行記』の金牛太子説話について—異類と〈環境文学〉 金文京
説話としての擬経 石井公成
衡山恵思・聖徳太子再誕説話の地平（ホリゾン） 阿部泰郎
唐宋代の往生伝の編纂と伝承—奇瑞の情景と〈環境文学〉 李銘敬
［Ⅱ シンポジウム「中国仏教と説話文学」］ 司会○荒木浩・山口眞琴
コメンテーター○渡辺麻里子・陸晩霞・野村卓美・吉原浩人
上代文学の文体と漢訳仏典の比較研究—時空表現を中心に 馬駿
『夢中問答』の説話学—13〜14世紀東アジアにおける「霊性」の波動 小川豊生
中国仏教文化からの創造—日本説話の中の五台山 小島裕子
［Ⅲ ラウンドテーブル「釈氏源流を読む」］ 司会○張龍妹・河野貴美子
『釈氏源流』の伝本 小峯和明
『釈氏源流』（仏伝部）の出典について 周以量
『釈氏源流』152段「法華妙典」に見る「霊山法会儼然」の出典にまつわって—日中における南岳・天台説話の異なる展開を兼ねる 高兵兵
儒教説話「以豆自検」の源流考—「趜多籌算」を読む 何衛紅
◇一一月四日
［Ⅳ 研究発表］ 司会○千本英史・原克昭
中国史伝でたどる慧思後身説—『七代記』の成立を検証する為に 司志武
南方熊楠と宋代の『夷堅志』—蔵書の書き込みを中心に 高陽
浅井了意の仮名草子における儒者像 蒋雲斗
『今昔物語集』にみる疫神・疫鬼—百鬼夜行説話を中心に 崔鵬偉
［Ｖ ラウンドテーブル「東アジアの〈環境文学〉と宗教・言説・説話」］
司会○竹村信治・鈴木彰
東アジアの時間から見た〈環境文学〉 劉暁峰
東アジアの〈性〉と〈環境文学〉—熊楠・男色・遊郭・二次的自然 染谷智幸
東アジア／日本の自然誌と国家誌叙述 樋口大祐
菩提樹の伝来 米田真理子
韓国の野談と〈環境文学〉 金英順
ベトナムの説話と〈環境文学〉 グエン・ティ・オワイン
閉会の辞○近本謙介

令和元年度大会 二〇一九年六月二九日・三〇日 名古屋大学

［シンポジウム「律をめぐる宗教的環境と説話文学との架橋」］
オーガナイザー○近本謙介
コメンテーター○野呂靖・土屋有里子
鎌倉期戒律復興の実像―泉涌寺僧が果たした役割　西谷功
南都における宋代新潮仏教の流入と復古　大谷由香
称名寺の説話資料と律　高橋悠介
北京・南都における律の展開と交差をめぐる史料と言説　近本謙介

『高野山往生伝』における密教と浄土教―中世高野山信仰についての一考察―　郭佳寧
『古事談』と『今鏡』の関係について―直接関係説の否定―　鈴木和大
大江匡房と藤原基俊　佐藤道生
『徒然草』第一六二段考―承仕法師の罪と罰―　池上保之
『寺徳集』の構成―園城寺・寺内伝来本を手掛りに―　石井行雄
今出河一友による石上神宮由緒記の生成―「家の由緒」との連関―　向村九音
光秀の連歌と明智が妻の咄―説話に見る連歌興行―　鶴﨑裕雄

令和二年度大会　二〇二〇年六月二八日　web上の掲示板形式
研究発表会
病、膏肓に入る―『今昔物語集』巻十第二十三「病成人形、医師聞其言治病語」考　伊丹
日本中世の男性ホモソーシャルと男色―寺院の師弟関係の言説を中心に―　金有珍
冒頭話群から見る『今昔物語集』巻十九と巻二十の関係　嶋中佳輝
『五常内義抄』所引漢語故事考―金言集との関わりを中心として―　翟会寧
テキストマイニングによる説話集間の関連分析―三大説話集の解析結果を中心に―　平本留理

令和三年度大会　二〇二一年六月二六日・二七日　Zoomを用いたオンライン配信
［シンポジウム「戦争はいかに語られるか」］
軍記物語と戦争―趣旨説明兼報告―　佐伯真一
〈武〉の表現史―武官をめぐる記述に着目して―　佐倉由泰
軍記は「いくさ」の何を語らないのか？―合戦図との比較から―　井上泰至
コメンテーター○鈴木彰・大津雄一
司会○佐伯真一

巨人漂着譚について――『古事談』第一　王道后宮　四〇「怪女、丹後国に漂着の事」より　戸口桃吾
『江島縁起』における典拠表現―悪龍調伏譚を中心に―　田中亜美
日中の「漢文笑話」をめぐって―笑話集の享受と編訳―　粟野友絵
追贈の詔と託宣―菅原道真への三次の追贈をめぐって―　出口誠
戦国の記憶―『義残後覚』について―　久留島元
横笛「葉二」伝承考　妹尾恵里
院政期の篳篥をめぐる説話と秘曲　根本千聡
中世日本の琵琶史観について　神田邦彦

令和四年度大会　二〇二二年六月二五日・二六日　成城大学・Zoom併用
開会の辞　杉本義行
［シンポジウム「『朗詠注』研究の可能性」］
趣旨説明　山田尚子
句題詩の時代の「朗詠注」　佐藤道生
宗教テクスト体系のなかの朗詠注　阿部泰郎

地域資料として見た「朗詠注」　米谷隆史

総合司会○小林真由美
無住と『寒山詩集』　王蒼媛
横笛「水龍」説話考―龍神から取り戻した笛―　妹尾恵里
『住吉の本地』における能《白楽天》説話―國學院大學蔵本の特徴と意義を中心に―　宋春暁
説話における神仏による「祟り」と「罰」の方法の変遷　羽鳥佑亮
丹表紙本『高田大明神縁起』の成立年代について　山吉頌平

令和五年度大会（六〇周年記念大会）　二〇二三年七月一日・二日　早稲田大学・Zoom併用

＊共催：早稲田大学文学学術院
＊企画展示「説話の文学・美術・宗教：『釈氏源流』と仏伝」
会期　二〇二三年六月二六日〜七月七日　早稲田大学総合学術情報センター
協力　早稲田大学図書館・早稲田大学會津八一記念博物館

開会の辞　高松寿夫
［講演会「説話の文学・美術・宗教」］
〈裏返しの仏伝〉という文学伝統―『源氏物語』再読と尊子出家譚から　荒木浩

説話文学研究と宗教研究のはざまで　伊藤聡
仏教美術の物語表現法　肥田路美
［シンポジウム「説話の文学・美術・宗教―『釈氏源流』を軸に」］
仏伝文学としての『釈氏源流』　小峯和明
『釈氏源流』仏教東伝記事の歴史観と挿図の意味　吉原浩人
造形語彙集としての『釈氏源流』―日本中世絵巻との接点を探る―　山本聡美
『釈氏源流』を通してみる明代絵入り刊本の出版と流通　河野貴美子
司会○小峯和明
コメンテーター○張龍妹・李銘敬
［ラウンドテーブル「説話文学研究　つぎの六〇年に向けて」］
説話集研究の現状と今後　本井牧子
軍記物語研究と説話文学研究　牧野淳司
説話と絵画をめぐる研究の動向と展望　恋田知子
説話の観点からみた能楽研究の動向と展望　高橋悠介
コーディネーター○近本謙介
司会○佐伯真一

総合司会○伊東玉美
『保元物語』源為朝像の再検討―その二面性と鬼島渡り記事の成立背景―　阿部亮太
「十念寺縁起絵巻」の制作背景―誓願寺縁起諸本との関係から―　大澤茉歩
キリシタン神話の伝来と展開―「楽園喪失物語」を中心に　呂雅瓊
『本朝桜陰比事』巻頭の裁判説話をめぐって―雷神信仰と政道批判―　鄭一鳴

あとがき

河野貴美子

説話文学会が六〇周年を迎えるに当たり、二〇二三年度の大会を記念行事として位置づけ、記念論集を刊行することを委員会で協議、決定したのは二〇二二年四月のことであった。その後、前後四期の事務局担当者（近本謙介、佐伯真一、河野貴美子、伊東玉美）による六〇周年記念事業委員会を立ち上げ、二〇二二年八月、九月、一二月、二〇二三年三月、四月（二回）と、計六回のミーティングを重ね、六〇周年記念大会の企画と本記念論集の内容を練った。その間、この記念事業委員会の会合において、説話文学会をはじめ、学界を取りまく現在状況を冷静にみつめ分析し、憂慮とともに希望をもってラウンドテーブルなどの具体的計画を立ててくださった近本謙介氏が二〇二三年二月に急逝されたことは、大きな悲しみと衝撃であった。我々記念事業委員会は計り知れない喪失感を抱えつつ、しかし会員はじめ関係各位の支えをいただき、大会を終え、本論集も刊行まで進めてくることができた。近本謙介氏の舵取りがあれば、という無念の思いは今なお残るが、ともかく論集の完成をここに報告したい。

本論集は、二〇二三年七月に開催した説話文学会六〇周年記念大会の講演会（「説話の文学・美術・宗教」）、シンポジウム（「説話の文学・美術・宗教――『釈氏源流』を軸に」）、ラウンドテーブル（「説話文学研究　つぎの六〇年に向けて」）の記録、そして記念座談会（「説話研究の未来――一〇〇年後の研究はありうるか?」）、および説話文学会への提言を自由に寄稿いただいたエッセイ（「説話文学会六〇周年に寄せて」）からなる。大会の内容を記録した前半は、説話文学研究をめぐる学際的な視点からの議論を誌上に再現するものである。後半の座談会は、「国際」をキーワードとして発案企画されたものであり、続くエッセイは説話文学会の歴史をたどりつつ、現状と今後のあり方をみすえる発言が連なる。本論集全体として、説話文学研究の意義と課題に真摯に向き合う思考の集積となっており、それは説話文学研究に携わる方々への心強いメッセージとなり得るのみならず、日本文学研究、さらには人文学研究、また東アジア漢字漢文文化圏および世界各地域の人文知研究とも接続する、多様な問題提起と相互対話の可能性を含む鍵ともなり得るものであろう。

説話文学会は、三〇周年を迎えた一九九三年に記念事業として『説話文学会会報』の第一号（一九六二年七月）から第二三号（一九六七年九月）を覆刻している（岩田書院）。『説話文学会会報』は、一九六八年四月に本学会の会誌『説話文学研究』が創刊される以前に発行されていたもので、学会運営の方針や例会・大会の報告、関連の書籍や資料、論文の紹介、そして他の学会・研究会の動向など、誌面からは当時の学界の状況や本学会創設時の熱い意気込みがひしひしと伝わってくる。その中で、第一号に掲載されている「第一回委員会報告」として今後の研究活動が要約して掲げられている中に、「説話文学の定義のためのシンポジウム」とあるのが目に留まる。そして、本学会の根源的課題を真正面から討論するシンポジウム「説話と説話文学——説話とは何か」が一九六六年の第五回大会において開催されている。この、説話とは何か、説話文学とは何か、という問いは、以後現在に至るまで繰り返されてきたものである。本会会則に「本会は広く説話および説話文学の研究を各分野から推進することを目的とする」とあるように、説話文学会では、説話および説話文学の研究を「広く」「各分野から推進する」ことを目指してきたのであり、常に広がり、また、さまざまな研究と交差し連動しながら歩んできたのだといえよう。説話とは何か、説話文学とは何かという、問い直しとともに、新たな資料や視点を拒むことなく、変化流動しつつも前進してきた、そうした「強み」が本会にはあるように感じられる。

また、高橋貢氏のエッセイに記されているように、説話文学会が創設された当初、研究者が集結することによって、個々の研究者のみでは成し遂げることが難しい課題への取り組みが可能となることが期待されていた。本学会はこの六〇年にわたり、時々の潮流を作りながらさまざまな実績を達成発信してきたが、と同時に、現在そして今後に残された課題も少なくはなかろう。人文学や古典学の危機ということが叫ばれる現在問題に対して、本学会がいかなる機能を果たしうるのか、その答えや方法は決して単純なものではなかろうが、知が集い、そこからまた新たなうねりを生み出すプラットホームとして、大いに利用されていくのがよいのではないか。

最後になったが、多忙を極める中、本論集にご寄稿いただいた各位に心よりのお礼を申し上げる。そして、記念大会から本論集の出版まで、献身的に伴走していただき、刊行を実現してくださった文学通信の岡田圭介氏、西内友美氏に深く感謝申し上げる。

二〇二四年五月

河野貴美子

執筆者一覧（掲載順）

①所属　②専門分野　③主要著書・論文

佐伯真一（さえき・しんいち）
①青山学院大学名誉教授
②日本中世文学・軍記物語
③『日本評伝選　熊谷直実』（ミネルヴァ書房、二〇二三年）、『軍記物語と合戦の心性』（文学通信、二〇二一年）、『「武国」日本―自国意識とその罠―』（平凡社、平凡社新書、二〇一八年）など。

荒木　浩（あらき・ひろし）
①国際日本文化研究センター教授
②日本古典文学
③『方丈記を読む』（法藏館、二〇二四年）、『古典の中の地球儀』（ＮＴＴ出版、二〇二二年）、『『今昔物語集』の成立と対外観』（思文閣、二〇二一年）など。

伊藤　聡（いとう・さとし）
①茨城大学教授
②日本思想史
③『中世天照大神信仰の研究』（法藏館、二〇一一年）、『神道の形成と中世神話』（吉川弘文館、二〇一六年）、『日本像の起源　つくられる〈日本的なるもの〉』（ＫＡＤＯＫＡＷＡ、二〇二一年）、『神道の近代　アクチュアリティを問う』（共編、アジア遊学二八一、勉誠出版、二〇二三年）など。

肥田路美（ひだ・ろみ）
①早稲田大学文学学術院教授
②中国・日本の仏教美術史
③『初唐仏教美術の研究』（中央公論美術出版、二〇一一年）、『美術史料として読む『集神州三宝感通録』―釈読と研究（一）～（十五）』（科研成果報告書、二〇〇八～二〇二三年）など。

小峯和明（こみね・かずあき）
①立教大学名誉教授、中国人民大学高端外国専家
②日本中世文学、東アジア比較説話
③『日本と東アジアの〈環境文学〉』（編著、勉誠社、二〇二三年）、『東アジアに共有される文学世界―東アジアの文学圏』（編著、東アジア文化講座三、文学通信、二〇二一年）、『〈作者〉とは何か―継承・占有・共同性』（共編、岩波書店、二〇二一年）など。

吉原浩人（よしはら・ひろと）
①早稲田大学文学学術院教授、浙江工商大学東亜研究院客員教授
②日本宗教思想史、東アジア文化交流史
③『南岳衡山と聖徳太子信仰』（共編、勉誠出版、二〇一八年）、『海を渡る天台文化』（共編、勉誠出版、二〇〇八年）、『東洋における死の思想』（春秋社、二〇〇六年）など。

山本聡美（やまもと・さとみ）
①早稲田大学文学学術院教授
②日本中世絵画史
③『中世仏教絵画の図像誌　経説絵巻・六道絵・九相図』（吉川弘文館、二〇二〇年）、『闇の日本美術』（筑摩書房、二〇一八年）、『九相図をよむ　朽ちてゆく死体の美術史』（ＫＡＤＯＫＡＷＡ、二〇一五年、二〇二三年角川ソフィア文庫版として再刊）など。

河野貴美子（こうの・きみこ）
①早稲田大学教授
②和漢比較文学、和漢古文献研究
③『日本「文」学史』全三冊（共編著、勉誠出版、

二〇一五～二〇一九年）、『日本霊異記と中国の伝承』（勉誠社、一九九六年）など。

張　龍妹（ちょう・りゅうまい）
①北京外国語大学
②『源氏物語』を中心とする平安仮名文学
③『源氏物語の救済』（風間書房、二〇〇〇年）、『東アジアの女性と仏教と文学』（共編、勉誠出版、二〇一七年）など。

李　銘敬（り・めいけい）
①中国人民大学教授
②日本中古中世説話文学・仏教文学・中国古典籍伝播
③『日本仏教説話集の源流』（勉誠出版、二〇〇七年）、「偽撰にみる白居易およびその文学―真福寺蔵『往生浄土伝』の編纂意図をめぐって―」（河野貴美子・杜暁勤編『中日古典ワークショップ論集―文献・文学・文化―』第一巻所収、汲古書院、二〇二四年）、「宋・常謹撰『地蔵菩薩応験記』研究序説」（河野貴美子・李銘敬編『日本文学研究ジャーナル』二九、古典ライブラリー、二〇二四年三月）など。

近本謙介（ちかもと・けんすけ）（二〇二三年逝去）
①名古屋大学教授
②日本中世宗教文芸
③『玄奘三蔵がつなぐ中央アジアと日本』（共編、臨川書店、二〇二三年）、『ことば・ほとけ・図像の交響：法会・儀礼とアーカイヴ』（編著、勉誠出版、二〇二二年）、『宗教遺産テクスト学の創成』（共編、勉誠出版、二〇二二年）など。

本井牧子（もとい・まきこ）
①京都府立大学教授
②説話を中心とする宗教文芸
③「『日本霊異記』と仏教類書　『金蔵論』を中心として」（『仏教文学』四七、二〇二二年四月）、「『釈迦堂縁起』とその結構」（『國語國文』八六―五、二〇一七年五月）など。

牧野淳司（まきの・あつし）
①明治大学教授
②中世文学（平家物語研究、唱導資料研究）
③「『平家物語』と唱導文化との関わりについての綜合的研究―後白河法皇をめぐる唱導の観点から―」（『明治大学人文科学研究所紀要』八四、二〇一九年）、「『御法』の物語としての源氏物語―源氏供養の発生と結縁の心性―」（『古代学研究所紀要』二七、明治大学日本古代学研究所、二〇一九年）など。

恋田知子（こいだ・ともこ）
①慶應義塾大学准教授
②日本中世文学
③「『子やす物語』考―諸本と典拠」（『藝文研究』一二三―一、二〇二二年一二月）、『異界へいざなう女　絵巻・奈良絵本をひもとく』（平凡社、二〇一七年）、『仏と女の室町　物語草子論』（笠間書院、二〇〇八年）など。

高橋悠介（たかはし・ゆうすけ）
①慶應義塾大学附属研究所斯道文庫教授
②中世文学・寺院資料研究
③『宗教芸能としての能楽』（編著、勉誠出版、二〇二二年）、『禅竹能楽論の世界』（慶應義塾大学出版会、二〇一四年）、「律院称名寺と聖徳太子伝―釋了敏の写本を中心に」（『説話文学研究』五二、二〇一七年九月）など。

渡辺麻里子（わたなべ・まりこ）
①大正大学教授
②日本中世文学・説話文学・仏教文学
③「天台の論義書と談義書―『法華経』『三大部』を中心に―」（『日本仏教と論義』法藏館、二〇二〇年）、「談義所における聖教と談義書の形成」（『学芸と文芸』竹林舎、二〇一六年）、「天台仏教と古典文学」（『天台学探尋』法藏館、二〇一四年）など。

陸　晩霞（りく・ばんか）
①上海外国語大学教授
②日本古典文学、和漢比較文学
③『遁世文学論』（武蔵野書院、二〇二〇年）、「樹上法師像の系譜―鳥窠禅師伝から『徒然草』へ」（李銘敬・小峯和明編『日本文学のなかの〈中国〉』アジア遊学一九七、勉誠社、二〇一六年）、「隠遁思想と文芸―山から都会へ」（ハルオ・シラネ編『東アジアの自然観―東アジ

アの環境と風俗』東アジア文化講座四、文学通信、二〇二一年）、「元政上人の孝養観と儒仏一致思想―『扶桑隠逸伝』における孝行言説を中心に」（雋雪艶・黒田彰編『東アジアの「孝」の文化史』アジア遊学二八八、勉誠社、二〇二三年）など。

趙　恩馤（ちょう・うね）
①崇実大学校講師
②比較説話文学
③「近代児童教養全集『小学生全集』収録の「歴史童話」に関する考察」（『洌上古典研究』八〇、洌上古典研究会、二〇二三年）、「韓日における「仏伝」の展開」（小峯和明編『東アジアの仏伝文学』勉誠出版、二〇一七年）、「植民地時代における朝鮮説話集と博物学―三輪環『伝説の朝鮮』を中心に―」（『日語日文学研究』九八―二、韓国日語日文学会、二〇一六年）など。

ハルオ・シラネ
①コロンビア大学教授
②日本文学・文化
③『〈作者〉とは何か―継承・占有・共同性』（共編、岩波書店、二〇二一年）、『東アジアの自然観―東アジアの環境と風俗』（編著、東アジア文化講座四、文学通信、二〇二一年）、『四季の創造：日本文化と自然観の系譜』（KADOKAWA、二〇二〇年）など。

高橋　貢（たかはし・みつぐ）
①専修大学名誉教授
②中古説話文学
③『宇治拾遺物語：全訳注』上下（講談社学術文庫、二〇一八年）、『日本霊異記』（ワイド版東洋文庫九七、平凡社、二〇〇九年）、『中古説話文学研究』（おうふう、一九九八年）など。

阿部泰郎（あべ・やすろう）
①名古屋大学名誉教授、龍谷大学招聘研究員
②宗教テクスト文化遺産
③『ハーバード美術館南無仏太子像の研究』（共編、中央公論美術出版、二〇二三年）、『中世日本の王権神話』（名古屋大学出版会、二〇二〇年）、「宗教遺産学の実践としての宗教文化遺産アーカイヴス構築―龍谷大学による「宗教テクスト文化遺産アーカイヴス研究基盤」創設のために」（木俣元一・近本謙介編『宗教遺産テクスト学の創成』勉誠社、二〇二二年）など。

伊東玉美（いとう・たまみ）
①白百合女子大学教授
②中世説話集・説話文学と史料・思想
③「歴史の願わしい語り方―『続古事談』・『愚管抄』が目指したもの―」（『説話文学研究』五八号　二〇二三年九月）、『古事談　上・下』（校訂・訳　二〇二一年　筑摩書房）、『新版発心集　現代語訳付き　上・下』（浅見和彦氏と訳注　二〇一四年　KADOKAWA）など。

石川　透（いしかわ・とおる）
①慶應義塾大学教授
②物語文学、説話文学
③『奈良絵本・絵巻―中世末から近世前期の文華』（平凡社、二〇二二年）、『御伽草子―その世界』（勉誠社、二〇〇四年）など。

齋藤真麻理（さいとう・まおり）
①国文学研究資料館教授
総合研究大学院大学教授（併任）
②中世文学・説話文学
③『異類の歌合　室町の機智と学芸』（吉川弘文館、二〇一四年）、『妖怪たちの秘密基地　つくもがみの時空』（平凡社、二〇二二年）、『『戯画図巻』の世界　競う神仏、遊ぶ賢人』（編著、KADOKAWA、二〇二四年）など。

杉山和也（すぎやま・かずや）
①順天堂大学准教授
②説話
③『南方熊楠と説話学』（平凡社、二〇一七年）、『野村太一郎の狂言入門』（共著、勉誠社、二〇二三年）、『熊楠と猫』（共著、共和国、二〇一八年）など。

田中貴子（たなか・たかこ）
①甲南大学教授
②中世文学、説話文学
③『いちにち、古典　〈とき〉をめぐる日本文学誌』（岩波新書、二〇二三年）、「幽霊画

と女性」（『早稲田文学』通巻一〇三六号、二〇二一年）など。

目黒将史（めぐろ・まさし）
①県立広島大学准教授
②中世・近世軍記
③『薩琉軍記論　架空の琉球侵略物語はなぜ必要とされたのか』（文学通信、二〇一九年）、『日本文学の展望を拓く 第五巻 資料学の現在』（編著、笠間書院、二〇一七年）、「文芸における〈技〉表現をめぐって―『判官都話』を起点に―」（『青山語文』五二号、二〇二二年三月）など。

森　正人（もり・まさと）
①熊本大学名誉教授、尚絅大学・尚絅大学短期大学部名誉教授
②古代・中世説話集および物語
③『今昔物語集の怪異を読む　巻第二十七「霊鬼」』（勉誠社　二〇二三年）、『古代心性表現の研究』（岩波書店　二〇一九年）、『龍蛇と説話　伝承文学論』（和泉書院　二〇一九年）など。

阿部龍一（あべ・りゅういち）
①ハーバード大学教授
②仏教学
③『評伝良寛―わけへだてのない世を開く乞食僧』（ミネルヴァ書房、二〇二三年）、「玄奘訳『般若心経』の特徴―中世の神祇信仰を糸口として」（佐久間秀範、近本謙介、本井牧子編『玄奘三蔵―新たなる玄奘像をもとめて』勉誠出版、二〇二一年）、「日本密教の世界観」（伊藤邦武ほか編『世界哲学史』全八巻、筑摩書房、二〇二〇年、第三巻所収）など。

イフォ・スミッツ（Ivo SMITS）
①オランダ・ライデン大学教授
②平安鎌倉時代の和漢比較文学
③「自然不在の王朝文化：平安文学における庭園の一考察」（小峯和明編『日本とアジアの〈環境文学〉』勉誠出版、二〇二三年）、「Riverside Mansion Mythologies: Retextualizing the Past in Poetic Commentary（河原院の神話作用）」（Carolina Negri・Pier Carlo Tommasi編『Images from the Past: Intertextuality in Japanese Premodern Literature』Edizioni Ca' Foscari、二〇二一年）、「Singing the Informal: Priest Renzen, Mudaishi, and a World outside the Classical Court（釈蓮禅の無題詩）」（Qian Nanxiu 他編『Rethinking the Sinosphere: Ideology, Aesthetics and Identity Formation』Cambria Press、二〇二〇年）など。

琴　榮辰（ぐむ・よんじん）
①韓国外国語大学校助教授
②日本近世笑話・東アジア笑話・説話比較文学
③「「三姉妹」話型とユーラシア比較文学―朝鮮漢文笑話集の類話新資料をめぐって―」（『日本言語文化』五八輯、韓国日本言語文化学会、二〇二二年）など。

高　陽（こう・よう）
①清華大学外文系准教授
②説話文学、仏教文学
③『説話の東アジア―「今昔物語集」を中心に』（勉誠出版、二〇二一年）、「説草における孝養の言説」（『東アジア孝の文化史』、アジア遊学二八八、勉誠出版、二〇二三年）、「中世日本における玄奘像の展開」（『日本文学研究ジャーナル』二九、二〇二四年三月）など。

ファム・レ・フイ（PHAM Le Huy）
①ベトナム国家大学ハノイ校講師
②日本古代史、ベトナム古代・中世史
③「東アジアにおける祥瑞文化と仏教―ベトナム李朝期の事例を中心に」（水口幹記編『東アジア的世界分析の方法〈術数文化〉の可能性』文学通信、二〇二三年）、「前近代東アジアにおける漢譯大藏經の傳播とその展開：ベトナムの前黎・李兩王朝の大藏經将來事業を中心にして」（東アジア仏教研究会編『東アジア仏教研究』二〇、二〇二二年）など。

編　者

説話文学会　http://www.setsuwa.org/

執筆者（掲載順）

佐伯真一／荒木　浩／伊藤　聡／肥田路美／小峯和明／吉原浩人／山本聡美／
河野貴美子／張　龍妹／李　銘敬／近本謙介／本井牧子／牧野淳司／恋田知子／
高橋悠介／渡辺麻里子／陸　晩霞／趙　恩馤／ハルオ・シラネ／高橋　貢／
阿部泰郎／伊東玉美／石川　透／齋藤真麻理／杉山和也／田中貴子／目黒将史／
森　正人／阿部龍一／ Ivo SMITS ／琴　榮辰／高　陽／ PHAM Le Huy

説話文学研究の海図

説話文学会 60 周年記念論集

2024（令和 6）年 6 月 29 日　第 1 版第 1 刷発行

ISBN978-4-86766-056-0　C0095

発行所　株式会社 **文学通信**

〒 113-0022　東京都文京区千駄木 2-31-3　サンウッド文京千駄木フラッツ 1 階 101

電話 03-5939-9027　Fax 03-5939-9094

メール info@bungaku-report.com　ウェブ http://bungaku-report.com

発行人　岡田圭介

印刷・製本　モリモト印刷

ご意見・ご感想はこちらからも送れます。上記のQRコードを読み取ってください。